Accord des Vins et des Mets

Le guide des harmonies gourmandes

Ouvrage collectif créé par Losange,
sous la direction de Hervé Chaumeton

Coordination éditoriale
Myriam Weber

PAO
Nathalie Lachaud
Jean-François Laurent
Isabelle Véret

Photogravure
Christophe Courtier
Stéphanie Henry

© Losange, 1999.
© Éditions Proxima, 1999.

ISBN : 2-84550-012-2
N° d'éditeur : 84550
Dépôt légal : septembre 1999.

Achevé d'imprimer : août 1999.
Imprimé en UE par Graficas Estella, Espagne.

Accord des Vins et des Mets

Le guide des harmonies gourmandes

Jacques-Louis Delpal

éditions
proxima

Sommaire

Les jeux heureux du vin à table

Jouant à l'unisson des saveurs, réveillant le palais par d'aimables dissonances, imposant parfois des contrastes heureux, le vin ajoute son accent aux mets, les révèle, renforce leur caractère, qu'il s'agisse de produits bruts ou à peine transformés, de plats familiaux traditionnels ou de recettes codifiées par des chefs artistes et techniciens. Le vin, en juste revanche, bénéficie de l'échange : les aliments auxquels il est associé ou confronté favorisent son expression, l'amplifient souvent avec bonheur.

Sans légiférer quant au «vin faire-valoir/vin valorisé», en signalant souvent plusieurs pistes pour trouver au bon moment «la» bonne bouteille, qui n'est jamais unique, ce livre pratique a deux ambitions. La première, modeste : permettre au néophyte d'éviter les bourdes souvent commises (un blanc moelleux avec des huîtres salées et iodées, un rouge tannique et charpenté sur une tendre volaille, un vin à la rudesse puissante sur un fromage frais). La seconde : aider le lecteur à assortir au mieux le verre et l'assiette de façon soit heureusement convenue, soit originale ; le pousser à s'interroger, à ne pas échantillonner au hasard.

Les vins et les mets sont tenus dans cet ouvrage pour des partenaires égaux, éléments d'une harmonie équilibrée, mais il arrive, comme dans les couples heureux, que l'un supplante l'autre en telle ou telle occasion, sans l'écraser. On peut acheter une bouteille sans trop lui demander, en se régalant à l'avance du plat à forte personnalité qu'elle accompagnera en léger retrait. On a tout autant, en revanche, le droit de choisir un plat en fonction d'un vin dont on attend beaucoup, auquel on donne délibérément la vedette. Suggérant, préconisant, donnant souvent le choix entre diverses options, ce livre aide à éviter les grosses erreurs et le «n'importe quoi» (hélas! courant sur bien des tables), rappelle les bonnes ententes classiques du verre et de l'assiette et pousse, quand c'est possible, vers l'inédit.

Depuis longtemps familier de la restauration de haut niveau et des milieux viticoles, ayant exploré à fond la plupart des terroirs de France (pour des centaines d'articles et une cinquantaine de livres), l'auteur a, certes, été conduit par ses goûts, par son éducation, mais il a inlassablement consulté des sommeliers parmi les meilleurs, des œnologues, des chefs, certains célèbres, des viticulteurs, des gastronomes. En acceptant la contradiction, en tenant compte des mises en garde reflétant d'autres habitudes, d'autres sensibilités… Au point, parfois, sinon de changer d'avis, du moins de mettre au conditionnel ce qui lui paraissait une vérité d'évidence.

Ayant publié un ouvrage à succès sur les accords gourmands, à la suite de guides culturels et «polyculturels» dont le vin était rarement absent, consultant des milliers de notes systématiquement reportées, classées et triées sur son ordinateur, il a perpétuellement fait corroborer (ou affiner!) ses jugements par les spécialistes qu'il respecte. Les divergences d'appréciation ne l'ont pas choqué : il en va des goûts comme des couleurs, tout demeure relatif et se discute. Dans la convivialité, si bien entretenue à table quand le vin est bon et le menu appétissant.

L'énumération par chapitre des produits et des plats, pour la plupart familiers, quelques-uns relevant de la grande cuisine, va de pair avec l'évocation précise d'appellations adéquates, de toutes régions (et, parfois, avec la mention de celles qui ne conviennent absolument pas). L'aide au lecteur encore néophyte, ou ignorant de certains secteurs viticoles, est éventuellement plus poussée. Le répétitif sous-titre *Une bonne bouteille ?* signale des viticulteurs, des coopératives et des négociants, si possible pas trop « confidentiels », dont les bouteilles sont à la portée du commun des mortels – au moins pour un jour de fête : les vins cités au fils des pages s'achètent, *grosso modo,* de 35 à 200 F la bouteille (la majorité sont vendus dans les restaurants raisonnables entre 100 et 300 F). Les collectionneurs de Mouton-Rothschild, de Haut-Brion, d'Yquem, de Petrus ou de Romanée-Conti, merveilles dont on n'ose dire le prix, n'ont pas besoin de nous… Quant au lecteur, il nous pardonnera certainement de ne pas faire référence à d'illustres bouteilles de grands millésimes proposées à 2 000 ou 3 000 F, voire beaucoup plus, sur la carte des établissements portés aux nues (étoilées) par le Michelin.

Les vins évoqués sont censés être vieux de un à quatre ou cinq ans pour les blancs, de deux à huit ans pour les rouges : il est impossible, dans un ouvrage généraliste, de tenir compte des modifications, souvent considérables, qu'apporte un heureux vieillissement prolongé en cave. La notion d'année importe moins qu'autrefois grâce aux progrès dans l'entretien des vignes et la conduite des vendanges, dans l'équipement des chais et dans leur surveillance, mais il faut, évidemment, en tenir compte. Pour savoir quelles bouteilles garder en cave, quels vins, aimables, mais dépourvus d'avenir, boire sans attendre… De multiples tableaux des millésimes circulent, plus ou moins à jour, certains partisans. On les consultera en ayant conscience qu'il s'agit de généralités, de « moyennes ».

La lecture éducative et distrayante d'ouvrages spécialisés mis à jour annuellement est indispensable. Les énormes comptes-rendus de l'Américain Robert Parker, superman de la dégustation parfois contesté, sont impressionnants, mais peu faits pour le profane. En dehors d'une multitude d'ouvrages dont on peut suspecter le sérieux, ou qu'auteurs et éditeurs n'ont pas les moyens de maîtriser complètement, deux guides s'imposent, complémentaires : *Le Guide Hachette des Vins,* bourré d'adresses, décrit inégalement environ huit mille vins et fournit, de façons diverses selon secteurs et auteurs, quantité de renseignements utiles sur les AOC. On peut regretter certaines absences dans ce gros livre pourtant exhaustif, un peu complaisant parfois, mais l'ouvrage est indispensable, ce ne serait que comme annuaire du vin (les domaines et châteaux cités dans les pages qui suivent y figurent probablement à 90 %).

Le *Classement des vins et domaines de France* établi par Michel Bettane et Thierry Desseauve, responsables de la *Revue des Vins de France,* est plus élitiste, moins fourre-tout, plus lisible. Il suit l'évolution d'un millier de domaines bien choisis. Clair et pointu, décrivant intelligemment la personnalité des vins, ce guide désinvolte à l'égard des petites appellations égratigne parfois les domaines vedettes et témoigne souvent d'un enthousiasme communicatif.

Les nombreux Châteaux et Domaines, ainsi que les quelques négociants cités dans les différents chapitres (*Une bonne bouteille ?*) sont recensés p. 117.

Des chefs vedettes devenus viticulteurs

Les grands cuisiniers savaient depuis toujours faire leur marché. Ils ont appris à vendanger et à vinifier. Plusieurs chefs illustres sont devenus viticulteurs à l'instar de **Michel Guérard** (voir p. 35), qui donna l'élan dans le Tursan à l'aube des années 80 et construisit des chais à la lisière de son fief d'Eugénie-les-Bains : **Marc Meneau**, à Vézelay, sur des pentes assez proches de l'Espérance, **Georges Blanc** à Azenay, pas loin de Vonnas et de l'univers créé autour de ses hôtels et restaurants, **Jean-André Charial,** dans les Alpilles, sous le soleil qui découpe les ombres des Baux et tiédit la piscine de l'*Oustau de Baumanière.*

Alain Senderens, qui se plaît plus que tout autre à cuisiner pour le vin et se préoccupe toujours de le valoriser, était devenu homme des vignes à Cahors, où il réinventa littéralement Château Gautoul. L'inventif chef-propriétaire

Marc Meneau, chef-vigneron à Vézelay.

Michel Lorain « trois étoiles » viticulteur, Michel Laurent, choucroutier, et Françoise Petrucci, restauratrice.

Georges Blanc : Vonnas et Azenay.

de *Lucas-Carton,* place de la Madeleine, a beaucoup fait pour une appellation qui connut un long déclin avant le renouveau des années 90, puis a pris quelque recul.

Michel Lorain, l'homme à la moustache souriante, a aussi son vin, à Joigny, en cette lisière nord de la Bourgogne où la vigne avait plus que reculé. Le blanc se laisse boire avec la formidable choucroute de l'Aubois Michel Laurent, le presque voisin du département d'à-côté, avec les potées de *L'Ambassade d'Auvergne,* dont Françoise Petrucci a fait le plus aimable restaurant franchement régionaliste de Paris.

Jean-André Charial, près des Baux, une cave dans le calcaire des Alpilles.

Un trio de « Meilleurs » sommeliers

LE VIN a aussi ses « bêtes à concours » qui rêvent du titre très disputé de « Meilleur Sommelier de France » et, pourquoi pas, de « Meilleur Sommelier du Monde ». Les Français l'emportent de temps à autre au niveau mondial. Hommage à trois « meilleurs Meilleurs »…

Grand sommelier très discret, **Jean-Claude Jambon** s'était fait connaître au Sofitel de Lyon. Ce virtuose tranquille est, depuis longtemps, le collaborateur d'un remarquable cuisinier ne cherchant pas le vedettariat, Henri Faugeron. Expert l'ayant emporté à de nombreux concours, notamment celui de Meilleur Sommelier du Monde 1986, Jambon est excellent connaisseur des beaujolais (normal : il est originaire du Beaujolais), mais il partage le penchant des Lyonnais pour les côtes-du-rhône. Et sait tout des autres régions… Savant et psychologue, il indique les bonnes directions aux clients en tenant compte de leurs goûts et de leurs

Jean-Claude Jambon, lauréat en 1986.

moyens présumés. Ce qui n'est pas le cas dans tous les restaurants haut de gamme.

Serge Dubs travaille (est-ce vraiment du travail ?) sur les rives fleuries de l'Ill, à quelques tours de roue de Colmar : il gère et remplit la cave de la plus séduisante auberge qui soit, celle de la famille Haeberlin. Meilleur Sommelier du Monde 1989, il explique toutes les nuances des vins alsaciens et rhénans, toutes les particularités des crus qui n'appartiennent pas à la « culture viticole latine » (cela ne l'empêche pas de connaître le Bordelais et l'univers rhodanien vigne par vigne). La carte des vins de *l'Auberge de l'Ill* est somptueuse, mais l'on peut demander à Dubs ce qu'il boirait, sans vider son compte en

banque, avec une tarte à l'oignon de Winstub ou des cochonnailles d'Alsace ou d'ailleurs. Un sylvaner, bien sûr ! Vin aimable, parfois d'une fraîcheur exquise, que Dubs, pas chauvin, accepterait d'échanger avec un muscadet devant des fruits de mer.

Philippe Faure-Brac, lui, est Meilleur Sommelier du Monde 1992. Auteur d'un excellent ouvrage sur les vins, doublé d'un livre de cave, jouant souvent un rôle de conseiller, ce connaisseur de tous les vins du monde dirige le parisien *Bistrot du Sommelier* (97, boulevard Haussmann, dans le 8ᵉ arrondissement). Le grand menu du soir y est baptisé « Harmonie des vins et des mets » : il associe six plats avec six crus. Mais l'on peut aussi faire librement son choix sur une carte exemplaire.

Philippe Faure-Brac, victorieux en 1992.

Serge Dubs, « numéro 1 » en 1989.

APÉRITIFS ET MISE EN BOUCHE

Les apéritifs qui traînent tuent le repas, mais ce prologue à la table a un rôle convivial. Apparu avec son sens actuel au XVIIIe siècle («ce qui ouvre l'appétit»), le mot est devenu substantif courant à la Belle Époque. Les apéritifs de marque, Martini, Cinzano, Lillet, Birrh, Suze, Dubonnet, Pastis, Ricard, Berger, dont la vogue décline, se sont imposés au XXe siècle, pendant lequel les initiés, puis le grand public, ont progressivement adopté maints produits étrangers, whisky, jerez (ou xérès), porto, Campari, ouzo, boukha, tequila.

Lever de rideau, l'apéritif tient du rituel, de l'obligation lorsque plusieurs personnes sont conviées, que certaines se font attendre. Cela ne signifie pas qu'il doive s'éterniser ni être privilégié, car il risque de compromettre le meilleur repas. À l'hôte de ne pas trop proposer, à l'invité de refuser les tronçons de chorizo vulgairement pimenté, les amuse-gueule trop salés, le méli-mélo de petits biscuits, les gadgets coupant définitivement la faim – et de se méfier de l'alcool tueur de papilles.

Quelques amuse-bouche à proscrire

Une mise en bouche apéritive doit ouvrir l'appétit, non calmer la faim. Elle permet de passer en souplesse à table avec les amis, prépare à la dégustation. Rien de plus : plats et vins ne se savourent plus quand on a abusé des petites «cochonneries» standardisées, trop bu, mélangé les boissons. Il faut s'en tenir aux amuse-bouche peu salés, en rejetant les chips et les produits élaborés pour donner soif, éviter le sucré, ne pas grignoter machinalement.

La gamme des hors-d'œuvre apéritifs est inlassablement étendue par les industriels de l'alimentation : olives simples ou farcies, cacahuètes trop salées, à proscrire, noix de cajou ennemies du vin, allumettes et chips bêtement assoiffantes, quiches miniatures, mini-pizzas, radis, branches de céleri à croquer, légumes crus émincés, tomates cerises fourrées de fromage frais à la ciboulette, lamelles de jambon séché, rillons, petites saucisses, tranches de saucisson ou de jambonneau, tartines de rillettes, de tarama, canapés froids de toutes sortes, aux anchois, au saumon fumé, aux crevettes, au blanc de volaille… C'est souvent médiocre. C'est parfois très bon : gare, alors, au repas de tapas, à la dérive vers la kémia (cela régale souvent, mais l'excès de bonnes choses en une infinité de portions ne peut préluder qu'à un repas simpliste). Le caviar étant hors de prix – et rien n'étant pire qu'un mauvais caviar –, il est courant d'étaler sur canapés des œufs de saumon, pas mauvais, voire de lump, pas chers, secs et déplaisants, ainsi que la provençale poutargue. Ces œufs de poissons différemment préparés n'appellent pas forcément le vin et s'entendent mal avec la majorité des apéritifs de marque.

Il est toujours préférable de ne proposer que deux ou trois boissons apéritives alcoolisées, pour éviter dispersion et mélanges, sans oublier le jus de tomate ou le verre d'eau du convive prudent. Les dégustateurs gourmets et gourmands attendant un plat alléchant s'accommodent d'un choix limité mais équilibré d'apéritifs et s'inquiètent de l'offre de boissons en pagaille. En partie parce que c'est «le moindre risque», ils apprécient le champagne, plutôt blanc de blancs, ainsi que le jerez (ou xérès) qui s'associe discrètement à bien des mets et réplique joliment aux olives vertes ou noires, quand le Martini n'est pas élu. Ils savourent le porto, ainsi que le banyuls qui peuvent être superbes, en convenant qu'ils s'expriment moins à l'apéritif qu'avec le foie gras chaud et certains plats.

Vin sucré ou sec ?

Les vins liquoreux, obligatoirement de qualité, plutôt jeunes, peuvent apparaître en certaines occasions, mais il faut être singulièrement prudent à leur égard. Un opulent sauternes superbement millésimé, grande merveille, se boit n'importe

quand, par pure gourmandise, sans qu'il soit nécessaire de manger, au contraire : sauf circonstances particulières, il est trop riche, trop puissant pour être débouché en avant-garde du repas. Qu'on ne nous dise pas qu'il valorise le foie gras

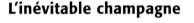

parfois tartiné pour l'accueil des invités ! Le jurançon moelleux et d'autres vins moelleux, voire liquoreux, notamment du Val de Loire, sont préférables. Plusieurs vins doux naturels, dont le muscat de Beaumes-de-Venise, sont autant à leur place en apéritif qu'au dessert. Leur délicatesse sucrée, idéale avec les dés de melon, agréable avec le foie gras, s'offusque malheureusement des cochonnailles et fait grimacer avec quantité de canapés.

Mais pourquoi démarrer sur du sucre ? Le muscat d'Alsace, franchement sec, vivement fruité, dialogue avec plus de mets… et peut être servi à la suite, sur certaines entrées épicées et les asperges. Un simple vin blanc sec, s'il ne soulève pas les passions, se révèle convivial, avec quelques tranches de saucisson comme avec le saumon fumé sur canapé… et les radis. Un graves blanc, un entre-deux-mers, un muscadet plaisent aux crevettes grises, aux bouquets ou à une petite friture ; un savennières ou un quincy aux rillettes ; un cassis, un bandol ou un patrimonio blanc aux petits farcis provençaux. Un mâcon blanc, un saint-véran rafraîchissent sans incompatibilités. De même avec le bourgogne aligoté de qualité. Que l'on y ajoute une tombée de cassis, et cela donne l'éternel Kir, pas déplaisant dans sa banalité (veiller à ce que la crème de cassis soit bonne et justement dosée). Certains accords régionaux dépaysent aimablement ou répondent à de vieilles habitudes : riesling avec de petits

morceaux de presskopf, sylvaner avec une petite tarte aux oignons, crémant d'Alsace avec les bretzels, vouvray sec avec les rillons. On peut jouer avec les rosés, plaisants en été, se faire plaisir d'un rouge léger et frais, camarade des tapas comme du saucisson. Sans parler, en fin d'année, du rituel beaujolais nouveau, agaçant d'être sottement fêté, mais parfois bon. Et même très bon.

Restent les apéritifs de marque… Les gourmets les oublient, mais acceptent un Lillet ou un Martini. Il leur arrive aussi de s'égayer simplement d'une bière, pas trop lourde, parfois coupée d'un doigt de bitter d'agréable amertume, tel le Picon. Quant au whisky… Souhaitons-le pur malt et de grande qualité. Inutile de préciser que deux ou trois whiskies secs réchauffent le cœur et animent la conversation, mais qu'il n'est guère question ensuite de s'intéresser aux subtilités des accords vins/mets.

L'inévitable champagne

Reste à évoquer le champagne, plutôt blanc de blancs. Un peu trop systématiquement proposé, notamment au restaurant, c'est l'apéritif par excellence d'un repas raffiné. Pas tellement pour lui-même, mais parce qu'il ne brutalise pas les papilles, alcoolise peu et ne laisse pas traîner des lambeaux de saveur en bouche. Bien des « mousseux » et crémants valent mieux que les champagnes de base, et coûtent moins cher : attentivement choisis, saumur, vouvray, montlouis, crémant d'Alsace, saint-péray, clairette de Die, blanquette de Limoux et autres vins à bulles ont souvent leur place. Beaucoup de Français les différencient-ils, d'ailleurs, des champagnes en dégustation aveugle ? L'ajout de cassis au champagne, sous le nom bête et pompeux de Kir royal, n'apporte pas grand-chose, si ce n'est de l'argent aux restaurants, mais une excellente liqueur de cassis et un beau champagne séduisent facilement les convives que les vins ne passionnent pas.

Dans la Dombes riche en grenouilles et en gibier, un personnage connu de la « bande à Bocuse » : Jacques Marguin. Il travaille avec son fils Christophe aux Échets, passe pas mal de temps avec les copains dans son caveau de dégustation et sort souvent des trésors de sa cave. Le champagne ? À l'apéritif et en ouverture de repas surtout, éventuellement avec un poisson, ou, le dessert fini, en renfort d'une conversation chaleureuse.

ENTRÉES

La carte de ce chapitre mêle les produits et les genres culinaires, le cru et le cuit. Quels que soient les conseils dispensés ici cas par cas, il faut penser au plat qui suivra l'entrée. Aussi, il convient de choisir le premier vin « un cran au-dessous », pas trop encombrant. Il s'agira plutôt d'un blanc, mais c'est loin d'être impératif. Il se peut d'ailleurs, et c'est courant, que le repas se fasse autour d'un seul vin, ne serait-ce que pour des raisons économiques. Si vous retenez cette option, veillez à harmoniser les mets et, le plus souvent, démarrez sur des saveurs relativement discrètes. Sachez enfin que les entrées liquides ne condamnent pas forcément le service du vin : les consommés pactisent aisément avec un verre de xérès, tandis qu'une soupe de poissons ne repousse pas un verre empli d'un vin blanc sec...

Crudités, salades vertes et composées, mesclun

Un verre d'eau ? le petit blanc de l'apéritif, s'il est sec et vif ? un rouge primeur de caractère accommodant ? le petit rosé qui fait chanter sous la tonnelle ? Frisée, mâche, laitue, batavia, romaine, mesclun, chou rouge, tomate, céleri, fenouil, radis, concombre et crudités de tous les jardins s'entendent inégalement avec le vin, lui cherchent querelle, l'éclipsent. Les mésententes et les heurts sont accentués par les assaisonnements, notamment ceux qui apportent de l'acidité (les bons vinaigres de vin correctement dosés ne sont pas trop méchants).

La vinaigrette classique, que les Anglo-Saxons appellent *french dressing*, la forte tombée de jus de citron, la mayonnaise et le fromage blanc à la ciboulette ne favorisent pas les accords. L'ail fait son numéro, les oignons ne se laissent pas ignorer, l'huile tapisse la bouche – parfois délicieusement, mais ça englue les papilles. Sans parler des explosives «gouttes de tabasco», des sauces de toutes couleurs et toutes épices, de la sauge...

Bref, il est plus prudent de garder son verre très en retrait de l'assiette. Un blanc frais, floral et rond, est de moindre risque... Entre sec et sec tendre. Un rosé plus ou moins nerveux ? Oui, si l'huile d'olive ne chante pas trop fort, si le vinaigre est de bonne origine vineuse. Mais cela n'ira pas loin... La rencontre avec un rouge peut faire grimacer, et ne vaut rien au vin tannique et puissant ou, au contraire, très civilisé par l'âge. Si l'on reste sur cette couleur, que ce soit avec un primeur trop gamin pour se vexer d'une mauvaise rencontre ou avec une vin de pays dont l'étiquette fait penser aux vacances.

BLANC. Coteaux-d'aix ▪ Côtes-de-provence ▪ Cassis ▪ Bourgogne aligoté ▪ Mâcon ▪ Beaujolais blanc ▪ Muscadet ▪ Sylvaner ▪ Alsace pinot blanc ▪ Edelzwicker ▪ Bordeaux sauvignon ▪ Entre-deux-mers ▪ Graves de Vayres ▪ Minervois ▪ Sancerre ▪ Pouilly-sur-loire ▪ Coteaux-du-giennois ▪ Cheverny.

ROSÉ. Côtes-du-rhône ▪ Costières-de-nîmes ▪ Côtes-de-provence ▪ Vin de Corse ▪ Corbières ▪ Côtes-du-frontonnais ▪ Bordeaux clairet ▪ Chinon.

ROUGE. Servir frais ▪ Vins primeurs divers ▪ Côtes-du-ventoux ▪ Côtes-du-luberon ▪ Côtes-de-provence ▪ Beaujolais ▪ Touraine gamay ▪ Côtes-d'auvergne ▪ Vin du Bugey marqué gamay.

Salade niçoise

La salade des vacances, gaiement appétissante, pas favorable aux accords subtils pour cela. Les filets d'anchois, les petites olives noires et les œufs durs font un joyeux chahut, et ne se gênent pas pour bousculer le vin. Presque obligatoirement un blanc... mais qui interdirait le rosé sur la Côte ?

BLANC. Coteaux-d'aix ▪ Côtes-de-provence ▪ Cassis ▪ Coteaux-de-pierrevert ▪ Coteaux-varois ▪ Bellet blanc ▪ Côtes-du-vivarais ▪ Viognier de l'Ardèche.

ROSÉ. Côtes-de-provence ▪ Vins de pays des Maures, des Bouches-du-Rhône, du Vaucluse, du Gard, de l'Hérault.

Salade russe

Carottes et navets taillés en jardinière, haricots verts en petits dés, petits pois, flageolets, chou-fleur. De la mayonnaise. C'est délicieux, coloré et frais. Qui parle de vin ?

 BLANC. ROSÉ. ROUGE. Voir *Salades*.

 POURQUOI PAS ? Un verre d'eau.

Salade de tomates et mozzarella

Les tomates crues ne sont ni pour ni contre le vin, mais ne font rien pour honorer un bon rouge. La mozzarella, généralement à base de lait de vache (toute l'Italie ne trait pas la bufflonne, comme le Latium !), a un goût peu accentué, d'une douceur enrobante, pas davantage avantageux pour les rouges à personnalité. Un blanc aimable ou, mieux, un rosé, ici tout à fait à sa place, bien que peu flatté par la rencontre.

ROSÉ. Marsannay ▪ Bordeaux clairet ▪ Corbières ▪ Tavel ▪ Lirac ▪ Côtes-du-rhône ▪ Costières-de-nîmes ▪ Coteaux-du-tricastin ▪ Palette ▪ Coteaux-d'aix ▪ Bandol ▪ Patrimonio ▪ Vins de Corse ▪ Coteaux-du-languedoc.

BLANC. Côtes-du-rhône ▪ Côtes-du-rhône-villages ▪ Côtes-de-provence.

Haricots verts vinaigrette

Les haricots verts n'aiment pas le vin, qui le leur rend bien. La vinaigrette ne les pacifient pas. Un rosé expressif, de fraîche acidité, tire son épingle du jeu, mais il y a coexistence méfiante plus qu'association.

 ROSÉ. Si l'on y tient… Alsace pinot noir ▪ Sancerre ▪ Reuilly ▪ Marsannay ▪ Saint-pourçain.

POURQUOI PAS ? Un verre d'eau.

Champignons à la grecque

Les champignons sont neutres ; l'huile d'olive et le citron fredonnent en duo, loin du vin. Si la bouteille de rosé est débouchée…

ROSÉ. Voir notice précédente.

Salade d'artichauts

Qui s'acharne sur la base charnue des feuilles et se sert de celles-ci comme de cuillers pour lapper la vinaigrette n'a pas besoin de vin. Mais le cœur de l'artichaut accepte un rosé rond et frais quand l'huile et le vinaigre ne s'interposent pas.

 ROSÉ. Sancerre ▪ Reuilly ▪ Touraine ▪ Vin de pays du « Jardin de la France » (sauvignon) ▪ Marsannay ▪ Saint-pourçain.

Artichauts à la barigoule

Mangés tièdes ou froids, de petits artichauts violets revenus dans une cocotte. Le parfum de l'huile d'olive et des oignons émincés, un rien de petit salé ou quelques lardons… Un régal provençal et niçois. Pour une éventuelle petite soif et la couleur locale, sans prétendre à dégustation : un blanc sachant s'effacer aimablement ou un rosé, plus solide compagnon – l'un ou l'autre issus des vignes méditerranéennes.

 BLANC. Coteaux-d'aix ▪ Les baux-de-provence ▪ Côtes-de-provence ▪ Coteaux-de-pierrevert ▪ Coteaux-varois ▪ Cassis ▪ Bandol ▪ Bellet.

 ROSÉ. Les mêmes appellations que le blanc.

ROUGE. Pas exclu, pas valorisé. Les mêmes appellations que le blanc.

Céleri rémoulade

Le vin se remet mal de la rencontre, et n'apporte pas grand-chose. Mais l'on n'a pas envie d'eau.

 ROSÉ. Saint-pourçain ▪ Alsace pinot noir ▪ Vin de pays du « Jardin de la France » (sauvignon).

 POURQUOI PAS ? Un verre vide.

Choucroute crue vinaigrette

Tout dépend de la garniture ! Les Alsaciens pencheraient plutôt pour du cervelas… et un blanc d'Alsace. Simple et, surtout, sans sucre résiduel. Un rosé

Gilles Ajuelos, l'un des jeunes cuisiniers qui se sont imposés à Paris à la fin des années 1990, revendique ses attaches provençales. En sa Bastide Odéon toute proche du Luxembourg, il propose volontiers côtes-de-provence, cassis et crozes-hermitage. Entrées ensoleillées, agneau, poisson, plats aux saveurs quasi marseillaises ou azuréennes : tous les accords sont possibles en gardant l'« assent ».

QUESTION PEU ALSACIENNE À MARC BEYER, D'EGUISHEIM

Fils d'un grand seigneur du vin qui fit beaucoup pour la renommée d'Eguisheim... et de toute l'Alsace (voir p. 24), Marc Beyer tient de famille une belle culture œnologique, qui ne se limite pas au piémont vosgien. Comme Léon, ce père grand amateur de tous les bons vins, avec lequel il collabore depuis longtemps, il sait tout des vignes de France... et d'ailleurs. Mais il ne peut répondre à l'emporte-pièce quand on lui demande ce qu'il faut boire avec un beau melon. Car le vin ne s'impose guère plus qu'en compagnie des fruits frais.

« Pourquoi pas une sangria, pendant les vacances, sur une terrasse ensoleillée ? Plus sérieusement, je préconiserais un muscat, pas celui d'Alsace, qui est sec, mais, par exemple, un beaumes-de-venise. Une gourmandise agréable.

Une Sélection de grains nobles, bue aussi en apéritif ? Cela permettrait de rester en Alsace, avec un vin d'exception, mais l'accord ne serait pas vraiment exaltant. Plus simplement, pour la soif, on peut se limiter sans cinéma à un pinot noir facile à boire, à un pinot blanc frais et désaltérant. » (Photo ci-dessus : Marc Beyer entre son fils et son père. Une dynastie...)

UNE BONNE BOUTEILLE. Beaumes-de-venise : Domaine de Coyeux ▪ Coteaux-de-l'aubance : Domaine de Montgilet ; Victor Lebreton ▪ Muscat du cap Corse : Domaine Antoine Arena ▪ Avec le melon-jambon (de préférence melon-parme), plutôt un tavel : Château d'Aquéria ▪ Vin de Corse-Calvi : Clos Landry.

ET AUSSI... Les vins doux naturels ▪ Rivesaltes : Domaine Cazes frères ▪ Banyuls : Domaine du Mas Blanc ; L'Étoile ; Clos de Paulilles ; Cellier des Templiers ▪ Maury : Domaine La Pléiade.

---

sans prétention irait avec la charcuterie, mais devrait garder ses distances avec la choucroute.

BLANC. Edelzwicker ▪ Sylvaner ▪ Alsace pinot blanc ▪ Petit riesling.

ROSÉ. Alsace pinot noir.

Melon

Aucun vin ne répond parfaitement au melon gorgé de soleil et de sucre. Verser du porto rouge dans le fruit simplifie les choses... assez sottement. Le célèbre vin muté portugais, qui gagne à être bu dans un verre, quand il est bon, peut être remplacé par divers vins doux français : un beau banyuls, un rivesaltes, un maury. On pourrait aussi rester sur le madère qui aurait été servi à l'apéritif. Dans un registre différent, les muscats apportent avec bonheur le salut sucré du raisin au puissant melon (attention : le muscat alsacien, trop sec, serait éclipsé).

La juxtaposition de fines tranches de melon et de jambon cru, français, italien ou espagnol, dirige vers les rosés friands, cependant charpentés, et les rouges peu tanniques à boire frais. On peut s'en tenir à ces vins, sans l'entremise importante du jambon, mais ils s'expriment peu devant le melon seul.

BLANC. Muscat de Beaumes-de-Venise ▪ Muscat de Frontignan ▪ Muscat de Rivesaltes ▪ Muscat du cap Corse ▪ Coteaux-de-l'aubance et coteaux-du-layon pas trop chargés en sucre.

ROSÉ. Tavel ▪ Lirac ▪ Coteaux-d'aix ▪ Coteaux-de-provence ▪ Vin de Corse ▪ Corbières.

Asperges

Blanche, violette ou verte, grosse ou fine, l'asperge impose l'un des goûts végétaux les plus marqués, qu'elle soit servie chaude ou tiède. La multitude des accompagnements, du beurre fondu clarifié à la mousseline, de la vinaigrette à la sauce hollandaise, ne simplifie pas le choix du vin, qui doit s'accommoder de l'amertume et risque des assauts vinaigrés. Plutôt un blanc sec, assez jeune, pas trop charpenté. Un muscat d'Alsace (nous précisons volontairement), sec, agréablement fruité, s'accorde à merveille dans la plupart des cas. Une clairette de Die à l'arôme de muscat (sec), ou un champagne, pas forcément blanc de blancs, répondent éventuellement de leur envol de bulles à la sauce mousseline. Les rosés souples et frais passent, sans révéler le meilleur d'eux-mêmes. Les rouges sont indésirables.

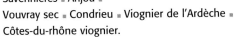

BLANC. Muscat d'Alsace ▪ Alsace pinot blanc ▪ Tokay pinot gris ▪ Savennières ▪ Anjou ▪ Vouvray sec ▪ Condrieu ▪ Viognier de l'Ardèche ▪ Côtes-du-rhône viognier.

ROSÉ. Alsace pinot noir ▪ Marsannay ▪ Sancerre ▪ Costières-de-nîmes ▪ Vin des sables.

Tapenade

Sur du pain grillé, c'est un amuse-gueule ensoleillé, un hors-d'œuvre pouvant se déguster debout sur la terrasse, plus qu'une « entrée ». Cette purée d'olives, d'anchois et de câpres, liée à l'huile d'olive, a trop d'accent pour servir le vin, mais accepte la compagnie de côtes-du-rhône septentrionaux blancs, qui lui tiennent tête. Les blancs de Provence sont conviés, au risque d'être écrasés.

Comme avec beaucoup d'autres préparations méridionales, les rosés, pas vraiment dégustés, font «saveur locale» – comme on dirait «couleur locale».

BLANC. Saint-joseph ▪ Saint-péray ▪ Crozes-hermitage ▪ Côtes-de-provence ▪ Cassis.

ROSÉ. Coteaux-d'aix ▪ Côtes-de-provence ▪ Coteaux-de-pierrevert ▪ Coteaux-varois ▪ Cassis.

Caviar d'aubergines

Comme la tapenade, mais de saveur moins forte, une préface au repas. Mélangée à l'huile d'olive, avec une pointe d'ail et, facultativement, de cumin, la pulpe d'aubergine impose une certaine saveur, mais n'accapare pas la bouche. Un blanc assez rond.

BLANC. Anjou sec ▪ Saumur-champigny ▪ Touraine sauvignon ▪ Coteaux-du-giennois ▪ Saint-joseph.

ROSÉ. Si l'on y tient ! Voir *Tapenade*.

Tomates farcies - Petits farcis niçois

Les tomates, à l'exception de certains sauvignons, ne suggèrent aucun vin spécialement. Pas davantage les autres légumes, s'il s'agit des joyeux petis farcis niçois. Tout juste remarquera-t-on qu'il ne faut pas ajouter à une éventuelle acidité légumière, et que le sucré passerait mal. Tout dépend de l'intensité de l'assaisonnement. S'il a un accent tranquille, un blanc de Provence bien fait, guère acide. Si l'ail et les herbes chantent comme des cigales, un blanc pas plus acide, mais plus puissant, plus charpenté, de la vallée du Rhône (cépage marsanne). Au passage, on débouchera quelque côtes-du-rhône-villages rouge, susceptible de fraterniser.

BLANC. Bellet ▪ Cassis ▪ Palette ▪ Côtes-de-provence ▪ Coteaux-d'aix ▪ Hermitage ▪ Crozes-hermitage ▪ Saint-joseph.

ROSÉ. Voir *Tapenade*.

ROUGE. Côtes-du-rhône-villages ▪ Côtes-du-ventoux ▪ Gigondas ▪ Vacqueyras.

Poivrons rouges grillés

Aucun vin ne s'impose : rouge ou blanc, à pile ou face… ou un rosé. De souple rusticité, sans trop de caractère.

BLANC. Côtes-de-provence ▪ Mâcon ▪ Muscadet ▪ Entre-deux-mers.

ROSÉ. Lirac ▪ Costières-de-nîmes ▪ Bordeaux clairet ou bordeaux rosé.

ROUGE. Servir frais ▪ Béarn ▪ Coteaux-du-tricastin ▪ Côtes-du-luberon ▪ Côtes-de-provence.

POURQUOI PAS ? Comme avec beaucoup de salades : un peu d'eau… ou un verre vide.

Piperade

Piper, en basque : piment. Faisant chanter en chœur poivrons doux, tomates et un rien de piment parfumé (d'Espelette, ça va de soi), plus ou moins rehaussée d'ail et d'oignon, adoucie par les œufs, la piperade vive et légère gagne à être agrémentée avec du jambon. Rouges jeunes, servis aux alentours de 15 °C, que l'on s'amusera à choisir dans le Sud-Ouest en essayant d'éviter l'excès de rudesse tannique (les vins denses au caractère affirmé se tiennent à distance des poivrons et des œufs). Rosés de bonne tenue.

ROUGE. Servir frais. Entre le toulousain et l'atlantique, se méfier de l'excès de robustesse. Irouléguy ▪ Béarn ▪ Madiran léger ▪

Marc Dannenmuller ne porte pas un nom béarnais, mais est connu de toute la région paloise et d'une bonne partie de l'Aquitaine. C'est dans l'un des hôtels et restaurants Accor qu'il supervise, au Renaissance, au Mercure, que l'on a le plus de chances de rencontrer les meilleurs producteurs de jurançon, de béarn, de madiran. Des vins de toutes couleurs et de styles différents, donnant le choix des entrées à la pâtisserie finale.

QUAND L'IROULÉGUY S'IMPOSE

Aux environs de Saint-Jean-Pied-de-Port, cité historique, pittoresque… et gastronomique (grâce à Firmin Arrambide, l'un des grands cuisiniers du Sud-Ouest), le petit vignoble dispersé de l'AOC irouléguy – environ 170 hectares – ne cesse de progresser. La coopérative, puis un précurseur, Étienne Brana, furent longtemps seuls à valoriser ce terroir d'Euzkadi, mais quelques vignerons se sont fait un nom depuis les années 80 et l'appellation ne cesse d'évoluer. En bien.

Michel et Thérèse Riouspeyrous, parmi les meilleurs, produisent un rouge de caractère et un excellent rosé, en attendant d'offrir aussi un blanc (Domaine Arretxea). Ils pourraient vous dire, sans mentir, que les irouléguys des trois couleurs, le rouge et le rosé cependant en tête, sont d'aimables compagnons de la piperade. Il suffit de les choisir bien structurés et de les servir frais ! Les vins portant le nom du joli village à l'église toute blanche s'entendent, de surcroît, avec bien d'autres plats basques.

Côtes-de-saint-mont ▪ Cahors jeune ▪ Pécharmant ▪
Côtes-du-frontonnais ▪ Chinon ▪ Anjou-villages.

 Rosé. Irouléguy ▪ Côtes-du-frontonnais ▪ Buzet ▪
Bordeaux clairet ▪ Vin de Corse ▪ Bandol ▪
Côtes-de-provence.

 Blanc. Si l'on veut… Irouléguy ▪ Tursan ▪
Petit graves ▪ Côtes-de-duras sec ▪ Touraine ▪
Petit sancerre.

Œuf dur mayonnaise – œuf en gelée

L'œuf, sauf poché au vin rouge, n'est ami d'aucune appellation. Il perturbe même la dégustation. Un blanc simple. Très simple si l'on rajoute de la mayonnaise.

Blanc. Alsace pinot blanc ▪ Mâcon ▪
Côtes-de-provence.

Œufs en meurette

L'œuf devient plus aimable avec le vin quand il est préparé avec des lardons, des champignons, de petits oignons. La recette étant bourguignonne… le vin sera bourguignon (mais pas de grande bouteille). Certains beaujolais fraternisent.

Rouge. Bourgogne léger ▪ Irancy ▪ Mâcon ▪
Beaujolais.

Œufs brouillés aux truffes – omelette aux truffes

La truffe est une grande amie du vin. Au point de presque le réconcilier avec l'œuf, qui se gorge de sa saveur (cela peut se faire au travers de la coquille) et la rediffuse merveilleusement… Ne pas choisir une trop grande bouteille cependant ! Plutôt un rouge, rond, presque velouté, pas trop puissant.

Rouge. Blanc. Les plus simples des vins amis de la truffe. Voir notice suivante.

Truffe

Une merveille qu'une truffe entière à la croque au sel, ou cuite sous la cendre, si ce n'est à l'étouffée. Mais le tubercule encore mystérieux, retrouvé au cours du repas avec de nombreux apprêts, souvent dits « à la périgourdine », se signale de bien des façons dès l'entrée, en rehaussant de sa forte saveur maintes préparations. De l'Ouest et du Sud-Est de la France, d'Espagne et d'Italie (le Piémont fournit aussi une délicate truffe blanche), la truffe est splendide fraîche, de novembre à février, mais séjourne sans dommage au congélateur et garde du tonus, en conserve, lorsqu'elle n'a subi qu'une stérilisation. Les rouges,

notamment les pomerols, le châteauneuf-du-pape, les meilleurs gigondas et les bandols puissants un peu vieillis, sont de splendides compagnons. Mais il faudra que le repas monte singulièrement en force par la suite, si l'on débute sur de tels accords. Les blancs posent moins de problème d'escalade, bien qu'il faille les choisir denses, longs en bouche. Les plus beaux bourgognes blanc, l'hermitage… La truffe fait rêver.

Rouge. Pomerol ▪ Haut-médoc ▪ Médoc ▪ Graves ▪
Bandol ▪ Madiran de qualité et évolué ▪
Châteauneuf-du-pape ▪ Gigondas ▪ Bandol.

Blanc. Puligny-montrachet ▪ Meursault ▪
Hermitage ▪ Crozes-hermitage ▪ Saint-joseph.

Une bonne bouteille. Sous toutes ses formes, tout au long du repas, la truffe donne envie de beaux et grands vins ayant quelques années de cave. Ceux que nous citons sont, toutes proportions gardées, de bon rapport qualité/prix. Il est évident que les sommeliers des restaurants de luxe proposent facilement les vins des plus célèbres domaines et des meilleurs millésimes. Là, il n'est plus question de prix ▪ Canon-fronsac : Château Pey-Labrie ▪ Pomerol : Château La Croix du Casse ▪ Hauts-médocs et médocs : Château Sociando-Mallet ; Château Coufran ; Château La Tour-de-By ; Château Potensac ; Château Les Ormes-Sorbet ; Château Noaillac ▪ Bandol : Château de Pibarnon ▪ Puligny-montrachet et meursault : Olivier Leflaive ▪ Hermitage, saint-joseph, crozes-hermitage, saint-péray : M. Chapoutier ; Cave de Tain-l'Hermitage ; Domaine Bernard Gripa ; Domaine Jean-Louis Grippat.

Tarte à l'oignon – quiche aux poireaux

Inutile d'en faire trop : un blanc agréable et de désaltérante acidité suffit. Pas de problèmes avec les bons alsaces courants pas chargés de sucre résiduel.

Blanc. Edelzwicker ▪ Alsace pinot blanc ▪ Petit riesling ▪ Mâcon ▪ Saint-véran.

Quiche lorraine

Les mêmes vins qu'avec la tarte à l'oignon et la quiche aux poireaux, mais les lardons et la crème épaisse autorisent que l'on cherche plus de rondeur, une opulence tendre.

BLANC. Voir notice précédente ▪ Alsace pinot gris ▪ Vouvray sec ▪ Savennières.

Pizzas diverses

Autant de vins que de garnitures… Pas de grandes bouteilles, pas de blancs moelleux ou liquoreux, pas de rouges astringents. Pourquoi pas un rosé fédérateur ?

ROSÉ. Tavel ▪ Lirac ▪ Côtes-de-provence ▪ Corbières ▪ Bordeaux clairet ▪ Marsannay.

BLANC. Touraine (sauvignon) ▪ Coteaux-du-giennois ▪ Alsace pinot blanc.

Bouchée à la reine

Hommage à Marie Lesczynska, reine de France, qui aurait eu l'idée de ce petit vol-au-vent. La croûte en feuilletage est garnie, le plus souvent, d'une préparation à base de champignons, blanc de volaille cuit et, facultativement, de quenelle fragmentée, de jambon, de ris de veau. La truffe pouvant venir en renfort… Le tout est lié avec une sauce blanche généralement crémée et enrichie de jaune d'œuf. Plutôt un blanc assez opulent, donc. Mais il faut que la bouchée à la reine le mérite (gare aux propositions des supermarchés !).

BLANC. Meursault ▪ Puligny-montrachet ▪ Mâcon-villages, pouilly-fuissé, pouilly-loché, pouilly-vinzelles très ronds ▪ Savennières.

Vol-au-vent financière

L'expression «vol-au-vent» désigne la croûte en feuilletage, banalisée par de multiples emplois, mais l'apprêt dit «financière» relève essentiellement de la haute restauration classique : outre la crème et les œufs, il demande des produits rares et coûteux (crêtes et rognons de coq, écrevisses, truffes, etc.) et du savoir-faire. Un grand bourgogne blanc ? dans un grand restaurant, assurément.

BLANC. Meursault ▪ Puligny-montrachet ▪ Chassagne-montrachet ▪ Mâcon-villages et pouillys (voir *Bouchée à la reine*) ▪ Certains graves et pessac-léognan.

Saumon fumé

Norvégien, danois, écossais ou irlandais, le saumon est souvent consommé fumé. Et est devenu populaire : les grandes surfaces proposent fréquemment de bons produits, assez moelleux. Il constitue une entrée savoureuse, généralement avec toasts ou blinis. Les affinités du saumon fumé avec le vin, qu'il risque de dominer ou de heurter, ne sont pas évidentes (un blanc nécessairement, légèrement acide, fruité sans excès, pas trop léger). Par goût, ou pour simplifier, une bière ou, mieux, un alcool de grain servi frappé.

BLANC. Chablis ▪ Meursault (inutile de choisir une grande bouteille) ▪ Rully ▪ Givry ▪ Mâcon blanc ▪ Pouilly-fuissé ▪ Tokay pinot gris ▪ Riesling un peu vieilli.

UNE BONNE BOUTEILLE. Pourquoi pas… surtout si une autre entrée de poisson est sur table ▪ Chablis Premier Cru : Domaine Raveneau ; Domaine Vincent et René Dauvissat ; Domaine Laroche ; Domaine Jean-Pierre Grossot ▪ Givry : Maison Louis Jadot ▪ Pouilly-fuissé : Domaine Daniel et Martine Barraud ; Maison Georges Dubœuf.

ET AUSSI… Bière blonde ▪ Aquavit ▪ Vodka ▪ Certains schnaps (korn) ▪ Lennart Engström et Jean-Jacques Guillot, responsables du *Copenhague* et du *Flora Danica,* recommandent l'aquavit parfumé à l'aneth.

Denis Schneider.

CHEZ LES DANOIS DES CHAMPS-ÉLYSÉES, PAS SEULEMENT LE VIN !

Dernière bonne adresse gastronomique de l'avenue des Champs-Élysées, où les « vrais restaurants » ont périclité depuis une vingtaine d'années, la Maison du Danemark est l'ambassade des pays nordiques. Sur deux niveaux : au rez-de-chaussée, le chaleureux *Flora Danica,* dont le patio à parasols ne désemplit pas aux beaux jours ; à l'étage, le *Copenhague* au décor contemporain, plus distingué, plus classique, plus propice aux conversations d'affaires.

C'est ici que l'on redécouvre le hareng, vraiment extraordinaire, que l'on se régale du meilleur saumon scandinave. Avec du vin, ce n'est pas interdit, loin de là, mais aussi avec de l'aquavit, avec de la bière. Les deux responsables de ce complexe très étranger et très parisien, Lennart Engström et Jean-Jacques Guillot, sont loin de dédaigner le vin blanc, principalement avec le saumon, et conseillent volontiers un bon chablis, de préférence un premier cru (un Montée de Tonnerre, par exemple, sur pratiquement toutes les préparations).

À l'unisson, ils ajoutent cependant : « Il y aura toujours accord avec une bière blonde pression ayant un certain corps, avec l'aquavit parfumé à l'aneth, qui se singularise par sa couleur chaude. »

En ce qui concerne le hareng, quel que soit l'accommodement, c'est plutôt une bière blonde de type pils ou lager qu'ils préconisent – sans refuser une bière ambrée. Ou quelque alcool de grain bu sec et frappé. À la vodka nature, adéquate, mais n'ayant guère ni goût marqué ni parfum, ils préfèrent l'aquavit, dans ce cas pas exagérément aromatisé. Le cuisinier, français, de la grande maison nordique les rejoint : Denis Schneider conseille volontiers deux ou trois petits verres d'Aalborg, de couleur blanche, légèrement parfumé au cumin. Sans interdire la Cérès danoise, bière blonde pas trop alcoolisée, assez suave, d'amertume modérée et plaisante.

▪ **La Maison du Danemark.** 142, AVENUE DES CHAMPS-ÉLYSÉES, PARIS 8ᵉ.

Jean-Jacques Guillot.

Filets de harengs pommes à l'huile

Une spécialité flamande devenue très populaire en France… Le hareng saur, salé et légèrement fumé (il se vend en filets), a une saveur à la fois douce et puissante, à laquelle s'ajoute celle des oignons. Elle pénètre les pommes de terre, s'épanouit dans l'huile, emplit la bouche. Un régal encombrant. Vin blanc d'acidité vive obligatoire, si l'on ne fait pas mousser une bière. Muscadet de préférence.

BLANC. Muscadet ▪ Gros-plant ▪ Bourgogne aligoté ▪ Touraine (sauvignon) très sec.

ET AUSSI… Bière blonde.

Rollmops – hareng de la Baltique

Que le hareng ouvert et peu salé s'enroule ou non sur un cornichon, peu importe… la marinade dans le vinaigre ne facilite pas le contact avec le vin. Un blanc nerveux.

BLANC. Voir *Filets de harengs pommes à l'huile* ▪ Peut-être un sancerre ou un pouilly-fumé pas trop typé.

Tarama – poutargue

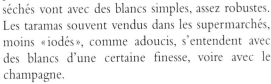

Plutôt servis en apéritif, faisant partie des mézés grecs ou de la kémia tunisienne, ces œufs de poisson travaillés en pommade ou séchés vont avec des blancs simples, assez robustes. Les taramas souvent vendus dans les supermarchés, moins « iodés », comme adoucis, s'entendent avec des blancs d'une certaine finesse, voire avec le champagne.

BLANC. Côtes-de-provence ▪ Riesling jeune.

ET AUSSI… Vodka ▪ Boukha (eau-de-vie de figue) avec la poutargue ▪ Ouzo bokobsa (avec tarama et mézés, mais l'anis est envahissant).

Caviar – œufs de saumon

Produit de luxe hier, de grand luxe aujourd'hui, le caviar (des œufs d'esturgeon) est plus ou moins gras, plus ou moins iodé, plus ou moins salé. Vin blanc sec, assez expressif, champagne ou vodka – cette dernière posant moins de problèmes, quelle que soit la « puissance » du caviar. Même programme pour les œufs de saumon, ce « caviar » rouge de prix modéré.

BLANC. Sancerre ▪ Pouilly-fumé ▪ Riesling ▪ Graves.

 ET AUSSI… Champagne brut corsé ▪ Vodka glacée.

Poisson cru mariné – tartare de poisson – salade de Saint-Jacques

L'assaisonnement joue, bien sûr, et parfois beaucoup. Quoi qu'il en soit, un blanc sec. Éviter l'opulence, le fruité marqué.

BLANC. Muscadet ▪ Chablis ▪ Graves ▪ Entre-deux-mers ▪ Sancerre assez strict ▪ Riesling pas trop typé.

Terrines de fruits de mer – de poisson

Difficile de généraliser, tant les produits de la mer utilisés et les ingrédients sont nombreux. Un blanc sec, de toute façon. On ne court guère de risques avec un chablis !

BLANC. Petit-chablis ▪ Chablis ▪ Muscadet pas trop vert ▪ Graves ▪ Entre-deux-mers.

Fritures de poissons

Mer ou rivière ? D'éperlans, d'équilles ou de petits goujons ? Là aussi, impossible de faire des prescriptions sur mesure. Se méfier de la forte tombée de citron et aller vers un blanc sec simple.

BLANC. Voir notice précédente ▪ Mâcon ▪ Saint-véran ▪ Beaujolais blanc.

Escargots (diverses préparations)

Gros bourgognes ou petits-gris, les escargots font partie du patrimoine culinaire français, mais sont devenus rares dans l'Hexagone : la plupart proviennent de l'étranger. Ils sont souvent farcis de beurre à la bourguignonne, « beurre d'escargot » mêlé d'échalote, de persil et d'ail fréquemment trop envahissant. Les escargots se préparent aussi au vin, avec du lard ou de petits dés de jambon. Il leur arrive de flirter avec le romarin et le fenouil, de fraterniser dans l'huile d'olive avec l'oignon et le laurier, d'être simplement grillés. Les accommodements, souvent plus importants que l'escargot lui-même, font parcourir presque toute la carte des vins, à la recherche d'hypothétiques accords parfaits.

C'est, dans l'ensemble, avec les blancs, pas forcément de Bourgogne, loin de là, que l'on prend le moins de risques, à condition de se garder du sucre. Les rosés frais et ayant un certain corps s'arrangent de bien des préparations « non bourguignonnes ». Les rouges, notamment de la vallée du Rhône ou du Langue-

Françoise Dépée, que les habitués des Relais et Châteaux avaient connue aux Bézards, a relancé l'un des plus vieux bars-restaurants russes de Paris, *Dominique*. Une institution. Là, il n'est pas d'entrée à la russe, de zakouski ni de poissons fumés sans vodka, servie au verre, en carafon… ou par pleine bouteille.

doc-Roussillon, sont envisageables quand l'ail se fait discret ou se tait, quand le beurre parfumé ne déborde pas des coquilles.

🍷 **BLANC.** Presque obligatoire avec les préparations courantes très aillées ▪ Chablis ▪ Meursault (surtout pas de grande bouteille) ▪ Mâcon ▪ Côtes-de-provence ▪ Alsace pinot blanc.

🍷 **ROSÉ.** Lirac ▪ Costières-de-nîmes ▪ Côtes-de-provence ▪ Bandol ▪ Vin de Corse-Calvi ▪ Côtes-du-roussillon.

🍷 **ROUGE.** Avec la plupart des préparations méridionales ▪ Corbières ▪ Minervois ▪ Fitou ▪ Côtes-du-roussillon ▪ Collioure ▪ Coteaux-du-languedoc ▪ Faugères ▪ Vacqueyras ▪ Coteaux-du-tricastin ▪ Côtes-du-ventoux.

Cuisses de grenouilles

Une des curiosités de la gastronomie française, laissant perplexes nombre d'étrangers… Les cuisses de grenouilles, dont on raffole dans le Poitou, dans la Dombes pourvoyeuse, dans le Lyonnais et la Bresse, en Alsace, ont une saveur fine, à la limite peu per-

ceptible, qui demande à être relevée. Les cuisses peuvent être sautées (à l'ail souvent, de façon fréquemment excessive), frites, apprêtées aux fines herbes, à la crème, en blanquette. Les accords se font surtout avec les blancs, du muscadet pas trop agressif jusqu'au riesling jeune, des bourgognes simples aux côtes-du-rhône. Les rosés et, surtout, les rouges sont à proscrire.

🍷 **BLANC.** Mâcon ▪ Bourgogne aligoté ▪ Chablis ▪ Meursault (si l'ail se fait sentir : pas davantage de grande bouteille qu'avec les escargots) ▪ Riesling ▪ Crozes-hermitage ▪ Saint-joseph ▪ Côtes-du-rhône.

FOIE GRAS, • CHARCUTERIES DIVERSES •

Escalopes de foie gras de canard

Voir p. 90.

Foie gras en terrine et en brioche – pâté de foie gras

Démocratisé et de toutes qualités, maintenant servi en début de repas, le foie gras donne lieu à diverses cuissons et préparations, à subtiles variations, mais sera proposé pour l'éternité en gelée, en terrine, en pâté, en brioche, en chausson. Le choix des vins, étendu, dépend de la façon dont il est épicé – éventuellement du plat qui suit, principalement dans l'option «rouges». Les vins blancs sont à l'aise en ouverture du repas, qu'ils peuvent avoir précédé en apéritif, notamment s'il s'agit de vins secs tendres, moelleux, voire liquoreux, de vendanges tardives et moindrement de sélections de grains nobles (attention : on ne redira jamais assez que le sucre encombre la bouche). Un bon meursault, bien que le chardonnay ne soit pas un «cépage à foie gras», un graves rond, un jurançon ou un tokay pinot gris sont évidemment préférables aux grands sauternes et barsacs, ruineux et hors de propos, à n'accepter que jeunes. Et encore… On les préférera aussi au champagne, dont les bulles sont ridiculisées par un foie gras en terrine. Les rouges, également recommandables, font raconter une autre histoire au foie gras. Un médoc racé, évolué, pas trop vieilli, s'accorde à merveille avec un foie gras finement épicé, alors qu'un pomerol ou un saint-émilion s'arrondissent pleinement près d'un foie gras truffé. Le madiran, très Sud-Ouest, doit témoigner d'une rusticité affinée.

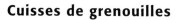

UN « PETIT MARGAUX » AU PAYS DES CHOUX

Pas loin de l'aéroport de Strasbourg-Entzheim, en plein «pays des choux», Philippe Schadt reçoit dans un restaurant chaleureux, vivant, un rien abracadabrant, où se remarque un plafond peint avec malice. L'on y vient de la capitale de l'Alsace comme du vignoble, l'on y rencontre des habitués très typiques… ou atypiques. À qui Philippe, un personnage original, propose aussi bien un alsace de caractère qu'un beau bordeaux rouge, un bourgogne blanc d'élite… ou une bière au splendide chapeau de mousse. Avec ses foies gras de canard et d'oie en brioche, inlassablement mis en avant au moment de la prise de commande, toujours acceptés, il laisse au client l'embarras du choix : « Nous cultivons notre accent comme nos choux et nos géraniums, mais le patriotisme alsacien ne nous empêche pas de déboucher les bonnes bouteilles d'autres régions. Je suggère des alsaces avec le foie gras, surtout des pinots gris, sans jamais interdire de changer d'horizon. Le graphiste-illustrateur Raymond E. Waydelich, mon meilleur client (et l'un des artistes alsaciens les plus connus actuellement), me réclame toujours un «petit margaux racé», que je bois volontiers en sa compagnie. Le second vin de Château Margaux, Pavillon rouge, fait notre joie… Un beau bourgogne très typé, style montrachet, répond également à mes foies gras avec bonheur, sur un tout autre ton. Mais on n'est pas obligé de prendre de grands vins à Blaesheim : mon restaurant est, avant tout, un bistrot d'amis. »

■ **RESTAURANT SCHADT (CHEZ PHILIPPE).** BLAESHEIM (BAS-RHIN).

Un hermitage velouté se laisse inviter avec un foie haut en saveur, fortement épicé, mais ce vin puissant (trop?) commande que l'on programme à la suite un plat lui convenant.

🍷 **BLANC.** Meursault ▪ Puligny-montrachet ▪ Graves ▪ Pessac-léognan ▪ Sauternes et barsac jeunes ▪ Loupiac et sainte-croix-du-mont (pas les millésimes les plus botrytisés) ▪ Bergerac ▪ Jurançon ▪ Pacherenc-du-vic-bilh ▪ Coteaux-de-l'aubance ▪ Coteaux-du-layon d'expression pas trop liquoreuse ▪ Vouvray et montlouis secs ou demi-secs ▪ Gewurztraminer ▪ Tokay pinot gris ▪ Riesling de belle année, si un poisson suit le foie gras.

🍷 **ROUGE.** Médoc ▪ Haut-médoc ▪ Saint-émilion ▪ Pomerol ▪ Madiran élégant ▪ Cahors et bergerac haut de gamme ▪ Châteauneuf-du-pape et côte-rôtie pas trop jeunes ▪ Hermitage, dans certains cas. En ce qui concerne les liquoreux, choisir, en la circonstance, les bouteilles les moins opulentes.

⭐ **UNE BONNE BOUTEILLE. Blanc :** Pessac-léognan : Domaine de Chevalier ; Château de Fieuzal ▪ Loupiac : Domaine du Noble ▪ Sainte-croix-du-mont : Domaine La Rame ▪ Bergerac : Moulin des Dames du Château Tour des Gendres ▪ Jurançon : Clos Uroulat ; Domaine Cauhapé ▪ Tokay pinot gris : René Muré ; Léon Beyer ▪ Gewurztraminer : Léon Beyer ; Josmeyer ▪ Puligny-montrachet : Domaine Leflaive ▪ Montrachet : Bouchard père et fils ▪ Meursault : Olivier Leflaive ▪ **Rouge :** Médoc : La Tour-de-By ; Château La Tour Haut-Caussan ▪ Haut-médoc : Château Verdignan.

⭐ **POURQUOI PAS ?** Banyuls ▪ Rivesaltes ▪ Maury (ou porto).

Pâtés et terrines – galantines ou ballotines

Le porc avant tout, mais pas exclusivement, puisque le gibier, la volaille et le veau répondent aussi à l'appel. Avec les pâtés, en croûte ou à trancher, avec les galantines, dites ballotines quand elles sont cuites enroulées dans un linge, avec toutes les élaborations dénommées «terrines», du nom du récipient de cuisson, nous explorons un vaste rayon de la charcuterie. Dont on ne peut qu'esquisser l'inventaire : pâté de campagne, pâtés en croûte chauds et froids, tourtes, pâté de tête (le *presskopf* des Alsaciens), pâtés de Bourgogne, d'Amiens, rennais ou de Chartres, pâté forestier, fricandeau du Sud-Ouest, caillette de l'Ardèche, galantine de volaille, ballotine de caneton, de poularde, de lièvre… Sans parler des rillettes.

Le choix des vins est moins étendu que celui des matières premières, des textures et des assaisonnements, car il est préférable d'éviter le vagabondage vinicole en début de repas. Sauf raffinement particulier, on ne tiendra compte que du produit de base : porc, suggérant plutôt un rouge léger et gouleyant, volaille s'accommodant d'un blanc assez rond, gibier faisant monter d'un cran dans la gamme des rouges. À tort (parfois) ou à raison (souvent), les Français sont fidèles au rouge. Et font la fête aux vins nouveaux, primeurs fréquemment médiocres, parfois vraies friandises, que tout l'Hexagone fête fin novembre. On ne s'interdira pas ces gentils vins de convivialité, qu'ils arrivent du Beaujolais, de Touraine ou du Languedoc-Roussillon, s'ils sont signés par de bons viticulteurs.

🍷 **ROUGE.** Bourgogne irancy ▪ Beaujolais ▪ Beaujolais-villages ou beaujolais-villages nouveau ▪ Crus du Beaujolais ▪ Alsace pinot noir ▪ Saint-pourçain ▪ Côtes-d'auvergne ▪ Côte-roannaise ▪ Touraine (gamay) ▪ Touraine nouveau ▪ Saint-joseph ▪ Cornas ▪ Lirac ▪ Corbières ▪ Avec une préparation de volaille ou de ris de veau : Anjou-villages ▪ Chinon ▪ Bourgueil ▪ Saint-nicolas-de-bourgueil ▪ Saint-amour ▪ Chiroubles ▪ Régnié ▪ Grave. Si le goût de gibier est assez marqué : Rully ▪ Givry ▪ Mercurey ▪ Moulin-à-vent ▪ Vin de Savoie mondeuse ▪ Cornas ▪ Saint-joseph ▪ Crozes-hermitage ▪ Bandol ▪ Faugères ▪ Fitou ▪ Corbières ▪ Côtes-du-roussillon-villages ▪ Collioure ▪ Saint-estèphe.

🍷 **ROSÉ.** Sancerre ▪ Saint-pourçain ▪ Marsannay ▪ Alsace pinot noir ▪ Tavel ▪ Lirac ▪ Corbières.

🍷 **BLANC.** Montagny ▪ Mâcon ▪ Saint-véran ▪ Alsace pinot blanc ▪ Sylvaner ▪ Sancerre ▪ Quincy ▪ Reuilly. Avec une préparation de volaille : Graves ▪ Mâcon-villages ▪ Rully.

⭐ **UNE BONNE BOUTEILLE. Rouge :** Touraine nouveau, touraine (gamay) : Henry Marionnet ▪ Beaujolais nouveau, beaujolais, beaujolais-villages : Domaine Jean-Charles Pivot ; Maison Georges Dubœuf ; Domaine Pierre-Marie Chermette ▪ Morgon : Louis-Claude Desvignes ▪ Saint-amour : Domaine de la cave Lamartine ▪ Châteaugay : Domaine Pierre Lapouge ▪ Côte-roannaise : Domaine Robert Sérol et fils ▪ Mercurey : Château de Chamilly ▪ Saint-joseph : Domaine Bernard Gripa.

Blanc : Mâcon : Domaine André Bonhomme ▪ Alsace pinot blanc : Maison Léon Beyer.

Jambons divers

Le jambon frais se cuisine, mais l'usage courant est d'acheter ce noble morceau du porc «tout prêt», salé, ou salé et fumé, ou salé et cuit, afin de le proposer en entrée basique, voire avec une salade ou quelque purée, en plat quasi unique d'un repas léger. Sans parler des sandwiches. Le jambon dit de Paris, d'abord salé par injection, puis immergé longuement dans la saumure, moulé, pressé et enfin cuit, est omniprésent, mais la gamme est étendue, du «jambon de choix», souvent sans saveur, au délectable jambon cuit à l'os, du brun jambon d'York, non désossé, au rose jambon au torchon, du jambon label rouge de Bayonne au jambon d'Auvergne. Il faut également compter avec le jambon serrano, parfois très goûteux, et divers jambons ibériques, fréquemment de qualité, avec le jambon de Westphalie, avec le célèbre et fin jambon de Parme et cette gloire de la charcuterie italienne qu'est le *San Daniele* à la saveur ronde, presque noisette.

Rien de tel qu'un rouge ou un «Vorlauf» de chez Mosbach avec les charcuteries alsaciennes et bien des entrées... Notamment avec celles de Michel Burg (à droite), qui tient boutique dans le bourg viticole proche de Strasbourg, mais est connu loin du Bas-Rhin depuis qu'il a reçu une «Marianne» Saveurs de France pour sa production artisanale.

À cette diversité correspond celle des vins, mais il est rare que l'on choisisse une bouteille pour le jambon seul, s'il est servi en entrée ou en hors-d'œuvre apéritif : on continue souvent sur le même vin avec le plat suivant.

Les blancs, de « légèrement acides » à « plutôt un peu ronds », vont bien avec les jambons secs et les plus délicats des jambons cuits. Beaucoup de rouges ont leur place, de préférence peu astringents ou de tanins fondus (la plupart des bordeaux, surtout jeunes, restent à l'écart, ainsi que les vins du Sud-Ouest rudement tanniques, utiles seulement quand il y a beaucoup de gras).

 ROUGE. Bourgognes plutôt jeunes ▪ Bourgogne irancy ▪ Alsace pinot noir ▪ Beaujolais-villages ▪ Morgon ▪ Brouilly ▪ Chénas ▪ Corbières ▪ Côtes-du-roussillon ▪ Collioure ▪ Chinon ▪ Bourgueil ▪ Saint-nicolas-de-bourgueil ▪ Sancerre ▪ Saint-pourçain.

 ROSÉ. Notamment avec le bayonne ▪ Tavel ▪ Rosé des Riceys ▪ Bourgogne Irancy ▪ Saint-pourçain ▪ Côte roannaise ▪ Sancerre ▪ Irouléguy.

Porc froid – andouille – rillettes – rillons

La douceur goûteuse emplit la bouche d'un gras parfois délicieux. Un rouge velouté passerait paisiblement, mais sans éveiller les papilles. À l'instar des frères Hardouin, charcutiers exceptionnels de Vouvray (et traiteurs dans tout le Val des châteaux), il est préférable d'opter pour un vin assez tendre, mais pas moelleux, d'une élégante fraîcheur.

 BLANC. Vouvray et montlouis secs ▪ Saumur-champigny ▪ Anjou sec ▪ Savennières ▪ Touraine (sauvignon) ▪ Sancerre ▪ Pouilly-fumé ▪ Reuilly ▪ Côtes-de-duras sec (sauvignon) ▪ Saint-joseph.

HUÎTRES ET FRUITS DE MER

*En prologue au chapitre consacré aux poissons, nous entrons dans un univers voué au bleu,
celui de la mer, et au blanc, couleur presque toujours impérative du vin. Les fruits vivants
de la mer sont bien différents et inégalement « iodés », mais un certain nombre d'appellations
s'imposent, toutes productrices de secs, à la rigueur de secs légèrement tendres
(se méfier du sucre comme de l'excès d'alcool). Ce chapitre très éclectique associe les coquillages
et les mollusques, le cru et le cuit, le produit presque brut et la préparation sophistiquée.
Les crustacés font bande à part, prestige du homard et de la langouste
oblige, mais certains, notamment le tourteau (et les inévitables crevettes !), sont souvent
associés sur un lit de varech aux huîtres, bulots et autres fruits de mer.*

Jacques Lameloise, triplement
« étoilé » à Chagny, vendangeant
à Château Meursault. Les vins de
cette grande appellation seront
réservés aux plus belles huîtres
et aux meilleurs poissons.

Huîtres plates et creuses

Les huîtres : un univers, avec ses terroirs, ses méthodes d'élevage, ses migrations (ces mollusques grandissent parfois loin de leur lieu de naissance). Creuses ou plates, belons, bouzigues ou gravettes, fines de claire ou spéciales, les huîtres ouvertes au dernier moment sont généralement consommées crues, souvent avec une tombée de citron, parfois avec du vinaigre d'échalote (cet ajout, que les puristes estiment criminel, n'aide pas à la dégustation du vin). Iodées, salées, puissantes, fines, très délicates ou marquées d'algues, parfois de saveur « noisette », les huîtres aux saveurs plus diverses que l'imagine le commun des mortels sont trop souvent vouées à un blanc choisi au hasard.

Par ailleurs, il faut l'admettre, elles n'aident pas le vin et ne sont que rarement très bonnes compagnes de dégustation.

Restant sur son quant-à-soi, un peu en retrait, jamais bu quand la bouche est pleine, sauf geste machinal, le vin apporte un agrément réel, mais annexe, que ce soit dans la vivacité ou dans un courtois arrondi : il n'est, quoi qu'il en soit, guère valorisé. Les blancs nets, secs, d'une aimable acidité, toute exubérance réfrénée (méfiance avec les sancerres au caractère accentué et les enfants trop typés du sauvignon), occupent massivement la scène. Ils ne doivent pas être fortement fruités, encore moins empâtés par le sucre résiduel. On ne leur demande pas d'affirmer fortement leur identité : le célèbre riesling Cuvée des Écaillers de Léon Beyer, d'ailleurs davantage destiné aux poissons nobles, demeure l'exception confirmant la règle. Le rouge abandonné aux Bordelais, qui s'amusent de boire un petit graves frais... avec les gravettes (celles-ci peu salées, il est vrai), les grands bourgognes blancs laissés hors compétition, l'embarras du choix demeure. Le chardonnay n'est pas le cépage idéal, mais un mâcon haut de gamme ou un petit-chablis apportent leur fraîcheur sans histoire (les chablis 1er cru étant réservés aux huîtres dodues subtilement iodées). Comme beaucoup de sommeliers, nous apprécions prioritairement le muscadet, qui apporte assez d'acidité pour épargner le recours au citron – il révèle une rondeur fine après une attaque vive – et applaudissons le gros-plant en maintes circonstances.

Le sylvaner délicat, produit rare maintenant, le sancerre, le pouilly-fumé et le quincy, quand le sauvignon n'exulte pas exagérément, figurent parmi les très bons choix. Graves blanc bien sec et entre-deux-mer (cette AOC a fait de grands progrès) participent allègrement à la fête ; un picpoul-de-pinet s'impose pour les huîtres de Bouzigues, régionalisme oblige !

BLANC. Servi à 8 ou 9 °C, jamais glacé ▪ Muscadet ▪ Gros-plant du pays nantais (pas trop vert, avec des creuses ordinaires) ▪ Chablis nerveux, simple ▪ Meursault, seulement avec de belles huîtres au goût délicat, pas trop iodées ▪ Certain vins de Savoie ▪ Pouilly-fuissé ▪ Sancerre, pouilly-fumé et quincy restant sur leur réserve (préférer la finesse à la puissance et à la typicité extrême… sauf exception : un cuisinier tel que Michel Rostang peut conseiller un pouilly-fumé admirablement exalté) ▪ Entre-deux-mers ▪ Alsace pinot blanc ▪ Sylvaner ▪ Riesling sans minéralité ni excès de goût ▪ Coteaux-du-languedoc ▪ Picpoul-de-pinet ▪ Corbières blanc.

 UNE BONNE BOUTEILLE. Muscadets : Château de la Galissonnière ; Domaine de la Grange ; Château de la Preuille ; Château du Coing de Saint-Fiacre ; Domaine de Beauregard ▪ Gros-plant et muscadet : Domaine de l'Écu ▪ Chablis : René et Vincent Dauvissat ; Saint-Martin du Domaine Laroche ▪ Petit-chablis : Domaine Jean Durup ▪ Pouilly-fumé : Les Logères de Guy Saget ▪ Sylvaner : Paul Blanck ; Jean-Pierre Dirler ▪ Coteaux-du-languedoc : La Clape Château L'Hospitalet ▪ Graves : Château Floridène.

ROUGE. Gare à la rencontre ! Un petit graves servi à basse température est supposé s'entendre avec les gravettes d'Arcachon accompagnées, selon l'usage, de chipolatas grillées (ces dernières font passer le vin !).

Plateau de fruits de mer

Les huîtres sont souvent reines, mais l'abondance mise en scène sur lit de varech par l'écailler masque trop fréquemment l'absence des coûteuses belons, des plus belles spéciales de claire et des crustacés haut de gamme (crevettes roses, bigorneaux, tourteau à la chair parfois bien banale et langoustines fréquemment cotonneuses font souvent de la figuration, sans apporter beaucoup quant aux saveurs). Tout dépend donc du choix, de l'écailler, du prix qu'on y met… Si le plateau n'est qu'ordinaire, n'importe quel petit blanc d'honnête rapport qualité/prix suffit !

Des oursins, une fine araignée de mer, d'excellentes huîtres de bon format, de beaux bulots, des langoustines très fraîches ? Voilà qui mérite un beau blanc, plutôt jeune et nerveux, mais d'une certaine plénitude (éviter les bourgognes puissants et les côtes-du-rhône robustes… qui ont suffisamment d'emplois plus justifiés : ils ne gâcheraient pas le plaisir, mais ne gagneraient pas davantage à la confrontation que les produits de la mer).

 BLANC. Les mêmes que pour les huîtres ▪ On peut viser un peu plus haut, prendre le risque agréable

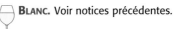

d'un riesling d'assez forte constitution, d'un pessac-léognan.

Huîtres chaudes

La mode des élaborations chaudes ne date pas d'hier, puisqu'elle était attestée bien avant la Révolution, mais elle avait été fortement relancée au cours des années 70 par les pionniers… de la Nouvelle Cuisine. Au point que les huîtres chaudes firent partie des poncifs. Pochées et servies avec diverses sauces ou gratinées dans leur coquille, elle font incliner vers les mêmes vins que lorsqu'elles sont crues. Ou à peu près : en hommage au talent du chef, on débouchera sans doute de plus belles bouteilles, de meilleurs millésimes, mais sans changer d'appellations. Une certaine préférence étant donnée aux graves et pessac-léognan si la préparation est raffinée. Avec les huîtres au champagne, mets se voulant distingué (mais qu'apportent les bulles ?), on se contentera d'un coteaux-champenois, vin d'ailleurs bien coûteux pour ce qu'il est… si l'on ne s'amuse pas davantage d'un gentil vin de Savoie.

BLANC. Voir notices précédentes.

Moules marinière, à la poulette (et autres apprêts)

Coquillages bleus venus des côtes de l'Atlantique, de la Manche, de la mer du Nord ou de l'étang de Thau – les «bouzigues» –, les moules s'apprêtent de différentes façons, mais l'accommodement ne joue pas de façon vraiment décisive sur le choix du vin, sauf quand on force sur l'ail ou les épices. «Marinière» (simplement cuites dans une sauteuse avec vin blanc, échalotes, laurier et queues de persil), ou «à la poulette» (avec une sauce blanche relevée de fumet de

poisson et d'une tombée de citron), en brochette, voire crues, les moules réclament sans cinéma un petit vin sec au fruité modéré.

Une acidité un rien pointue, pas agressive, convient particulièrement aux moules marinières. La mouclade charentaise et l'éclade autorisent à rester dans le même registre.

Les moules au pistou, les moules farcies souvent submergées par le beurre, l'ail, les échalotes et le persil, les moules poêlées au curry et la soupe de moules safranée acceptent les mêmes bouteilles, mais suggèrent des vins plus expressifs, tel un jeune condrieu, ou légèrement plus chargés en sucre résiduel (dans ce cas issus du chenin ou du tokay pinot gris). Les rouges sont bannis. Quelques rosés, servis bien frais, répondent éventuellement au curry sans se heurter aux moules.

🍷 **BLANC.** Gros-plant ▪ Muscadet ▪ Entre-deux-mers ▪ Graves ▪ Coteaux-du-languedoc ▪ Picpoul-de-pinet ▪ Mâcon ▪ Pouilly-fuissé ▪ Saint-véran ▪ Petit-chablis ▪ Sylvaner ▪ Alsace pinot blanc ▪ Riesling (discret) ▪ Savennières ▪ Avec des préparations épicées : vouvray et montlouis secs, tokay pinot gris.

🍷 **ROSÉ.** Quand le curry chante fort, avec les préparations fortement épicées. Servir aussi frais qu'un blanc ▪ Côtes-du-rhône ▪ Coteaux-du-tricastin ▪ Côtes-de-provence ▪ Bandol ▪ Vin de Corse.

🍷 **UNE BONNE BOUTEILLE.** Saint-véran : Georges Duboeuf ▪ Sylvaner : Domaine Paul Blanck ; Jean-Pierre Dirler ▪ Pinot blanc : Léon Beyer ▪ Savennières : Domaine Pierre Soulez (Château de

la Bizolière) ; Clos Saint-Yves-Domaine des Baumard ▪ Graves : Château de Chantegrive.

Palourdes ou praires farcies

Ces coquillages, dénommés clovisses dans le Midi, se mangent souvent crus (voir *Plateau de fruits de mer*), mais sont aussi préparés farcis, comme les moules. Ce qui renvoie aux mêmes vins, généralement préférés vifs et désaltérants, mais que l'on peut choisir généreux, presque à l'image de l'hermitage blanc.

🍷 **BLANC.** La plupart des vins évoqués dans les rubriques précédentes ▪ Saint-joseph ▪ Saint-péray ▪ Crozes-hermitage.

Coquilles Saint-Jacques à la nage ou simplement poêlées

Coquillages les plus consommés en France, après les huîtres et les moules, très inégales de saveur selon leur provenance (et médiocres quand elles sont surgelées), les saint-jacques font l'objet d'apprêts nombreux, certains délicieux, quelques-uns raffinés. Proposées en entrée ou « en plat », elles sont présentes dans les grandes surfaces, où il faut mieux les oublier, comme dans les meilleurs restaurants. Inspirant bien des cuisiniers novateurs, elles se laissent décliner presque à l'infini.

On ne peut plus simple, la cuisson à la nage laisse à la saint-jacques toute sa saveur naturelle, toute de finesse (le court-bouillon coloré par de fines rondelles de carottes est légèrement parfumé par le vin blanc, les oignons, l'échalote, un rien d'ail). Le blanc s'impose, pour cette recette comme pour pratiquement toutes les autres : les AOC citées ci-après restent valables avec les accommodements les plus divers.

L'ajout éventuel d'un peu de crème fraîche dirige vers un vin sec tendre. Les rouges font plus ou moins grimacer, même quand ils sont peu tanniques et ronds. Les rosés souples peuvent passer, mais n'apportent rien.

🍷 **BLANC.** Savennières ▪ Vouvray et montlouis secs ▪ Sylvaner ▪ Alsace pinot blanc ▪ Tokay pinot gris ▪ Petit-chablis ▪ Chablis ▪ Meursault ▪ Puligny-montrachet ▪ Saint-aubin ▪ Côtes-du-jura ▪ Côtes-de-provence ▪ Coteaux-d'aix ▪ Cassis ▪ Bandol ▪ Bellet ▪ Vin de Corse ▪ Coteaux-du-languedoc ▪ Graves ▪ Sancerre blanc

Verre en main…

AVEC JEAN ET ANTOINE PROYE

Jean Proye est le propriétaire de *L'Huîtrière*, restaurant de parfaite tenue jumelé à une étonnant poissonnerie Art déco, à deux pas de la Grand'Place de Lille.
Ce spécialiste des produits de la mer préconise des choix classiques, mais suggère parfois un écart inattendu : «De façon peut-être convenue, mais il n'y a pas risque de déception, j'apprécie un bon pouilly-fuissé, celui du Domaine J.-A. Ferret, par exemple. Mais un jasnières fin et ferme ou un cassis peuvent répondre justement aux huîtres!»
Antoine, le fils de Jean Proye, tient la barre d'un autre restaurant lillois, dont l'enseigne, *L'Écume des Mers,* dit la vocation : « Un bon muscadet ne posera jamais de problèmes avec un plateau de fruits de mer, quels que soient les coquillages et les crustacés escortant les huîtres. Mais on trouve son bonheur dans bien des appellations : quincy, savennières,

entre-deux-mers… J'ai, personnellement, un faible pour le pouilly-fumé Saint-Andelain de Philippe Renaud. Un bon vin, dont le prix est très raisonnable. »

AVEC GUY SAVOY

Guy Savoy fait briller ses deux étoiles Michelin rue Troyon, près de l'Étoile, mais ce grand chef règne aussi sur des «bistrots» très parisiens. Au *Cap-Vernet,* spécifiquement marin, et au *Bistrot Niel,* il propose des crus d'huîtres, Prat-ar-Coum, Cancale, Isigny et Marennes-Oléron.

Guy Savoy.

Les vins peu ruineux qu'il aime partager avec des amis, devant des creuses et des spéciales : « Bien que je ne sois pas spécialement partisan du chardonnay dans ces circonstances, je suggère volontiers le petit-chablis de Laroche, ou un saint-véran assez subtil. J'ai actuellement un faible pour le pacherenc-du-vic-bilh sec de chez Laplace, de très bon rapport qualité/prix. »

AVEC MICHEL ROSTANG

Michel Rostang est, lui, doublement étoilé à l'angle des rues Rennequin et Gustave-Flaubert, où Marie-Claude, son épouse, reçoit au milieu d'une étonnante collection de rares bibelots. Lui aussi patron d'«annexes» très parisiennes à la carte astucieuse, les *Bistrots d'à-côté,* il a

Michel Rostang.

relancé *Dessirier.* Le superbe banc d'huîtres de ce restaurant de la mer comporte, notamment, de merveilleuses belons. Que boirait-il, sans trop tenir compte du prix ? «Le chablis Montée de Tonnerre de chez Regnard pour les creuses : vraiment formidable! Le pouilly-fumé En Chailloux de Didier Dagueneau pour les plates. Là, c'est royal!»

À Lille, tel père, tel fils : Jean et Antoine Proye.

MOROT-GAUDRY : UN PEU DE CORSE DANS LE CIEL DE PARIS

Jean-Pierre Morot-Gaudry est le chef propriétaire du restaurant le plus lumineux de Paris. Au sommet d'un bel et étrange immeuble, avec vue, plein ciel, sur la pointe de la tour Eiffel. De grandes baies vitrées, une jolie petite terrasse... Grand amateur de vins corses, ce cuisinier œnologue gestionnaire d'une superbe cave a un penchant pour le Domaine de Torraccia, dont il propose souvent les rouges (photo), mais dont le blanc, moins connu, lui paraît adéquat face à des Saints-Jacques poêlées.

« D'une rondeur agréable, peu acide, le blanc de Christian Imbert accompagne souplement les saint-jacques quand il a quelques années de cave. Dans un tout autre registre, il est parfait avec un fromage de brebis corse, avec un valençay. »

■ **MOROT-GAUDRY.** 6, RUE DE LA CAVALERIE (8ᵉ ÉTAGE), PARIS 15ᵉ.

et pouilly-fumé, si le beurre est généreusement dispensé ou avec un beurre blanc.

UNE BONNE BOUTEILLE. Vins convenant à de nombreuses préparations de la saint-jacques ■ Savennières : Coulée de Serrant ; Domaine de Baumard ; Domaine du Closel ■ Vouvrays secs : Domaine du Clos Naudin ; Domaine Huet ■ Chablis (gamme étendue) : Domaine Laroche, La Chablisienne ■ Patrimonio : Domaine Antoine Arena ■ Vin de Corse-Calvi : Clos Colombu ■ Coteaux-du-languedoc : Domaine Saint-Martin de la Garrigue.

POURQUOI PAS ? Un champagne blanc de blancs.

(Les saint-jacques sont parfois proposées crues, en entrée, escalopées en tranches très minces. On peut choisir l'un des vins ci-dessus.)

Coquilles Saint-Jacques en brochette

Une façon dangereuse d'accommoder les saint-jacques, qui risquent d'être desséchées : la cuisson des noix, qui alternent sur les brochettes avec du lard fumé, doit être surveillée avec une grande attention. Cette préparation, qu'une béarnaise accompagne parfois, en toute vulgarité, est l'une des rares autorisant le recours au rosé, voire à un rouge léger et fruité.

ROSÉ. Marsannay ■ Rosé des Riceys ■ Tavel ■ Lirac ■ Côtes-de-provence ■ Les baux-de-provence ■ Coteaux-d'aix ■ Alsace pinot noir vinifié clair ■ Irouléguy ■ Bordeaux clairet.

ROUGE. Alsace pinot noir (éviter le boisé) ■ Beaujolais-villages ■ Les baux-de-provence ■ Côtes-de-provence ■ Bellet ■ Coteaux-du-languedoc.

BLANC. Pas indispensable, mais a sa place. Voir notice précédente.

Coquilles Saint-Jacques à la provençale

En espérant les saint-jacques d'une parfaite fraîcheur, la cuisson à la poêle soignée et l'ail pas trop accaparant (cette préparation peut s'avérer délectable, mais c'est aussi celle des gargotes)... Même si l'on a la main légère en cuisine, un vin ami de l'ail s'impose !

BLANC. Saint-joseph ■ Saint-péray ■ Hermitage (si les coquilles le méritent et si l'ail se fait sentir assez fortement) ■ Cassis ■ Bandol ■ Bellet ■ Graves.

ROSÉ. Possible, pas emballant ■ Coteaux-d'aix ■ Côtes-de-provence.

Coquilles Saint-Jacques aux cèpes

Les saint-jacques aspirent volontiers les saveurs, pour les condenser et les magnifier (au point que l'ajout, parfois, domine trop la coquille). L'association avec les cèpes, dont la présence agréablement forte ne doit pas être accaparante, est rituelle à l'automne. Le vin, presque obligatoirement un blanc, chante facilement avec le champignon, mais le duo ne doit pas écraser la saint-jacques.

BLANC. Meursault ■ Puligny-montrachet ■ Condrieu ■ Saint-joseph ■ Saint-péray ■ Coteaux-du-languedoc ■ Côtes-du-roussillon ■ Chinon expressif ■ Riesling vieilli ■ Tokay pinot gris ■ Éventuellement un vieux champagne vineux...

ROSÉ. À la rigueur ▪ Alsace pinot noir ▪ Marsannay ▪ Tavel ▪ Lirac ▪ Côtes-de-provence.

Coquilles Saint-Jacques aux truffes

Les truffes sont souvent associées aux coquilles quelques mois après la période des cèpes. Le compromis est compliqué par la puissance de la truffe, quand celle-ci se manifeste exagérément : la saint-jacques fait penser au blanc, alors que la truffe oriente de toute son éventuelle puissance vers certains rouges.

BLANC. Tokay pinot gris ▪ Crozes-hermitage ▪ Hermitage ▪ Accord possible, plus malaisé, avec un graves et/ou un pessac-léognan.

ROUGE. Accord difficile, à ne tenter que si la truffe s'impose très fortement...
Il serait, quoi qu'il en soit, dommage d'ouvrir une grande bouteille si elle n'a pas d'autre emploi au cours du repas ▪ Saint-julien évolué ▪ Pomerol.

Calmars ou calamars, ou supions, ou chipirons (diverses préparations)

Peu de mollusques portent autant de noms que ce cousin de la seiche qu'est le calmar, décapode à la tête prolongée de tentacules, porteur d'une poche à encre à laquelle certaines sauces doivent leur couleur. Qu'il soit donc entendu, avec l'accent d'ici ou d'ailleurs, que les termes calmar, calamar, encornet, chipiron ou supion désignent le même animal, apte à bien des apprêts. Le vin blanc a le beau rôle, à condition d'être sec, mais certains rosés s'entendent facilement avec les préparations hautes en saveurs du Midi. Les rouges sont proscrits, sauf préparation hispano-basquaise (voir notice suivante).

BLANC. Coteaux-d'aix ▪ Côtes-de-provence ▪ Cassis ▪ Palette ▪ Patrimonio ▪ Vin de Corse ▪ Côtes-du-roussillon ▪ La Clape ▪ Picpoul-de-pinet ▪ Irouléguy ▪ Jurançon sec (préparations épicées et pimentées) ▪ Pacherenc-du-vic-bilh le plus sec possible ▪ Graves ▪ Menetou-salon, reuilly, sancerre : quand tomates, poivrons, piments et ail sont très présents.

ROSÉ. Davantage de risques de légers désaccords qu'avec le vin blanc. Servir très frais ▪ Côtes-du-roussillon ▪ Côtes-de-provence ▪ Vin de Corse ▪ Irouléguy ▪ Bordeaux clairet.

Chipirons à l'encre

Les Espagnols et les Basques raffolent des chipirons (calmars) *en su tinta*, cuits dans une épaisse sauce

noire. À l'instar de Jean-Guy Loustau (ex-sommelier maintenant chez lui à l'enseigne du *Bascou*, le meilleur restaurant basque de Paris) et de ses amis de la côte labourdine, on peut opter pour un rouge, ou chercher un rosé pas trop pâle.

BLANC. Voir notice précédente.

ROUGE. Servis presque frais ▪ Graves ▪ Côtes-du-rhône pas trop expressif.

ROSÉ. Tavel ▪ Lirac ▪ Irouléguy.

CHRISTIAN VERGÈS : L'ACCENT DU ROUSSILLON

Aux Buttes-Chaumont, en pleine verdure, un grand pavillon au décor frais et élégant, avec une superbe terrasse plafonnée de frondaisons... C'est le *Pavillon Puebla*, excellent restaurant restant accessible le soir, après la fermeture officielle des grilles du parc. Le chef-maître de maison se dénomme Christian Vergès : le nom sonne catalan, comme une partie des plats et des vins répertoriés sur la carte. L'homme n'est pas prisonnier du régionalisme, mais ne cache pas son penchant pour les recettes et les bouteilles du Roussillon.

« Le Roussillon et le Languedoc, où des progrès immenses ont été faits depuis une dizaine d'années, ne sont pas encore très connus des Parisiens, bien que l'on en parle davantage et mieux que dans le passé. De Maury à Collioure, en passant par les vignes des Côtes du Roussillon, la gamme des vins est étendue.

Avec les poissons grillés, comme avec les saint-jacques, j'ai plaisir à recommander le blanc de blancs de Vaquer, sec, net, avec un peu de fumé. Un blanc qui prend de la personnalité en vieillissant ! Je ne suis pas fou de vins rosés, mais celui de ce producteur de Tresserre s'entend bien avec mes saint-jacques aux cèpes. »

▪ **PAVILLON PUEBLA.** PARC DES BUTTES-CHAUMONT (AVENUE SIMON-BOLIVAR/RUE BOTZARIS), PARIS 19e.

CRUSTACÉS

*De la modeste crevette grise à l'aristocratique langouste, voici l'araignée de mer,
tous les crabes, les divers homards, les langoustines… Les crustacés, avec ou sans pinces,
arrivent sur les tables et étals en personnages modestes ou en vedettes, parés simplement
ou dans tous leurs atours. Il y en a pour toutes les bourses, et bien des vins – blancs,
sauf exception – s'invitent à table. Selon les occasions et le compte en banque, il s'agira
de crus sans prétentions ou de grandes bouteilles : qui peut s'offrir un beau homard breton
ou une superbe langouste, mets rares ou coûteux, ira jusqu'au bout du régal en offrant
un montrachet ou un grand pessac-léognan ; qui se contente de petites huîtres, parfois
délicieuses, se satisfera d'un blanc passe-partout, vif si possible, quand même pas trop vert.*

Crevettes – tourteau

Voir *Plateau de fruits de mer*. Les oursins, difficilement classables, renvoient aussi à cette notice.

Homard grillé
(et autres préparations)

De préférence breton, du moins européen (la différence avec le cousin américain est considérable), alors un produit de luxe… Choisi assez petit, bien vivant,

le homard passe au gril du four ou à la salamandre, sa cuisson très surveillée – surtout pas exagérée – le faisant virer du bleu ou du brun violacé au rouge. La texture et la finesse de la chair priment sur la sauce, généralement à base de crème, plus ou moins rehaussée de paprika ou de poivre… quand on ne se contente pas, et délicieusement, d'un beurre fondu. Cette splendeur coûteuse qu'est un beau homard justifie la recherche d'un excellent vin, même d'un grand vin, plus ou moins opulent selon la sauce, l'assaisonnement. Un blanc, obligatoirement. On restera sur les mêmes vins avec le homard à la nage, servi avec ses légumes, comme avec le homard cuit à la vapeur sur des algues ou rôti au four après avoir été légèrement poché.

BLANC. Savennières ▪ Vouvray sec ▪ Montlouis ▪ Meursault ▪ Saint-aubin ▪ Mâcon-villages ▪ Pouilly-fuissé ▪ Saint-joseph ▪ Crozes-hermitage ▪ Hermitage.

UNE BONNE BOUTEILLE. Savennières : Domaine du Closel ; Château d'Épiré ▪ Vouvray : Clos Baudoin ; Domaine Didier Champalou ▪ Montlouis : Domaine Olivier Delétang ▪ Saint-aubin : Domaine Marc Colin et fils ▪ Hermitages : M. Chapoutier ; Domaine Jean-Louis Grippat (dont le saint-joseph convient également) ▪ Saint-joseph et saint-péray : Bernard Gripa.

Homard à l'américaine

« À l'armoricaine », rectifient les uns. « À l'américaine », confirment les autres, rappelant que le grand apprêt classique fut créé par un chef français ayant travaillé aux États-Unis. Les crustacés – du moins : leurs pinces, leurs pattes, l'intestin et le corail – sont à la base de la sauce, parfumée par le vin blanc, le cognac, la tomate, le poivre blanc ou de Cayenne : elle a une saveur particulière, parfois encombrante, qui reflète celle du homard avec de fortes accentuations. (Le flambage au cognac, souvent préconisé, se révèle redoutable.) La garniture, généralement du riz pilaf ou à la vapeur, s'imprègne de sauce, sans ajouter de note particulière. Les vins recommandés avec le homard grillé conviennent pour la plupart, notamment les secs

CLOS DE LA *Coulée de Serrant*
APPELLATION SAVENNIÈRES - COULÉE DE SERRANT CONTRÔLÉE
1994
Nicolas JOLY, Propriétaire-Viticulteur
au Château de la Roche-aux-Moines - 49170 SAVENNIÈRES
Mise en bouteilles au Château
PRODUCT OF FRANCE   NET CONTENTS : 750 ML   ALC. : 12,5 %/VOL   L1

tendres de qualité issus du chenin. Un gewurztraminer, impérativement « sur sa réserve », ni caricatural ni encombré de sucre, pourrait faire merveille.

🍷 **BLANC.** Gewurztraminer racé, sec ▪ Riesling vendanges tardives ▪ Savennières ▪ Saumur-champigny (style Château de Villeneuve) ▪ Arbois jaune, avec risques de dissonance ▪ Meursault ▪ Puligny-montrachet ▪ Crozes-hermitage ▪ Saint-joseph ▪ Châteauneuf-du-pape ▪ Graves ▪ Pessac-léognan.

⭐ **POURQUOI PAS ?** Un champagne, aussi bien blanc de blancs (pas exagérément sec, rond et riche) que marqué pinot noir, ou bien rosé (ce dernier tentant si la sauce est bien poivrée) ▪ Un sauternes ou un barsac (pas trop riche) ▪ Un tavel vieilli ▪ Le *Guide Hachette des Vins* conseille un juliénas.

Homard thermidor

Cuit au four, le homard est découpé en cubes ou en escalopes, présentées dans les demi-carapaces. Il s'y retrouve nappé d'une sauce crémée et moutardée. Des blancs d'une certaine opulence, choisis aimables, pas trop nerveux s'ils sont jeunes (les grands bourgognes étant préférés vieux de cinq ou six ans).

🍷 **BLANC.** À peu près les vins de la notice précédente... mais nous ne déboucherions pas l'arbois ▪ Mâcon-villages, pouilly-fuissé assez corpulents derrière leur vivacité.

Langouste ou langoustines froide(s) à la mayonnaise

On pourrait rêver meilleur sort culinaire pour une belle langouste rouge... mais les amateurs éclairés préfèrent souvent ce crustacé au homard quand il est servi froid. Le vin blanc ne devra pas se quereller avec la mayonnaise, qui ne le laissera sans doute pas s'exprimer au mieux.

🍷 **BLANC.** Petit-chablis ▪ Chablis ▪ Mâcon ▪ Mâcon villages ▪ Pouilly-

fuissé ▪ Saint-véran ▪ Muscadet (pas vert !) ▪ Alsace pinot blanc ▪ Chignin-bergeron.

Beignets de langoustines

Un délice quand les langoustines sont ultra-fraîches et enveloppées d'une pâte aérienne. Une catastrophe lorsque la langoustine précuite ou surgelée tient du buvard dans une pâte épaisse. L'accompagnement-assaisonnement, dont on abuse souvent pour masquer la nullité des beignets, ne devrait pas trop se faire sentir : une simple tombée de citron ? une sauce tartare ? quelque apprêt exotico-oriental ? Mieux vaut rester sur un blanc net et droit, qui peut n'être qu'un simple « vin de soif ». Un rosé souple est acceptable.

🍷 **BLANC.** Voir notice précédente ▪ Patrimonio ▪ Roussette de Savoie ▪ Si les beignets sont particulièrement légers et savoureux : meursault, pessac-léognan ▪ Gewurztraminer sec, pas trop fruité.

🍷 **ROSÉ.** Coteaux-d'aix ▪ Côtes-de-provence ▪ Anjou sec ▪ Chinon.

Langoustines en brochette

Grillées juste ce qu'il faut, servies avec un beurre aromatisé et l'inévitable rondelle de citron, les langoustines très fraîches peuvent régaler. Et réclamer un vin à la fois vif et rond. Mais qu'elles aient trop traîné sur la glace pilée ou qu'elles soient trop desséchées par la cuisson… elles ne méritent alors qu'un petit blanc les faisant avaler vite.

🍷 **BLANC.** Mâcon ▪ Saint-véran ▪ Muscadet ▪ Entre-deux-mers.

Langoustines au curry

Ou curry de langoustines… Ce plat plutôt asiatique dirige vers les blancs jouant avec les épices (qui peuvent aller jusqu'à emporter la bouche, à la mode thaï, ne laissant guère juger de la chair du crustacé). Avant tout des vins aromatiques, ronds et tendres du Val de Loire, d'Alsace, de Condrieu.

🍷 **BLANC.** Savennières ▪ Coteaux-de-l'aubance ▪ Coteaux-du-layon ▪ Vouvray sec et demi-sec ▪ Tokay pinot gris sec ou vendanges tardives ▪ Gewurztraminer sans trop de fruité ▪ Condrieu ▪ Saint-joseph ▪ Saint-pérey ▪ De nombreux côtes-du-rhône-villages ▪ Coteaux-du-languedoc marqué viognier.

Langouste (diverses préparations)

Pas de pinces, longues antennes… et tant de provenances. Bretonne ou méditerranéenne, elle atteint souvent aux sommets de la succulence, mais est loin d'apparaître sur toutes les tables. Venue de Cuba, des Caraïbes ou des côtes africaines, elle peut décevoir cruellement. Et ne se remet pas d'être précuite et congelée… Rivale du homard, se préparant comme lui, à la nage, au court-bouillon, rôtie, et appelant les mêmes vins, une belle langouste fait désirer de grands blancs alliant rondeur et vivacité, puissance et suavité. Les plus somptueuses bouteilles du Domaine Leflaive ou du Domaine des comtes Lafon, en Bourgogne, un Domaine de Chevalier ou un Château Laville Haut-Brion, dans l'univers des pessac-léognan… Il faut savoir rêver !

🍷 **BLANC.** Voir les notices consacrées au homard. Avec une préférence, si la préparation est simple et la langouste superbe, pour les meilleurs meursaults et pessac-léognan (qui peuvent avantageusement avoir légèrement vieilli).

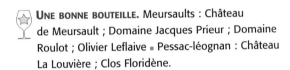

⭐ **UNE BONNE BOUTEILLE.** Meursaults : Château de Meursault ; Domaine Jacques Prieur ; Domaine Roulot ; Olivier Leflaive ▪ Pessac-léognan : Château La Louvière ; Clos Floridène.

Langouste ou homard à la parisienne, en bellevue

Des apprêts froids classiques, lustrés et parés de gelée, en principe avec mayonnaise… Cela peut être très bon, mais se révèle généralement trompeur, genre chic-et-pas-de-goût : quel grand chef actuel préparerait ainsi une superbe langouste ?
Comme il s'agit plutôt d'une entrée, nous pencherons vers un bon bourgogne blanc, vers un sancerre, un chablis ou un graves honnête à garder pour la suite. En aucun cas de grande bouteille, sauf quand un poisson noble figure au menu.

🍷 **BLANC.** Pratiquement tous les vins des notices précédentes ▪ Sancerre ▪ Pouilly-fumé ▪ Quincy ▪ Pouilly-fuissé ▪ Mâcon.

Civet de langouste

Cette spécialité catalane fait appel à l'huile d'olive et aux oignons, aux tomates concassées et au capiteux banyuls rancio, vin doux ayant évolué dans des conditions spéciales. Un plat puissant auquel certains banyuls répondent avec force et suavité.

🍷 **POURQUOI PAS ?** Banyuls rimage (vieilli en bouteille) d'un certain âge ▪ Maury.

Écrevisses à la nage

Ces crustacés d'eau douce furent abondants dans les rivières et les torrents de France. Mais il y a belle lurette que les nobles «pieds rouges» ou « pattes rouges » sont rarissimes.

L'écrevisse «pattes grêles», maintenant produit d'élevage (surtout en Turquie), et d'autres espèces font semblant de la remplacer. Grâce à ces substituts, qui ont surtout le goût de leur préparation, les écrevisses sont toujours emblématiques de certains restaurants, voire de certaines régions (Alsace, Jura, Bordelais, Lyonnais).

Et l'on continue de les décortiquer avec les doigts à plaisir quand elles sont servies entières, cuites à la nage, non sans avoir noué autour de son cou la rituelle serviette-bavoir. Amusant, si l'on ne craint pas les éclaboussures, mais cela ne justifie pas forcément un grand vin... Le choix de la bouteille dépend des écrevisses auxquelles on s'attend et de l'intensité aromatique du court-bouillon...

🍷 **BLANC.** Chablis ▪ Meursault ▪ Condrieu ▪ Saint-joseph ▪ Crozes-hermitage ▪ Certains côtes-du-rhône-villages et coteaux-du-languedoc.

Écrevisses flambées au cognac, au whisky

Traitement obsolète, voire incongru, mais les flambages font encore partie du répertoire culinaire. L'accommodement, qu'il s'agisse de vieux cognac ou de whisky pur malt, gâche les plus belles écrevisses et n'arrange pas les autres.

Va pour un blanc sec... qui part perdant ; généreux, il ne gagne rien à la rencontre ; faiblard, il disparaît. En aucun cas un grand vin.

🍷 **BLANC.** Seule couleur envisageable, aucune AOC ne s'imposant ▪ Muscadet assez rond ▪ Bourgogne ▪ Mâcon ▪ Riesling pas trop typé ▪ Tokay pinot gris.

Écrevisses à la bordelaise

Vin blanc, mirepoix (préparation de légumes taillés et d'aromates), tomates concassées ou concentré de tomates, prudent arrosage au cognac enflammé... Clin d'œil à certains rosés ? Possible, mais les blancs, d'origines et d'accents divers, sont plus facilement assortis.

🍷 **BLANC.** Voir *Écrevisses à la nage* ▪ Vouvray sec ▪ Sancerre ▪ Pouilly-fumé ▪ Tokay pinot gris ▪ Mâcon et graves très ronds.

🍷 **ROSÉ.** Marsannay ▪ Tavel ▪ Corbières ▪ Côtes-du-frontonnais ▪ Bordeaux clairet.

🍷 **POURQUOI PAS ?** Le *Larousse de la Cuisine* préconise laconiquement un sauternes (alors que l'autre bible culinaire du même éditeur, la réédition du Curnonsky, cite à peu près les mêmes vins que nous).

Gratin de queues d'écrevisses à la nantua

Encore un flambage... Généralement proposé en « entrée chaude », ce gratin éventuellement agrémenté de mini-dés de truffes (usage de moins en moins employé) est dominé par la béchamel crémée, dans laquelle on incorpore le beurre d'écrevisses.

Sauf coup de main et attention d'un cuisinier scrupuleux, le goût du crustacé n'apparaît guère. Quoi qu'il en soit : un vin sec tendre ou légèrement moelleux.

🍷 **BLANC.** Savennières ▪ Anjou ▪ Saumur-champigny ▪ Vouvray ▪ Montlouis ▪ Tokay pinot gris ▪ Jurançon.

Escargots – cuisses de grenouille

Voir *Entrées*.

31

POISSONS

Considéré comme «léger», ce qui explique son succès au restaurant, le poisson tient une place considérable dans la gastronomie française. Préparé de plus en plus simplement, cuit avec davantage d'attentions, moins masqué par les sauces, il fait parcourir la grande carte des vins blancs secs ou secs tendres. Les poissons de mer autorisent à l'occasion quelques incursions dans les AOC moelleuses, voire des rencontres avec certains rouges, éventuellement assez corsés. D'une façon générale, privilégiez la simplicité et donnez la priorité au poisson sur le vin. De l'alsace pinot blanc aux côtes-de-provence et aux graves en passant par les chablis, les mâcons, les vins de Corse, les sancerres et autres côtes-du-rhône septentrionaux ou méridionaux, il est aisé de s'assurer un bonheur tranquille.

• **POISSONS DE MER** •

Turbot grillé ou rôti

L'encombrant poisson pour lequel on a inventé la turbotière, afin de le cuire entier, est un des rois de la mer. Souvent en filets, en tronçons, il a une chair blanche délicieusement délicate, dont la cuisson doit respecter la souple fermeté. En priorité, les grands blancs classiques, avec ce qu'il faut de rondeur, vins souvent évoqués dans ce chapitre. Dans les appellations peu connues, prêter particulièrement attention au talent du viticulteur. Sans chercher la verdeur, fuir le sucre résiduel (que le turbot ne rencontre amicalement qu'à l'occasion d'une rare préparation au sauternes).

BLANC. Jeune ou assez jeune. Attention, cependant, aux arômes boisés et vanillés de certains vins trop vite sortis de cave ▪ Chablis (aborder les grands et premiers crus si l'on peut se le permettre) ▪ Meursault ▪ Puligny-montrachet ▪ Mâcon-villages ▪ Pouilly-fuissé ▪ Pouilly-loché ▪ Pouilly-vinzelles ▪ Riesling discret ▪ Tokay pinot gris pas trop parfumé ▪ Graves et pessac-léognan fins, discrètement marqués par le boisé ▪ Divers bordeaux blancs que le bois n'a pas raidis.

UNE BONNE BOUTEILLE. On puisera souvent dans cette liste en venant d'autres notices : les vins cités sont grands amis de beaucoup de poissons ▪ Chablis : Domaine Jean Durup ; Domaine Raveneau ; Domaine R. et V. Dauvissat ; Domaine Jean-Paul Droin ; Domaine Laroche ; La Chablisienne ▪ Puligny-montrachet : Domaine Leflaive ; Maison Louis Jadot ▪ Mâcon Roche Vineuse : Domaine Olivier Merlin ▪ Pouilly-fuissé : Château de Fuissé ▪ Pessac-léognan : Domaine

L'EXCELLENCE POUR UN TURBOT

Les blancs secs de l'appellation pessac-léognan, comme les meilleurs graves, se prêtent bien au vieillissement. Mais il n'est pas nécessaire de garder un Fieuzal 95 pour le troisième millénaire ! Ce vin, que nous choisirons évidemment dans un millésime plus récent, passé l'an 2000, nous est conseillé, avec le turbot, par l'expert en produits iodés qu'est Jean Proye (voir p. 25).

« Le turbot exige une bouteille à son niveau d'excellence... Expressif et complexe, le Château de Fieuzal est un excellent compagnon pour cet aristocrate de la mer. Mais les meilleurs vins des autres régions peuvent entrer en compétition avec lui : un grand riesling pas trop fruité, un chablis haut de gamme, un hermitage blanc très net... »

de Chevalier ; Château Carbonnieux ; Château de Fieuzal ■ Graves : Château de Chantegrive ; Château Reynon.

 POURQUOI PAS ? Un champagne brut, plutôt blanc de blancs. Pratique quand on manque d'idées, lorsque les convives choisissent divers poissons et des apprêts différents. Convient aussi au turbot poché.

Turbot poché sauce hollandaise

La sauce apporte plus de douceur, malgré le jus de citron ; la texture du poisson s'impose moins. Seront en concordance des vins assez tendres, ou les mêmes que précédemment, de millésime plus riche, plus âgés.

 BLANC. Voir notice précédente ■ Savennières ■ Vouvray et montlouis aussi secs que possible ■ Riesling vieilli ■ Tokay pinot gris ■ Condrieu ■ Certains côtes-du-rhône-villages ■ Côtes-de-provence assez riches et gras.

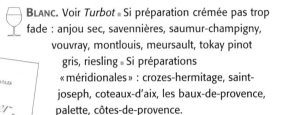

 **UNE BONNE BOUTEILLE.** Savennières : Domaine du Closel ; Château d'Épiré ■ Tokay pinot gris : Comtes d'Eguisheim de Léon Beyer ; Altenberg de Marcel Deiss ■ Riesling : Cuvée des Écaillers de Léon Beyer ■ Côtes-du-Rhône viognier : Domaine Les Goubert ■ Côtes-de-Provence : Domaine de la Courtade.

Barbue et carrelet (diverses préparations)

Proches du turbot, la barbue et le carrelet, ou plie franche, se préparent identiquement. Mêmes cuissons, mêmes recettes, mêmes vins. Les préparations à la crème orientent généralement vers des vins souples et tendres, mais aussi vers un très beau riesling. Celles que l'on peut dire à la provençale ou à la niçoise vers des vins des Côtes du Rhône septentrionales ou de Provence s'entendant avec l'huile d'olive et l'ail.

BLANC. Voir *Turbot* ■ Si préparation crémée pas trop fade : anjou sec, savennières, saumur-champigny, vouvray, montlouis, meursault, tokay pinot gris, riesling ■ Si préparations « méridionales » : crozes-hermitage, saint-joseph, coteaux-d'aix, les baux-de-provence, palette, côtes-de-provence.

Limande

Préférer la limande-sole, plus fine. La cuisiner comme le turbot et la barbue et en rester aux mêmes vins. Sans chercher particulièrement grandes années ni grands crus.

Sole grillée ou meunière

Aujourd'hui chère, la sole peut être exquise, délicieusement moelleuse, mais il arrive qu'elle soit sèche et fade : sa saveur dépend de la fraîcheur, de l'origine (proximité des côtes ou profondeurs du grand large, eaux plus ou moins froides…). Souvent débitée en filets, quand elle n'a pas la taille « sole-portion », appréciée quasi unanimement, notamment

Jean-Jacques Place, sommelier d'un palace célèbre : l'Hôtel du Palais, à Biarritz. Appellation régionale à découvrir ou grand cru ? Il assortit les vins aux plats d'un chef Meilleur Ouvrier de France, Jean-Marie Gautier. En surplomb de l'océan, les poissons ont évidemment la part belle sur la carte, à côté de tous les rouges d'Aquitaine.

par les enfants, elle subit mille et un apprêts en grande cuisine comme en cuisine «ménagère». Les plus simples étant les meilleurs, quand le poisson est parfait. Le vin ? Un blanc plus ou moins ample, franchement sec, net et droit, que l'on évitera de contrarier en pressant trop de citron sur le poisson.

🍷 **Blanc.** Muscadet (surtout avec la sole grillée) ▪ Chablis ▪ Meursault ▪ Puligny-montrachet ▪ Mâcon-villages ▪ Pouilly-fuissé ▪ Pouilly-loché ▪ Pouilly-vinzelles ▪ Saint-véran ▪ Alsace pinot blanc ▪ Riesling ▪ Graves ▪ Entre-deux-mer de qualité, pas trop floral ▪ Bordeaux blanc de qualité.

Filets de sole à la normande

Huîtres, moules et queues de crevettes, voire écrevisses, viennent renforcer la saveur de la sole, qui en perd presque la vedette (mais la recette comporte bien des variantes). Le vin doit chanter assez fort pour se faire entendre, sans pour cela se quereller avec le fumet de cuisson. Belle occasion pour le cépage sauvignon de se manifester.

🍷 **Blanc.** Sancerre ▪ Quincy ▪ Pouilly-fumé ▪ Meursault ▪ Chablis assez ferme.

Saint-pierre (diverses préparations)

Poisson très présent en restauration depuis les années 70 (ce fut l'une des vedettes de la nouvelle cuisine), dont la belle chair blanche et ferme se laisse facilement lever en filets. Pas d'arêtes, une grande délicatesse. Mêmes prescriptions que pour le turbot, la barbue et le carrelet.

🍷 **Blanc.** Voir *Turbot, Barbue, Carrelet* ▪ Si une tonalité crémée s'impose, avec une sauce onctueuse, penser à un gewurztraminer sec et rigoureux, à un pessac-léognan ample, peut-être à un loupiac, à un pacherenc-du-vic-bilh sec ou tout juste moelleux ▪ Si le plat est relevé d'accents citron-citronnelle, plutôt des vins peu acides, style côtes-de-provence.

Bar ou loup (diverses préparations)

De chair maigre, serrée et finement savoureuse, l'un des poissons les plus délicats, souvent massacré naguère par les flambages au fenouil et les abominations au pastis, maintenant passés de mode. Le bar, souvent appelé loup dans le Midi, est devenu assez rare, donc coûteux. Il se révèle au mieux simplement grillé, à peine parfumé par le fenouil. Ses filets

peuvent aussi être rapidement et simplement cuits au beurre. L'huile d'olive et le basilic se font fréquemment sentir : on incline traditionnellement vers divers vins du Sud quand l'accent du Midi devient agréablement impératif.

🍷 **Blanc.** La plupart des vins s'entendant avec le turbot, le carrelet et le saint-pierre ▪ Crozes-hermitage ▪ Hermitage ▪ Coteaux-d'aix ▪ Les baux-de-provence ▪ Palette ▪ Côtes-de-provence ▪ Cassis ▪ Bellet ▪ Patrimonio. Avec un loup grillé au naturel ou rôti au four sans apports condimentaires, plutôt un meursault ou un beau bourgogne blanc ▪ Si l'on ne craint pas le côté un peu envahissant du sauvignon : sancerre, pouilly-fumé.

Rôti de lotte – brochettes de lotte – fricassée de lotte au naturel – poêlée de joues de lotte

Poisson rond parfois surnommé baudroie sur le littoral méditerranéen, la lotte est toujours commercialisée étêtée, souvent sous le nom de « queue de lotte ». Sa belle chair nacrée, dépourvue d'arêtes, s'avère fine,

maigre, agréablement ferme quand le poisson est parfaitement frais. Les blancs classiques conviennent.

🍷 **Blanc.** Meursault ▪ Puligny-montrachet ▪ Mâcon-villages ▪ Pouilly-fuissé ▪ Pouilly-loché ▪ Pouilly-vinzelles ▪ Alsace pinot blanc ▪ Riesling ▪ Tokay pinot gris ▪ Graves et pessac-léognan fins, discrètement marqués par le boisé.

Lotte à l'américaine

La préparation bien assaisonnée et parfumant le rituel accompagnement de riz basmati fait pencher vers les chenins du Val de Loire, le gewurztraminer, le

pinot gris. Les bourgognes d'une certaine opulence font aussi l'affaire.

 BLANC. Anjou sec ▪ Savennières ▪ Saumur-champigny ▪ Vouvray et montlouis secs ▪ Tokay pinot gris ▪ Riesling vieilli ▪ Meursault.

Lotte au vin rouge

La lotte fait partie des poissons parfois cuisinés avec bonheur au vin rouge. Si c'est le cas, aller pour la table vers des rouges peu tanniques.

ROUGE. Beaune ▪ Savigny-lès-beaune ▪ Santenay ▪ Volnay ▪ Sancerre ▪ Reuilly ▪ Alsace pinot noir.

Colin – merlu (diverses préparations)

Le colin, dont le nom désigne parfois d'autres poissons marins ronds à chair blanche, n'est, en principe, autre que le merlu. Cousinant avec le cabillaud, à l'instar du lieu noir ou jaune et de l'églefin, il a une chair assez fine, mais qui ne tient pas très bien à la cuisson et manque un peu de goût. Quand il n'est pas proposé «froid mayonnaise», plus ou moins en plat unique, il se voit appliquer des recettes classiques (à la sauce tomate et au vin blanc, à la provençale, en gratin) et est souvent préparé meunière, roulé dans la farine. Dans ce cas, un bon blanc assez simple, bien net, pas trop acide.

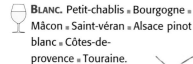

BLANC. Petit-chablis ▪ Bourgogne ▪ Mâcon ▪ Saint-véran ▪ Alsace pinot blanc ▪ Côtes-de-provence ▪ Touraine.

Daurade royale au four

La daurade royale, la «vraie daurade», gustativement supérieure à la dorade «avec un o», se pêche dans le golfe de Gascogne et la Méditerranée, mais peut aussi provenir d'un élevage. L'un des poissons maigres les plus nobles, elle se différencie de la dorade grise ou rose et du pageot par la délicatesse et le parfum de sa chair (le poisson sauvage étant

plus goûteux que le produit d'aquaculture). Simplement cuite au four, elle est heureuse de rencontrer d'assez grands bourgognes et s'entend avec plusieurs vins de la vallée du Rhône, de Provence.

BLANC. Bourgogne aligoté ▪ Meursault ▪ Puligny-montrachet ▪ Mâcon-villages ▪ Coteaux-d'aix ▪ Palette ▪ Côtes-de-provence ▪ Patrimonio.

UNE BONNE BOUTEILLE. Bourgogne aligoté : Domaine Aubert et Pamela de Villaine ▪ Bourgogne : L'Or d'Azenay du Domaine d'Azenay-Georges Blanc ▪ Meursault : Château de Meursault ; Domaine Jacques Prieur ; Olivier Leflaive ▪ Mâcon-vergisson et pouilly-fuissé : Domaine Daniel et Martine Barraud ▪ Saint-véran : Domaine des Deux Roches ▪ Palette blanc : Château Simone ▪ Côtes-de-provence : Clarendon du Domaine Gavoty ; Château Sainte-Roseline ; Château de Selle des Domaines Ott.

Dorade ou pageot à la provençale – pageot rôti à l'ail – dorade farcie au fenouil

Tous les vins précédemment cités, en favorisant ceux de la vallée du Rhône, les vins de Provence et de Corse. Plusieurs cépages méridionaux, d'expressions différentes, sont heureux de répondre avec un accent chantant ou avec légèreté.

BLANC. Voir *Daurade royale au four* ▪ Condrieu ▪ Châteauneuf-du-pape ▪ Palette ▪ Cassis ▪ Bandol ▪ Patrimonio ▪ Ajaccio ▪ Vin de Corse.

Michel Guérard est plus qu'un chef illustre. Ce cuisinier intelligent et mesuré, curieux et novateur, participa à la révolution culinaire des années 70 et inventa, avec sa femme Christine, l'univers d'Eugénie-les-

Bains. À Duhort-Bachen, en plein Tursan, il a décidé d'assembler harmonieusement les cépages, comme il assemble les produits et les épices. Son tursan un rien atypique, mille fois plus agréable que le vin traditionnel du secteur, assez brutal, est élaboré dans les chais récents, déjà habillés de vert, du Château de Bachen. Des blancs racés, plaisants en apéritif, pas encombrants avec bien des entrées, avec les poissons. Et, pour le troisième millénaire, un rouge très étudié. Qui pourrait être commercialisé comme vin de table... De la table de Guérard !

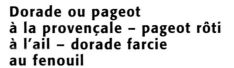

Rougets grillés

Les très petits rougets, obligatoirement de première fraîcheur, sont colorés, fermes, de saveur puissante. Ils se font griller, sort partagé par les rougets de taille moyenne quand ceux-ci ne sont pas cuits en papillote. Le trait d'huile d'olive parfois ajouté fait pencher vers un blanc aimable et peu acide – un bon côtes-de-provence, par exemple. On peut tenter un rouge, apporté et gardé frais : le léger choc que provoque la rencontre avec un palette ou un bellet enchante la plupart des amateurs de «goût de la mer». Se méfier des rouges trop puissants, trop corsés ou trop fruités, écarter les blancs câlins ou moelleux. Les rosés du Midi passent bien.

BLANC. Mâcon-villages ▪ Côtes-de-provence ▪ Palette ▪ Cassis ▪ Bandol ▪ Patrimonio ▪ Vin de Corse ▪ Graves ▪ Riesling pas trop éloquent ▪ Sancerre, quincy et pouilly-fumé discrets.

ROSÉ. Tavel ▪ Les baux-de-provence ▪ Coteaux-d'aix ▪ Côtes-de-provence ▪ Bandol.

ROUGE. Obligatoirement servi frais ▪ Côtes-du-luberon ▪ Palette ▪ Coteaux-d'aix ▪ Cassis ▪ Bandol jeune ▪ Bellet ▪ Ajaccio.

Rougets poêlés au fenouil

Le choix du vin dépend de la qualité du rouget et de l'accent plus ou moins marqué de la préparation. S'en tenir aux appellations préconisées précédemment, en cherchant une douce subtilité ne posant pas de problèmes plus qu'une typicité marquée. Parmi les vins peu acides évocateurs des senteurs et saveurs méridionales, penser à un hermitage blanc jeune, aux côtes-du-rhône septentrionaux apparentés par l'encépagement.

BLANC. Voir *Rougets grillés* ▪ Hermitage ▪ Crozes-hermitage ▪ Saint-joseph.

ROSÉ. Voir *Rougets grillés.*

ROUGE. Peu indiqué, mais envisageable, si léger. Voir *Rougets grillés.*

Rougets au four

Les gros rougets, beaucoup moins fins, sont cuits au four, sur un lit d'aromates ou en papillote. Ce compagnon fidèle qu'est le fenouil est souvent appelé à la rescousse. Un vin blanc relativement passe-partout (la chair des rougets de grande taille affirme modérément son identité) ou un rosé.

BLANC. Petit-chablis ▪ Mâcon ▪ Alsace pinot blanc ▪ Côtes-de-provence.

ROSÉ. Tavel ▪ Lirac ▪ Corbières.

ROUGE. Peu indiqué, mais envisageable, si léger. Voir *Rougets grillés.*

Raie au beurre noisette

Ce grand ou très grand poisson plat et cartilagineux a une chair blanc-rose maigre et fine. La saveur dépend de l'espèce, de la provenance, de la saison. Et d'un volontaire manque de première fraîcheur : le poisson est trop coriace quand il vient d'être pêché. Tronçonnée, la raie est souvent préparée au beurre noisette («au beurre noir», dit-on encore familièrement, en oubliant que cette référence est détestable) et servie accompagnée de câpres. Le vinaigre et le citron ne se laissent pas ignorer. Le vin, obligatoirement blanc, risque d'être éclipsé, voire malmené : inutile de songer aux grands crus et aux années d'exception ! Rencontres intéressantes, quoique un peu heurtées, avec le cépage sauvignon.

BLANC. Sancerre ▪ Menetou-salon ▪ Pouilly-fumé Quincy ▪ Reuilly ▪ Alsace pinot blanc ▪ Muscadet choisi séveux, d'assez forte expression ▪ Entre-deux-mers (frais et simple, passe agréablement en arrière-plan).

Raie en vinaigrette aux herbes

Agréable plat d'été ne demandant pas de grands vins.

BLANC. Voir notice précédente.

Maquereau grillé à la moutarde

Souvent servi en vinaigrette, le maquereau (de préférence pas gros) fait un bon plat, mais il lui faut un condiment complice, la moutarde forte, par exemple. S'en tenir à des blancs simples, bien faits, mais n'ayant pas trop à perdre : la partie est trop rude pour qu'on les déguste vraiment.

BLANC. Sancerre ▪ Muscadet ▪ Mâcon ▪ Petit riesling ▪ Bourgogne ▪ Bordeaux.

Harengs grillés à la moutarde

Plus ou moins gras, selon la période, plus savoureux quand il est plein (d'octobre à janvier), le hareng à la chair très parfumée n'est pas complaisant avec le vin. Grimace assurée quand celui-ci affirme une puissante personnalité ou se révèle marqué par le sucre. Choisir un vin de soif assez costaud pour donner un instant l'impression d'exister, sans demander robustesse ni longueur en bouche. Et éviter de boire avant d'avoir avalé !

BLANC. Sancerre ▪ Vouvray et montlouis secs ▪ Muscadet d'assez forte expression ▪ Entre-deux-mers (frais et simple, pour passer agréablement en arrière-plan).

ENTRE-DEUX-MERS
APPELLATION ENTRE-DEUX-MERS CONTRÔLÉE

Blanc Presqu'Ile

1998
750 ml   MIS EN BOUTEILLE PAR JEAN GUILLOT
A 33560 SAINTE-EULALIE - GIRONDE - FRANCE
PRODUCE OF FRANCE   12% vol

Sardines grillées et apprêts au four

La fraîcheur, avant tout. Grasse, savoureuse, forte en goût, la sardine ne dialogue guère avec le vin. Là aussi, un blanc sans histoire, qui ne bénéficie ni du contact avec le poisson ni de l'habitude qu'ont beaucoup de convives de presser les quartiers de citron jusqu'à la dernière goutte. Pourquoi pas un rouge léger, sans arrogance tannique ?

BLANC. Muscadet ▪ Bourgogne aligoté ▪ Sancerre ▪ Pouilly-fumé ▪ Touraine sauvignon ▪ Vouvray et montlouis très secs ▪ Entre-deux-mers.

ROSÉ. Ne s'impose pas ▪ Coteaux-d'aix ▪ Côtes-de-provence.

UNE BONNE BOUTEILLE. Un jurançon très sec. Dans son ouvrage *Méditerranées,* avec des sardines farcies au maigre, Alain Ducasse suggère un vin du Béarn, « blanc ou rouge, mais souple ».

Cabillaud (diverses préparations)

Le grand poisson que les restaurateurs présentent souvent comme «morue fraîche» (appellation valorisante un peu abusive, mais pas fausse) est maigre et se prête à des multiples apprêts. Délicate, sa chair n'a pas un goût marqué et s'effeuille facilement, ce qui interdit le gril. En tranches, en darnes ou en filets, le cabillaud se prépare rôti, cuit au court-bouillon, braisé au vin blanc. Bien que le choix du vin soit influencé par la préparation, on reste dans les appellations les plus fréquemment citées avec les poissons.

🍷 **BLANC.** Petit-chablis ▪ Chablis ▪ Bourgogne aligoté ▪ Mâcon ▪ Pouilly-fuissé ▪ Sancerre ▪ Coteaux-d'aix ▪ Côtes-de-provence ▪ Plus particulièrement avec une sauce hollandaise : Sancerre ▪ Reuilly ▪ Quincy ▪ Menetou-salon ▪ Pouilly-fumé ▪ Touraine sauvignon ▪ Vouvray et montlouis secs ▪ Saumur-champigny.

Filets de cabillaud panés

Omniprésents, notamment dans les grandes surfaces. Un blanc très simple.

🍷 **BLANC.** Alsace pinot blanc ▪ Bourgogne ▪ Bourgogne aligoté ▪ Bordeaux ▪ Touraine sauvignon.

Morue (diverses préparations)

Le cabillaud salé venu des mers froides fait partie, depuis longtemps, des aliments de base de la France et du bassin méditerranéen. Toujours vendue «en queue», surtout présentée en filets préemballés, la morue doit être attentivement dessalée. Plus savoureuse qu'on ne l'imagine généralement, assez délicate, elle est souvent pochée pour être servie froide ou chaude, accompagnée de diverses sauces, mais peut être sautée directement.

 BLANC. Petit-chablis ▪ Bourgogne aligoté ▪ Bourgogne ▪ Mâcon ▪ Bordeaux ▪ Graves. Plus particulièrement avec de la crème : Sancerre ▪ Reuilly ▪ Quincy ▪ Menetou-salon ▪ Pouilly-fumé ▪ Touraine sauvignon ▪ Vouvray et montlouis secs ▪ Saumur-champigny. Plus particulièrement avec les préparations provençales (oignons,

tomate, ail, olives noires, etc.) : Coteaux-d'aix ▪ Côtes-de-provence ▪ Cassis.

Filets de morue maître d'hôtel

Les filets panés sont cuits au beurre et servis avec un beurre maître d'hôtel. Mi-fondu, celui-ci se mélange onctueusement dans les pommes de terre à l'anglaise servies en accompagnement – que l'on ne manque pas d'écraser à la fourchette… Un blanc sans acidité agressive, et même d'une certaine rondeur.

🍷 **BLANC.** Savennières ▪ Tokay pinot gris ▪ Mâcon-villages ▪ Côtes-de-provence.

Croquettes de morue à la sauce tomate

La morue finement effeuillée, plus ou moins mélangée à une béchamel très réduite et à la pomme de terre, est roulée dans la farine, panée, frite à l'huile. Un petit blanc rafraîchissant, soit un peu vert, soit frais et rond.

🍷 **BLANC.** Sylvaner ▪ Alsace pinot blanc ▪ Mâcon ▪ Saint-véran ▪ Gros-plant ▪ Muscadet ▪ Coteaux-d'aix ▪ Côtes-de-provence ▪ Bordeaux.

Brandade de morue

Un grand plat peu coûteux, de saveur nîmoise (sans ail) ou, plus souvent, provençale (l'ail se fait parfois fortement sentir), dont l'onctuosité varie selon la recette, avec l'addition de plus ou moins de lait, ou l'ajout d'une pomme de terre farineuse écrasée. L'huile d'olive et, généralement, l'ail mènent la danse.

des traditions basques, provençales ou siciliennes. L'huile d'olive, la tomate, l'ail et les piments d'Espelette sont fidèles au rendez-vous… Les blancs secs ne posent pas de problèmes, beaucoup de rosés passent bien. Les rouges peu tanniques sont, parfois, tout à fait à leur place.

BLANC. Mâcon ▪ Pouilly-fuissé ▪ Saint-véran ▪ Beaujolais ▪ Hermitage ▪ Crozes-hermitage ▪ Coteaux-d'aix ▪ Côtes-de-provence ▪ Bandol ▪ Bellet ▪ Coteaux-du-languedoc ▪ Minervois ▪ Irouléguy ▪ Béarn ▪ Pacherenc-du-vic-bilh ▪ Gaillac ▪ Bergerac sec ▪ Graves ▪ Premières-côtes-de-blaye.

ROSÉ. Tavel ▪ Lirac ▪ Coteaux-d'aix ▪ Côtes-de-provence ▪ Corbières ▪ Collioure ▪ Irouléguy ▪ Côtes-du-frontonnais ▪ Bordeaux clairet.

ROUGE. Servi frais ▪ Alsace pinot noir ▪ Bourgogne léger ▪ Rully ▪ Fleurie ▪ Collioure ▪ Côtes-de-provence ▪ Béarn.

BLANC. Hermitage ▪ Crozes-hermitage ▪ Saint-joseph ▪ Châteauneuf-du-pape ▪ Coteaux-d'aix ▪ Côtes-de-provence ▪ Palette ▪ Cassis ▪ Bandol ▪ Patrimonio ▪ Vin de Corse ▪ Rully ▪ Givry ▪ Mâcon ▪ Saint-véran ▪ Beaujolais ▪ Graves.

Aïoli

Voir p. 99.

Haddock poché au lait

Légèrement saumuré, fumé, l'églefin des mers du Nord devient haddock. Texture moelleuse, saveur emplissant la bouche, évocatrice de la fumaison autant et plus que du poisson… Poché dans le lait à peine frémissant, ce qui lui fait perdre son âcreté si besoin est, le haddock, généralement servi avec un simple beurre fondu et des pommes de terre, appelle un vin rond, souple, se fondant onctueusement en bouche avec lui.

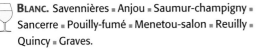

BLANC. Savennières ▪ Anjou ▪ Saumur-champigny ▪ Sancerre ▪ Pouilly-fumé ▪ Menetou-salon ▪ Reuilly ▪ Quincy ▪ Graves.

Thon basquaise, à la provençale, à la sicilienne

C'est généralement le thon rouge qui se cuisine, le thon blanc étant plutôt destiné à la conserve (il se révèle parfois délicieux en boîte). La chair grasse, serrée, ferme, a un goût puissant, la fraîcheur est primordiale. Coupé en tranches, braisé ou cuit en daube, le thon fait l'objet d'apprêts souvent inspirés

Darne de saumon pochée ou poêlée (diverses préparations)

Le grand migrateur né en eau douce passe une partie de sa vie en mer, mais remonte les fleuves et les rivières pour frayer, dans la mesure du possible. Malgré les efforts pour lui faciliter un interminable voyage contrarié par la pollution et les barrages, le saumon est maintenant rare dans la Loire, dans ses affluents et dans l'Adour, où il abondait jadis.

Souvent d'élevage – les produits d'aquaculture peuvent être excellents –, le saumon se prépare à l'occasion entier, mais sa belle taille le voue généralement à être détaillé en tronçons, en darnes. Il se cuit au court-bouillon, est très souvent grillé, parfois sauté. Darnes pochées ou escalopes grillées, rituellement accompagnées de pommes de terre à l'anglaise, sont fréquemment assorties d'une sauce hollandaise ou béarnaise, ce qui fait penser à des vins assez ronds, jamais acerbes. Le beurre blanc, quand il entre dans le jeu de toute sa douce vivacité, pousse vers des vins secs tendres.

De la célèbre escalope de saumon à l'oseille des Troisgros aux préparations nordiques parfumées à l'aneth, les préparations s'avèrent de toute façon nombreuses, trop pour être évoquées systématiquement ici. Elles orientent aussi bien vers le sauvignon

que vers le chardonnay ou le chenin. Le choix des appellations est vaste, on peut viser haut.

🍷 **BLANC.** Chablis ▪ Meursault ▪ Puligny-montrachet ▪ Mâconvillages ▪ Graves. Avec un beurre blanc : Anjou ▪ Savennières ▪ Vouvray et montlouis secs ou demi-secs ▪ Tokay pinot gris ▪ Sancerre ▪ Pouilly-fumé ▪ Menetou-salon.

🍷 **UNE BONNE BOUTEILLE.** Sancerre : Vincent Pinard ; Lucien Crochet ; Alphonse Mellot ▪ Chablis : René et Vincent Dauvissat ; Domaine Jean Durup ; Domaine Laroche ▪ Meursault (et divers bourgognes) : Château de Meursault ; Olivier Leflaive ; Domaine Jacques Prieur ▪ Chassagne-montrachet et saint-aubin : Domaine Marc Colin et fils ▪ Bordeaux : Château L'Hoste-Blanc ▪ Graves : Château Respide Médeville ; Clos Floridène ; Château de Chantegrive ▪ Premières-côtes-de-blaye : Château Bertinerie ▪ Tokay pinot gris : Cave de Pfaffenheim ; Léon Beyer ▪ Savennières : Domaine de Baumard ; Domaine du Closel ; Château d'Épiré.

🍷 **ROSÉ.** Peu à propos. À la rigueur un sancerre ou un pinot noir vinifié clair.

Saumon grillé à l'unilatéral

Lancée il y a un quart de siècle, et connue des Parisiens grâce aux deux restaurants de la Maison du Danemark, cette cuisson maintenant répandue laisse au saumon tout son goût et est particulièrement appréciée des puristes. Plutôt l'univers du sauvignon, mais ce cépage n'a pas l'exclusivité.

🍷 **BLANC.** Chablis, sancerre et savennières de qualité (aller vers les meilleurs crus et les meilleurs propriétaires quand on est certain de la qualité du saumon).

Saumon froid mayonnaise

Souvent plat unique d'un mini-repas vite expédié et éternelle composante des buffets froids. La mayonnaise se révélant encombrante, et les convives s'en resservant, mieux vaut un blanc simple, assez aromatique pour ne pas être totalement éclipsé par l'accompagnement.

🍷 **BLANC.** Touraine sauvignon ▪ Sancerre ▪ Riesling pas trop typé.

Saumon fumé

Voir *Entrées.*

Saumon mariné

Voir *Entrées.*

● POISSONS D'EAU DOUCE ●

Sandre au beurre blanc

Cousin de la perche, mais pesant parfois 10 kilos et même plus, le sandre est maintenant familier des rivières et des lacs de France. D'abord hôte du Doubs, de la Saône et du Rhin, il est devenu populaire presque partout et accepte d'être élevé en étang. Figurant sur les cartes de bons et de grands restaurants, de prix assez raisonnable, ce poisson sans trop d'arêtes à la chair ferme, fine, délicatement savoureuse, n'a pas un goût très marqué… et plaît à tous. Le beurre blanc convient à merveille au sandre, qui a aussi une affinité pour la crème… Cela dirige vers plusieurs vins secs mais ronds, d'une tendre souplesse, mais aussi vers un très bon muscadet sur lie. Préparé autrement (toutes les variations de la matelote, notamment), le sandre s'entend avec la plupart des blancs équilibrés. Un apprêt au vin rouge dirige parfois vers un rouge peu astringent, à servir frais.

🍷 **BLANC.** Alsace pinot blanc ▪ Tokay pinot gris ▪ Riesling ▪ Savennières ▪ Coteaux-de-l'aubance ▪ Coteaux-du-layon ▪ Vouvray et montlouis secs ou demi-secs ▪ Cheverny blanc ▪ Jasnières adouci par l'âge ▪ Valençay ▪ Sancerre ▪ Pouilly-fumé ▪ Menetou-salon ▪ Graves ▪ Mâcon ▪ Arbois ▪ Divers vins de Savoie, notamment crépy ▪ Côtes-du-rhône blanc ▪ Saumur ▪ Jurançon sec ▪ Côtes-de-saint-mont ▪ Tursan de qualité.

MICHEL DESROCHES, FIDÈLE AU VAL DE LOIRE

Michel Desroches, qui inventa un formidable bistrot à vins, lorsqu'il exerçait dans le vieux Tours, puis travailla en Anjou, fut finalement happé par Paris : le *Petit Riche* d'abord, les *Caves Taillevent* ensuite. Cet arpenteur des vignobles de Loire propose volontiers les vins issus du chenin avec les poissons d'eau douce, notamment avec le sandre.

« Un savennières, un montlouis bien sec... Mais je n'ai rien contre le sauvignon ! Je l'apprécie à l'occasion marqué par une pointe de chardonnay, comme le valençay d'André Fouassier, vigneron à Chabris. Bien maîtrisé sur le plan aromatique, sec, mais s'arrondissant agréablement en bouche, il répond bien au beurre blanc que les restaurateurs du Val proposent volontiers avec le sandre. »

■ **LES CAVES TAILLEVENT.** 199, RUE DU FAUBOURG-SAINT-HONORÉ, PARIS 8e.

UNE BONNE BOUTEILLE. Riesling : Trimbach ; Zind-Humbrecht ; Hugel ; Léon Beyer ; Marc Kreydenweiss ■ Savennières : Clos Saint-Yves-Domaine des Baumard ; Château d'Épiré ■ Saumur : Château de Villeneuve ■ Touraine : « M de Marionnet » ■ Sancerre : Vincent Pinard ; Lucien Crochet ; Alphonse Mellot ; Maison Guy Saget ■ Vins de Savoie : chignin : André et Michel Quénard ; Apremont ; Abymes ; Roussette : Château de La Violette.

POURQUOI PAS ? Spécialiste des vins de réputation mondiale, Hugh Johnson préconise simplement... « n'importe quel vin fin », pour le sandre et la perche. Et ne craint pas de suggérer un grand bâtard-montrachet.

Perche

La plupart des préparations du sandre conviennent aux perches de bonne dimension (comme au brochet, d'ailleurs). Les filets à la sauge, préparation naguère habituelle, ne réclament pas de blancs particuliers.

BLANC. Voir *Sandre au beurre blanc*.

Brochet au beurre blanc

Le grand carnassier aux redoutables mâchoires, meilleur quand il vient d'une rivière, plus banal sorti d'un étang, a une chair constellée d'arêtes, relativement dense pour un poisson d'eau douce. Fine, discrètement savoureuse, elle se marie bien avec le beurre

blanc. Soit un vin rond issu du chardonnay, soit un enfant du chenin, mais d'autres cépages s'invitent...

BLANC. Chablis ■ Meursault ■ Givry ■ Pouilly-fuissé (et autres pouillys) ■ Mâcon-villages ■ Saint-véran ■ Beaujolais ■ Savennières ■ Saumur-champigny ■ Vouvray et montlouis secs ou demi-secs ■ Jasnières ■ Sancerre ■ Pouilly-fumé ■ Saint-joseph ■ Crozes-hermitage ■ Hermitage ■ Graves ■ Il arrive que le brochet soit préparé au vin rouge. On ira dans ce cas plutôt vers les chinon, bourgueil et saint-nicolas-de-bourgueil.

Quenelles de brochet

Façon comme une autre d'éviter le problème des arêtes... Les quenelles, souvent dites « à la lyonnaise » (elles sont traditionnelles sous Fourvière), mêlent la chair finement hachée du poisson dans laquelle œufs et beurre sont généreusement intégrés. Elles peuvent être gratinées ou accompagnées d'une sauce.

BLANC. Voir notice précédente ■ Bourgogne ■ Mâcon ■ Beaujolais blanc ■ Graves ■ Entre-deux-mers.

POURQUOI PAS ? Il arrive qu'un rouge fruité et souple soit suggéré : un beaujolais-villages, par exemple, dans la région lyonnaise. Philippe Bourguignon (grand sommelier auteur de *L'Accord parfait*) estime le gewurztraminer fin complice » des quenelles de brochet accompagnées d'une sauce homardine.

Truite (diverses préparations)

Le célèbre poisson des torrents, des rivières vives et des lacs clairs est devenu produit d'élevage : la trutticulture – des centaines d'exploitations ! – livre sur le marché des tonnes de truites arc-en-ciel de lointaine origine californienne (les alevins de truite fario, la « truite sauvage », servent pour le repeuplement du milieu naturel).

Les « truites-portion » se vendent toute l'année. Livrées en fonction de la demande, donc fraîches, elles ne sont pas forcément très savoureuses et se révèlent parfois

L'appellation jurançon a beaucoup évolué (en bien) depuis une quinzaine d'années. De jeunes viticulteurs ont rejoint le peloton de tête et produisent des blancs bien typés. Sec ou moelleux ? Jean-Bernard Larrieu (Clos Lapeyre) offre de belles bouteilles bien différenciées. Pour diverses préparations de poisson, certains fromages, quelques desserts. Ou en apéritif.

cartonneuses… Classiquement préparées meunière ou frites, parfois poêlées aux amandes, elles sont aussi pochées au court-bouillon. La sauce hollandaise devient un poncif… Sauf assez rare préparation au vin rouge et éventualité d'un rosé, le blanc s'impose. À choisir selon la qualité de la truite, qui ne mérite pas forcément un grand vin.

BLANC. Chablis ▪ Meursault ▪ Mâcon-villages ▪ Côtes-du-jura ▪ Vins de Savoie ▪ Alsace pinot blanc ▪ Tokay pinot gris ▪ Riesling ▪ Sancerre ▪ Pouilly-fumé ▪ Menetou-salon ▪ Reuilly ▪ Vouvray et montlouis secs ▪ Saumur-champigny ▪ Savennières ▪ Jasnières ▪ Graves.

ROSÉ. Saint-pourçain ▪ Alsace pinot noir ▪ Marsannay.

UNE BONNE BOUTEILLE. Pinots blancs, rieslings : Léon Beyer ; Paul Blanck ; Frédéric Mochel ▪ Côtes-du-jura : Jean Maclé ▪ Vins de Savoie : chignin, chignin-bergeron : Raymond Quénard ; Abymes ; Apremont ; Roussette : Château de La Violette.

Truite fumée

Voir *Entrées*.

Omble-chevalier meunière

Rare et d'une rare délicatesse, un superbe poisson des lacs froids. De chair très fine, ce prince des eaux douces n'apparaît guère que sur la carte des grands restaurants. Il s'entend bien avec la crème et mérite la rencontre avec un grand vin.

BLANC. Riesling ▪ Condrieu ▪ Vin de Savoie chignin-bergeron.

Lamproie à la bordelaise

Ce poisson de mer et de rivière très long, étiré comme un serpent, se pêche dans le cours inférieur des fleuves. D'un goût marqué mais fin, il se cuisine comme l'anguille. La préparation la plus connue, dite à la bordelaise, se fait au vin rouge (corsé), après marinade. Sur table, un rouge assez puissant, mais rond. À défaut, un rosé bien structuré, pas acide.

ROUGE. Pomerol ▪ Lalande-de-pomerol ▪ Fronsac ▪ Saint-émilion ▪ Médoc ▪ Haut-médoc ▪ Graves ▪ Bergerac.

ROSÉ. Bordeaux clairet ▪ Bordeaux ▪ Côtes-du-frontonnais ▪ Irouléguy ▪ Corbières.

Alose grillée

Autre poisson migrateur inscrit au répertoire bordelais, l'alose est généralement grillée. On la sert assez souvent avec une garniture d'oseille braisée, qui ne facilite pas la dégustation du vin. Un blanc de bonne ampleur ou un rouge aux tanins discrets (attention : les graves, souvent conseillés, peuvent faire grimacer quand ils sont concentrés et corsés).

BLANC. Graves ▪ Meursault ▪ Mâcon-villages souple.

ROUGE. Graves ▪ Pessac-léognan ▪ Pomerol.

Anguille en matelote

Meilleure d'eau vive (elle prend facilement un goût de vase dans les étangs), l'anguille à la saveur forte doit être préparée très fraîche. Les traditionnelles matelotes se font aussi bien au vin rouge qu'au blanc. Le vin utilisé indique la couleur de celui qui sera sur table : blanc assez vif ou sec tendre, selon ce que l'on souhaite (léger contraste ou accompagnement en douceur ?) ; rouge aux tanins peu contrariants, choisi plutôt jeune et servi frais.

BLANC. Chablis ▪ Mâcon-villages ▪ Pouilly-fuissé ▪ Muscadet pas trop nerveux.

ROUGE. Chinon ▪ Bourgueil ▪ Saint-nicolas-de-bourgueil ▪ Saumur-champigny.

Anguille au vert

Cette recette flamande réputée fait intervenir beaucoup d'herbes, certaines d'un goût assez vif. Cela ajouté à la saveur forte de l'anguille… Mieux vaut un vin qui enrobe un peu, pas querelleur.

BLANC. Savennières ▪ Anjou ▪ Vouvray et montlouis secs ▪ Sancerre ▪ Pouilly-fumé.

Verre en main…

AVEC JEAN-CLAUDE GOUMARD

L'illustre *Prunier-Madeleine*, « le *Prunier* de la rue Duphot » que connut Proust, était entré dans l'histoire gastronomique de Paris, au chapitre « Poissons », puis avait sombré. Jean-Claude Goumard a renfloué ce beau vaisseau et en tient la barre. Le vaste restaurant au luxe tranquille — bel escalier, salles grand confort —, a vécu une période de flottement, puis a retrouvé sa place. L'excellente cuisine iodée de Georges Landriot, assez classique, valorisant le produit, a pris un petit accent ensoleillé, se révèle chantante. Goumard, sur l'enseigne, n'est plus accolé à Prunier, mais la maison, gardant entière sa vocation océane, a retrouvé son renom… en changeant de nom.

« Le poisson exige d'être traité frais. Uniquement frais et avec la simplicité à laquelle il a droit », écrit Jean-Claude Goumard dans *Poissons, coquillages et crustacés* (Le Chêne). Dans ce livre de recettes doublé d'un très bel album, il note quelques accords mets/vins : un pageot rôti avec un saint-péray, une sole des sables avec un pouilly-loché, des poissons bleus, en cotriade, avec un premières-côtes-de-blaye, une raie avec un châteauneuf-du-pape blanc, une poêlée de joues de lotte avec un pernand-vergelesses.

Citant avec pertinence des domaines remarquables, connus ou méconnus, il n'avait eu qu'une imprudence, plus qu'excusable car normale dans le contexte éditorial : signaler des millésimes. Eux seuls ont vieilli dans ce livre publié en 1995, dont les recettes appétissantes ne dateront pas de sitôt. Certains vins tiennent peut-être le coup, un peu atténués ou madérisés par l'âge, mais la plupart paraîtraient passés si on les buvait dans l'année imprimée. Les blancs secs ou à peine chargés de sucre résiduel, contrairement aux moelleux et aux liquoreux, contrairement à une grande partie des rouges, ne gagnent rien, bien au contraire, à s'éterniser en cave : nous ne conseillerions pas, à l'aube du millénaire, un côtes-de-provence 90 avec un grondin, ni un mâcon-villages de même année avec un turbot grillé (le côtes-du-luberon rouge 89, conseillé avec le rouget, a peut-être gardé la

forme pour son dixième anniversaire…. mais, là aussi, on peut douter). Jean-Claude Goumard et Christophe Hache, le sommelier de la maison, se sont prêtés au jeu de « Quel vin avec quel plat ? » sans donner, cette fois, de millésimes. Choisissant délibérément des vins de prix raisonnable, ils se sont, bien sûr, référés à la dernière édition de leur très belle carte des vins, naguère élue « carte de l'année ».

Réponses intemporelles concernant des plats proposés rue Duphot, plats dont le seul libellé met en appétit :
(À l'exception du collioure, il ne s'agit que de blancs.)
Avec une soupe de poissons de roche « comme à Marseille » ?
Le côtes-de-provence Château Barbeyrolles blanc de Régine Sumeire.

Avec un tartare de loup parfumé au piment doux (d'Espelette, vraisemblablement) ?
Le sancerre de Pierre Prieur ; le saint-péray de Bernard Gripa.
Avec un rouget de roche poêlé au fenouil, poivrons et olives confits ?
Le cassis Domaine Fontblanche ; le coteaux-d'aix Château du Seuil.
Avec un rouget de roche grillé accompagné d'une compotée de légumes en anchoïade ?
Le côtes-de-provence Château La Courtade ; le bandol Domaine de Terrebrune.
Avec une sole grillée ou poêlée meunière ?
Le chablis Fourchaume de Jean Durup ; le pouilly-fuissé Vieilles Vignes Domaine Manciat-Poncet.
Avec une daurade royale grillée à l'arête ?
Le palette Château Simone ; le condrieu Domaine Guigal.
Avec un bar de ligne rôti, étuvée d'asperges et de fèves au serpolet ?
Le sancerre Cuvée L.C. de Lucien Crochet ; le pessac-léognan Château Olivier.
Avec du thon rouge de Port-Vendres poêlé au piment d'Espelette ?
Le VDP de l'Hérault Mas de Daumas Gassac ; le collioure Cospront-Levants rouge du Docteur Parcé.

Est-ce trahir le poisson que de parler grenouilles ? Chez Goumard, on s'en régale. Préconisations du maître de maison…
Avec des cuisses de grenouilles poêlées à l'ail doux ? Le côtes-d'auxerre Domaine Bersan ; le muscadet-sur-lie de Guy Bossard. (Sur cette entrée haute en saveur, presque plat fétiche chez Goumard, nous avons aimé le saint-joseph rond, fruité et assez puissant de Bernard Gripa qui faisait, par ailleurs, merveille avec la salade tiède de pistes et qui, après deux ou trois ans de cave, résiste sans bagarre à la douce explosion de l'ail – explosion réjouissante qui n'encombre pas longtemps le palais et autorise que l'on passe à un poisson noblement délicat.)

■ **RESTAURANT GOUMARD,** 9, RUE DUPHOT, PARIS 1ᵉʳ.

GIBIER

Par «gibiers», on doit entendre, à la suite des définitions qu'en donnent les dictionnaires, les animaux sauvages chassés. Gibier à poil et gibier à plume, bien que présentant des goûts très différents, ont cependant un point commun : leur chair est ferme, compacte, de saveur affirmée, voire puissante. La venaison (la viande noire du gros gibier) et certains apprêts du lièvre obligent à penser à des vins robustes, qui peuvent être très différents : pommard, volnay, côte-rôtie, hermitage, bandol, saint-émilion, vin de Corse… Le gibier à plume fait hésiter entre côte-de-nuits et pomerol, crozes-hermitage et gevrey-chambertin. Dans l'ensemble, préférez un rouge de belle ampleur, un peu alcooleux, étoffé, généreux, éventuellement de caractère opulent, mais en aucun cas le tout-venant.

• GIBIER À POIL •

Levraut rôti

Le râble et les cuisses d'un jeune lièvre, passés au four, volontiers proposés avec une petite sauce crémée, parfumée à l'estragon. Un rouge de bonne tenue, sans chercher la puissance.

ROUGE. Saumur-champigny ▪ Chinon et bourgueil relativement corsés ▪ Vougeot ▪ Nuits-saint-georges ▪ Gevrey-chambertin ▪ Gigondas ▪ Crozes-hermitage ▪ Patrimonio ▪ Vin de Corse porto-vecchio (Oriu) ▪ Collioure ▪ Médoc ▪ Listrac ▪ Moulis ▪ Saint-émilion ▪ Pomerol ▪ Graves ▪ Madiran.

ROSÉ. Pas vraiment la bonne couleur ▪ Collioure agréablement acceptable.

BLANC. Peut flirter avec la crème, si elle est très présente, mais n'apporte pas grand-chose en règle générale ▪ Meursault ▪ Pouilly-fuissé.

Civet de lièvre

Marinade, préparation au vin rouge, liaison avec le sang de l'animal… Ragoût des grands jours généralement agrémenté de petits oignons, de lardons et de champignons, le civet de lièvre est onctueux, de saveur assez puissante (cela dépend beaucoup de l'animal, de sa provenance). Bien des rouges conviennent, éventuellement parents proches du vin servant pour la préparation. On échantillonne dans presque toutes les régions, mais nous privilégions la côte de Beaune et surtout, l'univers viticole rhodanien. Si le plat promet d'être haut en saveur, on choisira un vin assez corpulent, dense, robuste et moelleux à la fois, comme le pommard ou l'hermitage (pour citer deux appellations aux caractères différents, mais qui tiennent devant ce plat, comme devant les venaisons).

ROUGE. Saint-joseph ▪ Crozes-hermitage ▪ Hermitage ▪ Châteauneuf-du-pape ▪ Gigondas ▪ Côtes-du-ventoux ▪ Bandol ▪ Vins de Corse les plus robustes ▪ Corbières ▪ Minervois ▪ Collioure ▪ Saint-émilion ▪ Pomerol ▪ Canon-fronsac ▪ Pécharmant ▪ Côtes-de-saint-mont ▪ Beaune ▪ Pommard ▪ Santenay ▪ Vosne-romanée.

UNE BONNE BOUTEILLE. Saint-joseph : Bernard Gripa et (Noble Rive) de la Cave de Tain-l'Hermitage ▪ Cornas : Jean-Luc Colombo ▪ Corbières : Château Étang des Colombes ▪ Collioure : Cuvée les Junquets-Domaine du Mas blanc ▪ Côtes-de-saint-mont : Grande Réserve du Château Saint-Go (Plaimont) ▪ Fronsac : Château Fontenil ▪ Canon-

fronsac : Château Grand-Renouil ▪ Beaune et Chorey-lès-beaune : Domaine Arnoux père et fils.

 POURQUOI PAS ? Suggestion audacieuse de cet expert qu'est Philippe Bourguignon : un banyuls rimage (ayant subi une lente maturation dans une bouteille bouchée).

Râble de lièvre à la crème

Une longue marinade, une cuisson au four assez rapide, un parfum d'ail (Curnonsky préconisait de servir avec de beaux croûtons, frits et frottés à l'ail). Cela entraîne facilement vers les côtes-du-rhône septentrionaux.

 ROUGE. Hermitage ▪ Crozes-hermitage ▪ Saint-joseph ▪ Cornas ▪ Faugères ▪ Fitou ▪ Corbières ▪ Côtes-du-roussillon-villages ▪ Collioure.

Lièvre à la royale

Très grand plat du répertoire français, sujet à variantes et suscitant d'aimables querelles d'initiés (avec ou sans foie gras ? selon la recette du sénateur Couteaux ou à la périgourdine ?). D'élaboration complexe et fatalement coûteux, quelle que soit la recette – deux

Grand viticulteur, Alain Brumont n'a pas renoncé au cépage tannat, bien au contraire, mais a bouleversé l'univers du madiran. Propriétaire de Château Montus, dont il a superbement reconstruit les chais, et de Château Bouscassé, maintenant doté d'un bien joli jardin «viticole», il propose des vins différents, puissants et denses, plus ou moins ronds, parfois d'une élégante et aimable sévérité. Selon millésime, avec toutes les viandes ayant du goût, avec le gibier…

grandes options bien différentes –, le lièvre à la royale ne régale que chez les grands cuisiniers perfectionnistes fous de gibier (Henri Faugeron, Gérard Besson, Émile Jung, par exemple).

C'est un plat à éviter systématiquement chez les médiocres, qui s'obstinent à le proposer en versions souvent appauvries : le lièvre doit s'avérer d'une qualité exceptionnelle, la sauce liée au sang ne peut qu'être parfaite. Réussi, ce mets rare emplit la bouche, marque durablement les papilles : il serait criminel de l'accompagner d'un vin passe-partout. L'élu, choisi de bon millésime, pas trop jeune (il serait bien, dans plusieurs appellations solides, qu'il ait fêté ses dix ans !), doit être puissant, ce qui n'exclut ni la finesse ni l'élégance.

Il lui est demandé d'offrir la mâche et la finesse, une réelle persistance en bouche… À grand plat, grand vin, rien n'interdisant de rêver à la Romanée-Conti ou à quelque richebourg…

 ROUGE. Corton ▪ Clos de Vougeot ▪ Châteauneuf-du-pape ▪ Cornas ▪ Saint-joseph ▪ Gigondas ▪ Hermitage ▪ Saint-émilion ▪ Pomerol (de préférence puissant) ▪ Lalande-de-pomerol ▪ Cahors ▪ Madiran.

UNE BONNE BOUTEILLE. Nous nous efforçons de rester raisonnables quant aux prix, faisant ainsi

Verre en main…

AVEC JEAN-CLAUDE JAMBON ET HENRI FAUGERON

Créatif (il fut l'un des pionniers de la nouvelle cuisine), Henri Faugeron aime aussi les plats mijotés et connaît sur le bout des doigts ses grands classiques. Dans son restaurant au luxe sobre, parfaitement confortable, on se régale aussi bien d'œufs coque à la purée de truffes – un inédit il y a vingt-cinq ans –, ou de jarret de veau mijoté traditionnellement que de homard thermidor et de lièvre à la royale. Ce dernier est fastueux, rue de Longchamp. On peut même le dire exemplaire à une époque où des restaurateurs connus bâclent ce plat célèbre (et coûteux) en s'abritant derrière la diversité admise

d'une recette dont on connaît au moins deux grandes variantes. Que boire avec un plat onctueux aussi haut en saveur ? Le «Meilleur sommelier du monde» Jean-Claude Jambon a l'embarras du choix, sa splendide carte étant riche et équilibrée. Lui demande-t-on de faire un choix parmi des bouteilles dont le prix reste raisonnable pour le commun des mortels ?

«Il y a maintenant un bon moment, je vous aurais parlé d'un juliénas d'une robustesse et d'une classe exceptionnelles de Gonon, mais il s'agissait d'un vin atypique. Même et surtout pour un enfant du Beaujolais tel que moi. Un gigondas (qui fut superbe en millésime 90) me semble répondre merveilleusement au lièvre à la royale : celui du Domaine Raspail-Ay. Il a du bouquet, du corps, est haut en saveur. Riche et corsé,

Jean-Claude Jambon, originaire du Beaujolais, sommelier d'exception à Paris.

quoique sans lourdeur, il s'assortit très justement au plat, et reste persistant en bouche sans le faire oublier.» Jean-Claude Jambon pourrait nous faire remonter vers la Bourgogne, avec quelque corton, ou descendre, plein sud, vers Bandol.…

Bandol : une AOC que les amateurs éclairés aiment retrouver avec les œufs aux truffes de Faugeron (la bouteille doit des années de cave), quand ils n'optent pas pour les pomerols, indifférents à l'œuf, mais compagnons d'élection de la truffe.

■ **FAUGERON.** 52, RUE DE LONGCHAMP, PARIS 16e.

Henri Faugeron, deux macarons Michelin, une notoriété qui ne date pas d'hier et une réelle discrétion, a inventé des astuces et des plats très copiés, notamment les œufs coque à la purée de truffes. Mais ce Corrézien novateur n'a jamais délaissé les recettes de la grande cuisine. Son lièvre à la royale est l'un des meilleurs de France.

l'impasse sur certains vins vedettes faits pour le lièvre à la royale, mais que le commun des mortels ne peut s'offrir. La rareté et la qualité du mets nous entraîne cependant à des propositions assez coûteuses ■ Corton : Domaine Tollot-Beaut ■ Gigondas : Domaine Raspail-Ay ; Domaine du Cayron ■ Bandols : Château de Pibarnon ; Château Pradeaux ; Domaine Tempier (Cabassaou) ■ Saint-émilion : Château Grand Pontet ■ Lalande-de-pomerol : Château Grand Ormeau ■ Madirans : Château Montus ; Château d'Aydie ■ Cahors : Prince Probus du Clos Triguedina.

Filet de marcassin rôti

La saveur fauve serait venue plus tard, si l'animal avait eu le temps de grandir… Âgé de moins de six mois, le tendre marcassin se passe de marinade, ou ne marine qu'assez brièvement, et est généralement préparé sans manières. Les côtelettes passent à la poêle, comme celles du porc, alors que le filet, à barder, fait un excellent rôti. Les vins convenant à cette viande au goût agréable, mais pas trop affirmé sont nombreux. Un cran plus « forts » que ceux dont le destin est lié au cochon ? Sans doute. Mais un cran moins corsés que les compagnons du sanglier. Des rouges, bien sûr, bien structurés plus que charpentés, un rien souples.

 ROUGE. Saumur-champigny, chinon, bourgueil et alsace pinot noir choisis robustes ■ Beaune ■ Chorey-lès-beaune ■ Santenay ■ Saint-romain ■ Saint-joseph ■ Cornas ■ Crozes-hermitage ■ Gigondas ■ Vacqueyras ■ Bandol ■ Patrimonio ■ Minervois ■ Collioure ■ Madiran ■ Saint-émilion ■ Montagne-saint-émilion ■ Pomerol ■ Lalande-de-pomerol ■ Fronsac ■ Côtes-de-saint-mont.

Civet de marcassin

Un vin proche de celui qui a servi à la préparation, conseille-t-on rituellement. Ou assez proche… Il s'agira toujours d'un rouge, ayant de préférence quelques années de cave. On peut regarder vers la côte de Beaune, penser à quelque volnay ou pernand-vergelesses, se promener dans les vignes de la côte de Nuits, mais nous inclinons prioritairement vers les côtes-du-rhône septentrionaux. Sans doute est-il plus raisonnable de laisser les plus puissants côte-rôtie et les grands hermitages au sanglier : tout dépend de la saveur du marcassin.

CHÂTEAU DE LA GARDINE
Appellation Châteauneuf-du-Pape contrôlée
MISE EN BOUTEILLE AU CHÂTEAU

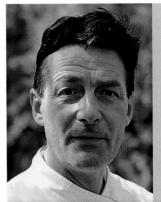

FERNAND MISCHLER : AVEC CERTAIN CHEVREUIL…

L'Alsace, dans un village à colombages, une vaste auberge de grand charme, luxueusement confortable : l'on vient de loin au *Cheval Blanc*, notamment du Palatinat. Fernand Mischler, chef et maître de maison à Leimbach, fait briller fort ses deux étoiles Michelin. Et travaille avec un sérieux reconnu par tous ses pairs, notamment les « Maîtres cuisiniers », dont il préside l'association. Le gibier a la part belle sur la carte. Parmi les plats quasi fétiches de la maison figurent de délectables médaillons de dos de chevreuil à la moutarde de fruits rouges. On ne peut rester fidèle aux alsaces : « Les fruits rouges, que j'ajoute en purée concentrée, dans un peu de gelée de groseille, marquent le plat, mais la moutarde ajoute un côté poivré. Beaucoup de vins font bon ménage avec le gibier, mais j'ai un faible, pour cette recette, pour les vins du Rhône. Nous servons souvent le bel hermitage La Chapelle de Paul Jaboulet ; j'aime aussi les côte-rôtie de Guigal, à qui l'on pense infailliblement quand on évoque "son" appellation. On peut aussi songer à un bon cornas vieilli, qui a l'avantage de ne pas être coûteux. »

■ **LE CHEVAL BLANC.** LEMBACH (57 KM AU NORD DE STRASBOURG).

 ROUGE. Voir notice précédente.

 UNE BONNE BOUTEILLE. Beaune, chorey-lès-beaune, savigny-lès-beaune : Domaine Arnoux père et fils ■ Santenay : Roger Belland ■ Fixin : Domaine Berthaut ■ Hautes-côtes-de-beaune : Domaine Henri Naudin-Ferrand ■ Côtes-de-beaune-villages : Clos des Marconnet-Chanson père et fils ■ Cornas et crozes-hermitage : Paul Jaboulet aîné ■ Cornas et saint-joseph : Maison M. Chapoutier.

Civet de sanglier (et autres préparations)

Meilleur quand il est âgé de un à deux ans, nécessitant d'avoir été longuement immergé dans le vin rouge quand il est plus vieux – il baigne systématiquement dans la marinade avant cuisson – le sanglier ne se rôtit pas : les plus beaux morceaux finissent généralement dans les effluves d'un civet. Le choix du vin s'effectue en fonction de la saveur plus ou moins fauve de la venaison et, plus ou moins, de l'appellation de celui qui a été utilisé lors de la préparation. Les mêmes bouteilles se tiendront bien avec une daube, voire avec de simples côtelettes poêlées. Attention au goût fort des vieux sangliers, même après d'interminables marinade et cuisson : le vin devra tenir tête à un rude compagnon ! (Mais il est rare que l'on affronte la chair coriace d'une bête de plus de trois ou quatre ans.)

ROUGE. Aloxe-corton ■ Beaune ■ Volnay ■ Pommard ■ Santenay ■ Maranges ■ Rully ■ Côte-rôtie ■ Hermitage ■ Crozes-hermitage ■ Cornas ■ Saint-joseph ■ Châteauneuf-du-pape ■ Gigondas ■ Bandol ■ Les meilleurs vins de Corse ■ Bon chinon vieux de cinq ou six ans au moins ▪ Saint-émilion ▪ Montagne-saint-émilion ▪ Pomerol ▪ Fronsac ▪ Côtes-de-saint-mont.

 UNE BONNE BOUTEILLE. Côte-rôtie et hermitage : Maison M. Chapoutier ▪ Côte-rôtie brune et blonde : E. Guigal ▪ Crozes-hermitage : Domaine Étienne Pochon ▪ Côtes-du-rhône, châteauneuf-du-pape : Château de Beaucastel ▪ Château La Gardine ▪ Gigondas : Domaine Les Goubert ▪ Bandol : Château de Pibarnon ▪ Vin de Corse : Porto-Vecchio Oriu (Domaine de Torraccia) ▪ Patrimonio ▪ Saint-émilion grand cru : Château Faugères ; Château Larmande ▪ Montagne-saint-émilion : Château Maison Blanche ▪ Fronsac : Château Fontenil ▪ Côtes-de-saint-mont : Monastère de Saint-Mont-Plaimont.

 POURQUOI PAS ? On peut rêver des grands volnays de grande année du Domaine Marquis d'Angerville ou de quelque superbe bouteille signée de Montille (précieux flacons qui feraient honneur à un civet d'exception). Les volnays du Domaine Pascal Bouley satisferont à un moindre prix, mais sont produits en assez faible quantité.

Daube de sanglier

Une longue cuisson dans la cocotte, après quelques heures de marinade… Un cuissot de jeune sanglier ainsi préparé s'accommodera des vins déjà évoqués, rouges toujours préférés corsés.

ROUGE. Voir notice précédente.

Chevreuil grand veneur (et autres préparations)

Sans être totalement popularisé, ni à la portée de toutes les bourses, le chevreuil se trouve facilement. Sa chair tendrement savoureuse, surtout lorsqu'il est jeune, ne nécessite pas de marinade ou se satisfait d'une brève macération. La majorité des recettes, à l'instar de l'apprêt dit « grand veneur », jouent à la fois sur un aspect relevé et sur la douceur. La plupart des vins allant avec le marcassin et une grande partie de ceux qui tiennent tête au sanglier peuvent participer, élus de préférence dans des millésimes réputés fins et tendres. Des filets mignons, sautés ou vivement grillés aux recettes style « grand veneur », des côtelettes sautées minute aux civets caressés par la purée de marron, il y a d'évidentes différences… mais qui ne poussent pas à des choix de vins bien différents. La présence de baies rouges, de garnitures légèrement sucrées expliquent pourquoi de grands sommeliers alsaciens proposent un gewurztraminer ou un

tokay pinot gris marqué par le sucre résiduel, mais on va généralement vers les beaux bourgognes, de la Côte de Beaune ou de la Côte de Nuits, vers les côtes-du-rhône septentrionaux, les bandols…

 ROUGE. Il y a beaucoup à reprendre dans les notices précédentes ! Vougeot (« Il se délassera devant quelques noisettes de chevreuil », prédit cet expert en accords qu'est l'œnologue Jacques Puisais) ▪ Ladoix ▪ Beaune ▪ Volnay ▪ Monthélie ▪ Santenay ▪ Hautes-côtes-de-beaune ▪ Vins du Jura ▪ Côte-rôtie ▪ Cornas ▪ Crozes-hermitage ▪ Hermitage ▪ Côtes-du-rhône-villages ▪ Vacqueyras ▪ Les baux-de-provence ▪ Bandol ▪ Côtes-du-roussillon-villages ▪ Collioure ▪ Pomerol ▪ Lalande-de-pomerol.

 UNE BONNE BOUTEILLE. Santenay : Roger Belland ▪ Côte-rôtie et côtes-du-rhône : E. Guigal ▪ Côtes-du-rhône, cornas : Les Terroirs du Rhône ▪ Côtes-du-rhône-villages : Domaine de Cabasse ▪ Vacqueyras : Château des Roques ▪ Les baux-de-provence : Château Romanin ▪ Bandol : Château de Pibarnon ; Domaine Tempier.

Biche (diverses préparations)

La chasse au cerf fait l'objet d'une sévère réglementation, mais son élevage se développe considérablement. La chair de la jeune biche, goûteuse, plus tendre que celle du mâle, est assez souvent proposée. Simplement préparée en général, mais s'accommodant comme le chevreuil, elle appelle les mêmes vins que ce dernier.

 ROUGE. Voir notice précédente.

▪ GIBIER À PLUME ▪

Faisan ou poule faisane rôtis

Le faisan est plus beau, la poule faisane meilleure, de chair plus fine. Mâle ou femelle, ce roi du gibier à plume est moins savoureux quand il a été lâché juste avant d'être chassé, comme c'est de plus en plus fréquent. Jeune et de qualité, le faisan gagne à être simplement rôti, la chair de l'aile juste rose. Les vins généreux ne sont pas exclus, mais il faut songer au soyeux, éviter l'agressivité tannique, le fruité expansif.

 ROUGE. Nuits-saint-georges ▪ Gevrey-chambertin ▪ Morey-saint-denis ▪ Chambolle-musigny ▪ Beaune ▪ Volnay ▪ Santenay ▪ Chénas et moulin-à-vent de qualité, charnus ▪ Côte-rôtie ▪ Hermitage ▪ Crozes-hermitage ▪ Cornas ▪ Châteauneuf-du-pape ▪ Bandol ▪ Faugères.

Faisan aux raisins

Cuit au four, le faisan est apprêté avec des grains de raisin épépinés et de la crème.

Nous restons sur les vins évoqués précédemment.

 ROUGE. Voir notice précédente ▪ Plutôt favoriser les côte-de-nuits.

POURQUOI PAS ? Si la bouteille était débouchée (ne pas l'ouvrir spécialement !), on pourrait tenter la rencontre avec un vin blanc sec, adouci par une harmonieuse tendreté. Un tokay pinot gris, par exemple, ou certains graves (des vins qui iraient avec une préparation au paprika, telle que la réussit ce grand chef qu'est Émile Jung).

Salmis de faisan

Avec le chartreuse, l'un des apprêts convenant le mieux au faisan un peu âgé. Il s'agit d'un ragoût aux multiples variantes (assaisonnement, garniture), qui appelle les vins déjà cités.

L'accompagnement pourra influer, s'il s'agit de chou braisé ou de cèpes, par exemple, mais n'entraînera pas spécialement vers d'autres régions, encore moins vers le rosé et le blanc, sauf rares exceptions ou volonté d'expérimenter (voir le *Pourquoi pas ?* ci-dessus).

 ROUGE. Voir *Faisan ou poule faisane rôtis*.

Grives aux raisins

Flambées, bridées, entourées d'une feuille de vigne et d'une barde de lard, les grives à la chair délicate et parfumée sont cuites au four, passent par la cocotte avec les grains de raisin et finissent sur canapé, avec un lit de farce.

Le cognac utilisé pour le déglaçage peut se faire sentir, un peu trop parfois. (Il en va de même pour le genièvre, en d'autres préparations.) Pour ce régal d'automne – les amateurs privilégient les grives de vigne –, des rouges pas exagérément corsés, au fruité éventuellement marqué… si l'on n'opte pas pour un pomerol à la jolie rondeur ou un médoc aimable ! Surtout pas de tanins durs.

ROUGE. Alsace pinot noir ▪ Beaujolais-villages de qualité ▪ Moulin-à-vent ▪ Chénas ▪ Cornas ▪ Crozes-hermitage ▪ Côtes-du-rhône-villages ▪ Coteaux-du-tricastin ▪ Côtes-du-ventoux ▪ Vin de Corse de qualité ▪ Faugères ▪ Saint-émilion ▪ Pomerol ▪ Médoc ▪ Haut-médoc ▪ Chinon ▪ Bourgueil.

Cailles grillées ou rôties

Faut-il parler de gibier ? Les petits migrateurs dodus, proches de la perdrix, se sont considérablement raréfiés, alors qu'une espèce cousine, importée d'Asie, est élevée comme une volaille et apparaît sur les étals à des prix raisonnables. Le goût perd en délicatesse et en force, mais les préparations restent les mêmes. Généralement bardées, afin que la chair ne se dessèche pas, les cailles sont souvent grillées en brochettes ou rôties. Elles se révèlent amies des rouges, ne les écrasant pas de leur puissance, mais on doit penser à des vins généreux avec les préparations à la vigneronne ou marquées par la truffe.

ROUGE. Anjou-villages ▪ Saumur-champigny ▪ Chinon ▪ Bourgueil ▪ Côtes-du-rhône-villages ▪ Bandol ▪ Côtes-du-roussillon-villages ▪ Collioure ▪ Médoc ▪ Saint-émilion ▪ Pomerol ▪ Fronsac ▪ Bergerac.

Perdreau et perdrix rôtis (et diverses préparations)

La perdrix est appelée perdreau jusqu'à l'âge de huit mois. Gibier très chassé, ce migrateur est vite rôti « à la goutte de sang » dans sa prime jeunesse, alors qu'il est tendre et fondant, mais demande davantage de cuisson et suggère d'autres accommodements quand il a pris de l'âge. Les vins rencontrés avec la caille conviennent assez bien au perdreau, mais on cherchera un peu plus de robustesse pour la perdrix, qu'elle soit rouge ou grise. Rien n'interdisant, si l'on peut se les offrir, de monter jusqu'aux grands crus de la Côte de Nuits…

 ROUGE. La plupart des vins de la Côte de nuits et bon nombre de la Côte de Beaune ▪ Nuits-saint-georges ▪ Gevrey-chambertin ▪ Chambertin ▪ Morey-saint-denis ▪ Chambolle-musigny ▪ Vosne-romanée ▪ Vougeot ▪ Clos Vougeot ▪ Beaune ▪ Savigny-lès-beaune ▪ Santenay ▪ Ladoix ▪ Mercurey ▪ Givry ▪ Corbières ▪ Collioure ▪ Anjou-villages les plus structurés ▪ Saumur-champigny ▪ Chinon ▪ Bourgueil.

UNE BONNE BOUTEILLE. Bourgogne, gevrey-chambertin : Maison Louis Jadot ; Domaine Alain Burguet ▪ Côte-rôtie : Château d'Ampuis d'E. Guigal ▪ Saumur-champigny Vieilles Vignes : Domaine Filliatreau ▪ Corbières : Château Les Palais ▪ Côtes-du-roussillon-villages : Domaine Gauby.

Bécasse rôtie

Un régal pour les chasseurs, mais qu'on ne trouve, théoriquement jamais au restaurant, pour cause d'interdic-

tion. Le goût, assez fort (on adore ou on déteste), peut être amplifié par la préparation, par les truffes.

ROSÉ. Nuits-saint-georges ■ Gevrey-chambertin ■ Morey-saint-denis ■ Vougeot ■ Chambolle-musigny ■ Pommard ■ Côte-rôtie ■ Hermitage ■ Crozes-hermitage ■ Bandol.

Palombe rôtie - Salmis de palombe (pigeon sauvage)

Appelé palombe des vignes médocaines jusqu'à l'AOC irouléguy, de Saint-Émilion aux cols pyrénéens, le pigeon sauvage se prépare comme les pigeons d'élevage. Soit délicatement rôti, solution la plus simple et souvent la meilleure, soit embroché pour passer au gril, soit accommodé en salmis. D'un goût plus puissant que son cousin de la ferme, il appelle des rouges assez corsés, d'origines très diverses.

ROSÉ. Médoc ■ Haut-médoc ■ Moulis ■ Listrac ■ Saint-estèphe ■ Pomerol ■ Lalande-de-pomerol ■ Fronsac ■ Côtes-de-bourg ■ Côtes-de-castillon ■ Graves ■ Pessac-léognan ■ Cahors ■ Madiran ■ Irouléguy, si particulièrement structuré ■ Savigny-lès-beaune ■ Beaune ■ Volnay ■ Mercurey ■ Crozes-hermitage ■ Côtes-du-rhône-villages ■ Vins de Corse, les plus puissants.

UNE BONNE BOUTEILLE. Médoc : Château La Tour de By ■ Haut-médoc : Château Coufran ; Château Verdignan ■ Saint-estèphe : Château Pomys ;

Château Chambert-Marbuzet ■ Listrac : Château Mayne Lalande ; Château Fourcas-Dupré ■ Côtes-de-castillon : Château de Belcier ■ Pessac-léognan : Château Haut-Gardère ■ Cahors : Château Gautoul ; Château Lagrezette ■ Madiran : Domaine de Pierron-Cave de Saint-Mont ; Château d'Aydie ■ Volnay : Domaine Pascal Bouley ■ Mercurey : Domaine Juillo ; Château de Chamilly.

Canard sauvage (diverses préparations)

Colvert, souchet, tadorne… Les canards sauvages, dont la chair est plus ferme, plus goûteuse, se préparent comme les canards d'élevage et sont souvent associés aux olives, parfois à l'orange. On les rencontre assez souvent en salmis hauts en saveur. Le choix du vin dépend de l'apprêt, bien sûr (les olives font songer aux AOC rhodaniennes), mais le choix est vaste : il suffit de privilégier la robustesse élégante, en écartant, *a priori*, les vins souples trop fruités.

ROUGE. Pratiquement tous les vins évoqués dans les notices précédentes ■ Médoc ■ Haut-médoc ■ Moulis ■ Listrac ■ Pomerol ■ Côte-de-bourg ■ Graves ■ Pessac-léognan ■ Marsannay ■ Gevrey-chambertin ■ Nuits-saint-georges ■ Volnay ■ Ladoix ■ Santenay ■ Monthélie ■ Côte-rôtie ■ Crozes-hermitage ■ Cornas ■ Saint-joseph ■ Côtes-du-rhône-villages ■ Gigondas ■ Lirac ■ Côtes-du-ventoux ■ Palette ■ Côtes-de-provence ■ Bandol ■ Madiran ■ Côtes-de-saint-mont ■ Cahors ■ Bourgueil.

Verre en main…

AVEC FRANÇOISE LUNEAU

Françoise Luneau.

Discrète, et sachant conseiller des vins parfois méconnus, généralement de très bon rapport qualité/prix, Françoise Luneau fait partie des sommelières, encore peu nombreuses, qui se sont fait une place dans un univers toujours très masculin. Ayant débuté au *Petit Colombier*, restaurant parisien à la cave plus qu'honorable, elle a travaillé chez *Drouant*, puis a été engagée par le plus discret des « deux étoiles » parisiens, Gérard Besson. Un grand professionnel, amoureux du vin, dont la cave héberge de splendides bouteilles. Parlant gibier, rue du Coq-Héron, nous lui avons demandé quels vins, de préférence vieux de dix ans au plus et pas trop ruineux, elle suggère pour accompagner certains gibiers.

Questions, réponses…
Avec un faisan simplement préparé.
Côteaux-du-languedoc 1997 Pic Saint-Loup-Château Cazeneuve. Pinot noir Fronholtz 1995 André Ostertag.

Avec un salmis de canard.
Givry Clos de la Servoisine 1996 Domaine Joblot. Côtes-de-bourg Château Brûlesecaille 1995.

Avec des cailles aux raisins.
Bourgueil Les Caillots 1996 Domaine Gauthier. Saint-chinian 1995 Château Viranel.

Avec des perdreaux simplement rôtis.
Anjou-villages Tuloires 1995 Domaine des Charbotières. Vin de Corse Porto-Vecchio Oriu 1994 Domaine Torraccia.

Avec des côtelettes de chevreuil sautées.
Saint-joseph 1996 Bernard Gripa. Minervois 1995 Château Villerambert.

Avec une gigue de chevreuil sauce poivrade.
Maranges 1996 Clos des Loyères Domaine Girardin. Faugères Les Bastides 1991 Domaine Alquier.

Avec un grand plat de Gérard Besson : le lièvre à la royale.
Côtes-du-rhône-villages Rasteau Prestige 1994 André Romero. Pommard Grands Épenots 1988 Domaine Gaunoux.

■ **GÉRARD BESSON,** 5, RUE DU COQ-HÉRON, PARIS 1er.

Gérard Besson.

AGNEAU ET MOUTON

Délicieux à Noël, très bon à Pâques, l'agneau révèle la façon dont il a été élevé, mais également son âge : la chair de l'agnelet, délicate et presque fade, n'a rien à voir avec celle de l'agneau ayant beaucoup brouté, plus grasse et plus forte. Dans l'ensemble, préférez les accords simples avec des vins d'une certaine finesse, n'ayant pas trop évolué en cave. Davantage de corsé et un peu d'astringence ne sont pas à craindre quand l'agneau a brouté, mais l'excès tannique et la puissance alcoolique sont à proscrire. Les garnitures se révèlent souvent neutres par rapport au vin, mais il faut se garder de certaines. Le vin, favorisé par la purée de pommes de terre ou les flageolets, peut légèrement souffrir de la gentille agressivité des haricots verts et des petits pois fraîchement arrivés du jardin.

Côtelettes (côtes) d'agneau grillées

Parfois appelées *lamb chops,* à l'anglaise, les côtelettes, ou côtes, sont plus ou moins maigres selon le morceau, mais cela n'a pas une importance primordiale pour le vin. D'agneau de lait (en prévoir deux par personne), tendres et délicates, avec une légère saveur de noisette, elles se laissent caresser par un médoc élégant, assez jeune, peu tannique, mais peuvent faire penser à un vin méridional, des Baux-de-Provence, par exemple, séveux et pas écrasant. Les côtelettes d'agneau de boucherie, plus grosses, à la saveur plus marquée, dirigent vers un saint-émilion, un pomerol ou un bordeaux apparenté, les bourgognes fruités et tendres se révélant également bons amis. Les vins des Côtes du Rhône et de diverses AOC méridionales sont à juste titre appelés à la rescousse quand les herbes odorantes font leur apparition, selon la tradition provençale. Un rosé du Midi ou d'Irouléguy a son charme aux beaux jours, sans que l'alliance soit éblouissante. Aucun blanc ne fonctionne bien (si l'on est obligé de choisir cette couleur, opter sans enthousiasme pour un vin à tonalité sec-tendre, style chenin ou tokay pinot gris). On se méfiera de certains accompagnements légumiers peu amis du vin, comme cela a été rappelé en introduction... et ne sera plus redit.

🍷 **ROUGE.** Peu d'ostracismes... mais les vins issus du gamay et certaines expressions du pinot noir n'apportent rien ▪ Médoc ▪ Haut-médoc ▪ Moulis ▪ Listrac ▪ Saint-julien ▪ Margaux ▪ Pauillac ▪ Pomerol ▪

GRAND VIN DE BORDEAUX
CRU BOURGEOIS

1995   1995

Château Noaillac

MÉDOC
APPELLATION MÉDOC CONTROLÉE

MIS EN BOUTEILLE AU CHÂTEAU

XAVIER & MARC PAGÈS
PROPRIÉTAIRES À LOIRAC, GIRONDE
S.C.A. CHÂTEAU NOAILLAC, F-33597, FRANCE
12,5% vol.   75 cl
PRODUIT DE FRANCE

À l'extrême nord du Médoc, les Pagès ont recolonisé un terroir délaissé où les vignes étaient devenues... vigne vierge. Avec bonheur.

Saint-émilion ▪ Graves ▪ Pessac-léognan ▪ Chinon et bourgueil (de bonne compagnie avec les légumes printaniers) ▪ Mercurey ▪ Givry ▪ Rully ▪ Alsace pinot noir délicat ▪ Côtes-du-rhône ▪ Coteaux-d'aix ▪ Les baux-de-provence ▪ Bandol (jeune) ▪ Corbières ▪ Côtes-du-roussillon-villages.

🍷 **ROSÉ.** Possible, sans plus ▪ Tavel ▪ Lirac ▪ Les meilleurs côtes-de-provence ▪ Vin de Corse ▪ Patrimonio ▪ Bordeaux clairet.

🍷 **UNE BONNE BOUTEILLE.** Tenir compte de l'intensité aromatique des herbes ▪ Haut-médoc et médocs : Château Coufran ; Château Verdignan ; Château de Camensac ; Château Noaillac ▪ Listrac : Château Fourcas-Dupré ▪ Margaux : Château d'Angludet ▪ Pauillac : Château Haut-Bages Averous ▪ Pessac-léognan : Château de France ▪ Chinon : Domaine Yannick Amirault ▪ Les baux-de-provence : Château Romanin ▪ Bandol : Château de Pibarnon, sorti jeune de cave ▪ Corbières : Château la Voulte Gasparets ; Château Étang-des-Colombes ▪ Côtes-du-roussillon-villages : Domaine Gauby.

Carré d'agneau simplement rôti

Les côtes, non séparées, constituent un succulent rôti. Il est assez souvent préconisé d'enduire la viande d'un mélange de moutarde, d'huile, de chapelure, de persil et d'ail avant de la passer au four.
Par habitude, sans doute, nous irons d'abord vers un médoc, sans éviter l'agréable poncif du pauillac (même si le cinéma de l'agneau dit « de pauillac » a fait long feu). Mêmes vins que dans la notice précédente, que l'on peut choisir plus charpentés, de plus grand millésime.

ROUGE. Médoc ■ Haut-médoc ■ Moulis ■ Listrac ■ Saint-julien ■ Margaux ■ Pauillac ■ Graves. ■ Et tous les vins évoqués en accompagnement des côtelettes d'agneau.

 UNE BONNE BOUTEILLE. Médoc : La Tour-de-By ■ Graves : Château d'Ardennes ; Château de Chantegrive ; Clos Floridène ■ Pessac-léognan : Château Laville Haut-Brion ■ On peut puiser dans la précédente notice !

POURQUOI PAS ? Une bière blonde onctueuse, de type Pilsen. Mais on ne tentera surtout pas de forcer les convives.

Carré d'agneau à l'ail

Le carré peut aussi être cuit nature dans le four brûlant, puis servi tout doré avec une crème d'ail. Si la plupart des vins évoqués aux rubriques antérieures conviennent, on favorisera catégoriquement les côtes-du-rhône-villages et les appellations proches en réponse à l'accent méridional, quand il marque fortement le plat (présence de tomate, senteurs de garrigue).

 ROUGE. Côtes-du-rhône-villages ■ Gigondas ■ Vacqueyras ■ Coteaux-du-tricastin ■ Côtes-du-ventoux ■ Faugères ■ Minervois ■ Collioure.

Carré d'agneau à la niçoise

Le carré est servi, dans la cocotte en terre sortie du four, avec son accompagnement fondant de tomate, de courgette, de petites pommes de terre, le tout fleurant bon l'huile d'olive.
Les vins des notices précédentes, avec un avantage, là aussi, pour les AOC du Rhône et du Languedoc-Roussillon.

VIN DES BAUX POUR L'AGNEAU DES ALPILLES

Sous le soleil de Provence, une hostellerie hors normes, mais aussi des vignes... Jean-André Charial, petit-fils du fondateur de cette maison d'exception, reçoit le monde entier à *L'Oustau de Baumanière*, « Relais & Châteaux » dont les jardins fleurissent dans le site étonnamment ruiniforme des Baux-de-Provence. Ayant créé son domaine viticole à la fin des années 80, avec les conseils de Jacques Puisais, œnologue bavard et de grande compétence, il propose un rouge profond, mais pas encombrant, un rosé de saignée marqué d'une touche exotique, deux blancs assez vifs. Le succulent agneau des Alpilles (que les bergers escortent jusqu'à l'église des Baux pour la messe de minuit, selon une très vieille tradition), s'entend idéalement avec le Château Romanin rouge, riche et ensoleillé, mais délicat. Grand restaurateur également viticulteur, Marc Meneau (*L'Espérance*, à Saint-Père-sous-Vézelay), vante le rouge de Jean-André Charial pour ses « notes de garrigue » et se plaît à le boire en sa Bourgogne. Belle preuve de qualité.

■ **L'OUSTAU DE BAUMANIÈRE.** LES BAUX-DE-PROVENCE (BOUCHES-DU-RHÔNE).

 ROUGE. Voir notice précédente ■ Coteaux-d'aix ■ Bellet.

Brochettes d'agneau – chiche-kebab

Particulièrement proposées en Turquie, appréciées dans tous les pays méditerranéens, il y a belle lurette que les brochettes, couramment appelées chiche-kebab, font partie du répertoire français (l'agneau remplaçant généralement le mouton). La viande, plutôt celle d'un agneau d'herbes et de bergerie, ou d'un broutard presque moutonnant, vient en principe du gigot, découpé en petits cubes.

Après passage dans une marinade, de préférence marquée par l'huile d'olive, les brochettes faisant alterner oignons, tomates et poivrons avec la viande sont vouées au barbecue ou au gril. Accompagnées de riz pilaf et de salade, elles ne demandent pas davantage un grand vin que les brochettes de bœuf. En fait, elles s'entendent pratiquement avec les mêmes appellations, très diverses, notamment avec leurs vins les plus souples. Si les brochettes sont banales, on se contentera d'un verre de rosé très frais, pour faire passer.

Elle arrive d'Avignon, et tient un restaurant aux couleurs de la Provence, *Les Olivades* (avenue de Ségur, près de l'Unesco). Flora Mikula, cuisinière de charme et de talent, propose des vins du Vaucluse blancs, des côtes-du-rhône, des coteaux d'aix et des côtes-de-provence. Vins du soleil pour une cuisine ensoleillée…

  ROUGE. Servi frais ■ Côtes-du-rhône-villages ■ Côtes-du-ventoux ■ Vacqueyras ■ Lirac ■ Côteaux-du-languedoc ■ Faugères ■ Fitou ■ Minervois ■ Saint-chinian ■ Côtes-du-roussillon-villages ■ Collioure ■ Bergerac ■ Bordeaux supérieur ■ Côtes-de-blaye ■ Côtes-de-bourg ■ Médoc ■ Moulis ■ Listrac.

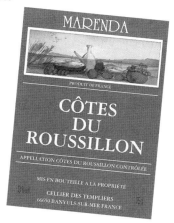

51

ROSÉ. Tavel ▪ Costières-de-nîmes ▪ Bandol ▪ Collioure.

 UNE BONNE BOUTEILLE. Exclusivement si la viande est tendre et la cuisson soignée ▪ Côtes-du-rhône : Château Mourgues-du-Grès ▪ Vacqueyras : Château de Montmirail ▪ Lirac rouge : Domaine de la Mordorée ▪ Tavel : Château d'Aquéria ▪ Costières-de-nîmes rouge ou rosé : Château de Campuget ▪ Collioure rouge : Château Reig du Cellier des Templiers ▪ Listrac : Château Cap Léon Veyrin.

Épaule d'agneau braisée

Une préparation classique et simple, dont les garnitures sont très diverses. Les haricots blancs et les pommes de terre ne posent aucun problème. On évitera de boire le rouge choisi immédiatement sur les haricots verts ou les fonds d'artichauts. La présence de cèpes ferait opter pour un vin typé merlot, saint-émilion ou pomerol par exemple.

 ROUGE. Médoc ▪ Haut-médoc ▪ Listrac ▪ Moulis ▪ Pauillac ▪ Saint-émilion ▪ Pomerol ▪ Fronsac ▪ Chinon ▪ Bourgueil ▪ Peut-être un cornas, un crozes-hermitage.

 UNE BONNE BOUTEILLE. Médoc : Château La Cardonne ; Château La Tour de By ; Château Tour Haut-Caussan ▪ Listrac : Château Mayne-Lalande ▪ Fronsac : Château Dalem ▪ Canon-fronsac : Château Grand-Renouil (et Château du Pavillon).

Épaule d'agneau farcie

Cette préparation, parfois dite « à l'albigeoise », fait intervenir de la chair à saucisse, du foie de porc (en principe), parfois du jambon. Graisse d'oie, pommes de terre et ail ont normalement leur mot à dire. À la sortie de la cocotte, rencontre possible avec un vin d'une certaine puissance, un peu décapant. Un cahors et même un madiran sont à leur place, si le viticulteur n'en a pas trop exagéré la typicité.

ROUGE. La plupart des bordeaux de toutes appellations évoqués précédemment ▪ Bergerac ▪ Côtes-du-marmandais ▪ Cahors ▪ Madiran ▪ Irouléguy.

UNE BONNE BOUTEILLE. Si le porc est bien présent, si la graisse se fait sentir ▪ Cahors : Château du Cèdre ; Château Gautoul ▪ Madiran : Domaine Bertoumieu ; Château Barrejat ▪ Irouléguy : Domaine Arretxea ; Domaine Abotia ; Domaine Brana.

Poitrine d'agneau farcie

Recette à variantes, concernant aussi le mouton. La poitrine, dont l'intérieur a été enduit d'ail, reçoit une

---

 MOUTON

L'agneau devient officiellement mouton à 300 jours. Et répond alors moins aux appétits actuels : la saveur de la chair ferme et dense, rouge sombre, est forte, accaparante (il faut que le pochage, la marinade ou les rôtissages en plein air fassent passer le goût du suint). Seules les très longues cuissons font maintenant admettre cette viande tombant en désuétude après avoir été essentielle, plus appréciée dans les pays méditerranéens qu'en France.

---

farce à base de mie de pain trempée dans le lait, d'œufs battus, de jambon, de champignons. Une tombée de vin blanc sec, de la fondue de tomates fleurant bon l'ail... Rouge obligatoirement, du Sud-Ouest, du Rhône ou du Languedoc-Roussillon.

ROUGE. Médoc ▪ Haut-médoc ▪ Listrac ▪ Moulis ▪ Pauillac ▪ Saint-émilion ▪ Pomerol ▪ Fronsac ▪ Graves ▪ Bergerac ▪ Côtes-du-marmandais ▪ Cahors ▪ Madiran ▪ Côtes-du-rhône-villages ▪ Gigondas ▪ Côtes-du-ventoux ▪ Vacqueyras ▪ Lirac ▪ Coteaux-du-languedoc ▪ Faugères ▪ Fitou ▪ Minervois ▪ Côtes-du-roussillon-villages.

Sauté d'agneau chasseur

De bons morceaux d'épaule d'agneau simplement mijotés, avec échalotes, sauce tomate et bouquet garni. Des champignons émincés en renfort, selon l'usage « chasseur ». Même ligne directrice, pour les AOC, que précédemment, en pensant bien aux vins méridionaux amis du gibier, à condition qu'ils soient jeunes, pas trop puissants.

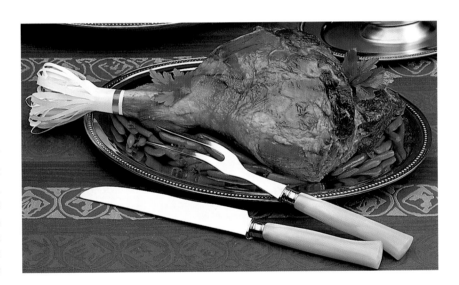

 ROUGE. Pratiquement les mêmes que ceux de la notice précédente ▪ Crozes-hermitage ▪ Cornas ▪ Saint-joseph ▪ Châteauneuf-du-pape si le plat est assez fort en goût.

Gigot rôti

La cuisse arrière de l'agneau, faite pour être piquée d'ail (rituellement entre l'os et la « souris »), nécessite une cuisson vive bien surveillée, puisque le cœur doit rester à peine cuit.

Le gigot, dit « à la boulangère », passe au four avec pommes de terre et oignons, un accompagnement qui s'imprègne délectablement du jus de cuisson. Toujours les vins classiques de l'agneau.

Verre en main…

AVEC CHRISTIAN CONTICINI

Christian Conticini s'exprime juste et souvent fort. En cuisine et verbalement. Novateur, naguère avec un rien de provocation, aujourd'hui avec une discrétion ambiguë, mais aussi résolument curieux des mille et une saveurs du monde, il a fait de *La Table d'Anvers* une excellente table parisienne (l'une de celles qu'un Alain Ducasse note sur son carnet d'adresses). En quête perpétuelle de compositions éventuellement étonnantes, qu'il ajuste avec précision, ce chef de grand métier ne craint pas la complexité et multiplie les touches inattendues. Cependant il se méfie de la sophistication et des préciosités quand il aborde les rapports des vins et des mets : « Chercher le vin idéal, qui magnifie le plat, soit par alliance raisonnable, soit par contraste, c'est la quête du Saint-Graal. Vouloir systématiquement trouver "la bouteille qui va avec", à la petite nuance près, perd de son sens quand ça se prolonge tout au long du repas. Un cérémonial d'arômes, des

harmonies compliquées : on est vite saturé. Lorsque certains produits vous en mettent plein la gueule, il est inutile d'en rajouter (quand j'arrive au fromage, qui se suffit à lui-même, j'aime autant ne plus boire !). Disons qu'il faut savoir se détendre…

« Passons sur les vins que l'on dit "de soif" pour en boire plus, sur les bouteilles que l'on retourne : c'est un autre problème. Un vin sur un plat, ce n'est pas une affaire tranquille quand les deux partenaires ont chacun leur personnalité. Il n'y a aucun risque à assortir un pot-au-feu avec bien des vins, mais la cuisine "al dente" — pas de surcuit, pas de bouillon — a un côté agressif. « Quand les plats sont expressifs, et je veux qu'ils le soient ici, on peut certainement chercher des vins jouant d'égal à égal, dans un équilibre aromatique tranquille, mais j'éprouve plutôt des coups de cœur pour des vins coup-de-gueule, qui rentrent dedans et interdisent qu'on s'endorme. »

Quelques idées pour l'agneau, bouteilles coûteuses hors compétition ? À la veille de Pâques 1999, Christian Conticini nous offrait à boire ces quelques accords mettant « en Cène » des vins de moins de cinq ans :

Avec une épaule d'agneau longuement et doucement rôtie, à la fois renforcée et tonifiée par un yaourt poivré ?
Le givry La Baraude 95 de René Bourgeon. « Le vin, un peu poivré, va dans le sens du plat. »

Avec une selle d'agneau « rôtie sur sa tarte au parmesan, pied de veau et carottes à l'orange » ?
Le madiran Domaine des Bories 95 de Boyrie-Pierson. « Un peu dur, il répond au petit coup de poing du parmesan, note forte du plat. »

Avec trois côtes d'agneau « poêlées à la cannelle, pastilla de petits légumes au lait » ?
« Un peu par défaut, le très bon limoux Toques et Clochers 96, de prix raisonnable. On pourrait penser aussi à un rosé, à un graves blanc… et au fabuleux riesling Brand de Zind Humbrecht (lui, beaucoup plus cher). »

Avec un navarin d'agneau printanier ?
Il faut répondre à l'agneau en ragoût, « de saveur très prégnante, au gras cuit, au côté floral des petits légumes »… Christian Conticini fait une incursion en Espagne, dans le vignoble du Priorat, avec le Fra Fulco 96 de Toni Alcover, « puissant, mais parfumé ». Il revient en France avec un baux-de-provence Domaine de Hauvette.

Avec un carré d'agneau rôti, « jus au praliné et légumes nouveaux » ?
« Je détends le praliné avec le jus de l'agneau. Peu tapageur, il dit qu'il existe, mais l'accord avec le vin se fait tranquillement, sur l'agneau frotté d'ail. Pour sortir des sentiers battus, on peut essayer un vin de pays du comté tolosan, la cuvée Clément Ader du Domaine de Ribonnet 95. Un rouge qui a du caractère. »

Avec une fricassée d'agneau de lait au romarin, fèves et ail rôti ?
« Tout un poème… Le plat est basique : un agneau de lait au goût évanescent, de l'ail poêlé à cru, des saveurs sans complexités superflues. Là-dessus, il me faut un vin coup-de-cœur ! À la fois du fût neuf et une identité marquée. Le gigondas Cuvée Florence 94 de Pierre Varenne est équilibré, mais tannique, puissant. On ne reste pas indifférent ! »

■ **LA TABLE D'ANVERS.** 2, PLACE D'ANVERS, PARIS 9e.

Rouge. La plupart des bordeaux élégants ▪
Côte-rôtie ▪ Cornas ▪ Saint-joseph (pas trop ferme) ▪
Côtes-du-rhône-villages ▪ Faugères ▪ Minervois ▪
Corbières ▪ Fitou ▪ Béarn ▪ Irouléguy ▪ Madiran plus
élégant que rustique envisageable.

Gigot aux flageolets

Un classique du grand repas de famille. Les flageolets,
qui sont ajoutés déjà cuits dans la cocotte, pour s'y
gorger de jus parfumé jusqu'au moment de servir,
sont de très bons amis du vin. Notamment des bordeaux sages, des médocs de qualité, des saint-émilion,
pomerols et consorts.

 Rouge. Médoc ▪ Haut-médoc ▪ Listrac ▪ Moulis ▪
Pauillac ▪ Saint-émilion ▪ Pomerol ▪ Fronsac ▪
Canon-fronsac ▪ Côtes-de-bourg ▪ Bergerac ▪
Côtes-du-marmandais ▪ Chinon ▪ Bourgueil.

 Une bonne bouteille. Haut-médoc : Château
Sociando-Mallet ; Château de Camensac ▪
Moulis : Château Chasse-Spleen ; Château
Maucaillou ▪ Saint-émilion : Château Grand-Pontet ▪
Fronsac : Château Fontenil.

Gigot de sept heures

Archicuit dans la daubière ou la braisière bien closes,
après avoir été lardé, ce gigot toute succulence
se tranche mieux à la cuiller qu'au couteau. La plupart
des bordeaux sont à leur place, des accords rhodaniens
sont à tenter, avec des vins ne s'imposant pas trop.

 Rouge. Saint-émilion ▪ Côtes-de-castillon ▪ Pomerol ▪
Fronsac ▪ Côtes-de-bourg ▪ Côtes-du-rhône-villages ▪
Gigondas et vacqueyras de puissance modérée ▪
Coteaux-du-tricastin.

Pierre Chilo, l'un des meilleurs
cuisiniers du Sud-Ouest, est installé à Barcus, entre pays de
Soule et Béarn. Il décline dans
l'assiette les agneaux de la
coopérative Axuria, chez qui se
fournissent les plus grands chefs,
dont Alain Ducasse et Alain
Dutournier. Éleveur et porte-
parole écouté de l'association
productrice, Michel Arhancet (à
droite) préfère un vin issu du
piémont des Pyrénées lorsqu'il
déguste la viande exquise, mais
se laisse aussi séduire par les
madirans élégants, par plus d'un
bordeaux. Des vins qui iraient
aussi avec la viande d'un veau
de race blonde, familier des
pentes soulétines ou de la
proche Chalosse.

Gigot bouilli à l'anglaise

Plus aromatisé qu'on le croit, un peu déconcertant
car servi avec des légumes également bouillis et une
sauce à la menthe.
Un bordeaux calme, ou un vin d'assez forte rusticité,
en contraste.

 Rouge. La plupart des bordeaux cités
dans ce chapitre, en les choisissant plus aimables
que corsés ▪ Chinon ▪ Madiran
à la jeunesse souple, pas trop typé, fruité
(se méfier de l'âpreté venant
du cépage tannat, même si l'on cherche
un contraste vin/mets).

Gigot froid

Pas de problème avec le gigot. Mais les salades bien
assaisonnées et la mayonnaise ne font pas très bon
ménage avec le vin.

 Rouge. Bordeaux ▪ Médoc ▪ Graves ▪ Bourgogne
passetoutgrain ▪ Côtes-de-provence.

 Rosé. Bordeaux clairet ▪ Patrimonio ▪
Vin de Corse-Calvi.

 Blanc. Préférable si l'on se ressert de mayonnaise ▪
Entre-deux-mers ▪ Alsace pinot blanc.

Halicot de mouton

On dit parfois « haricot de mouton », bien que la
recette classique ne comporte pas de haricots. Il
s'agit d'un ragoût, mêlant de gros morceaux de collier ou de poitrine, des petits navets, des pommes de
terre et des oignons. Les haricots n'étant pas proscrits ! Le vin pourra être solide, voire rustique.

Rouge. Servi assez frais ▪ Bordeaux ▪
Médoc ▪ Bergerac ▪ Cahors ▪ Madiran ▪
Coteaux-d'aix ▪ Les baux-de-provence ▪
Côtes-de-provence.

Navarin

L'on propose de plus en plus le navarin d'agneau,
mais il s'agissait traditionnellement d'un ragoût de
mouton (épaule, collet, poitrine), accommodé avec
des pommes de terre, voire d'autres légumes, notamment les légumes nouveaux du printemps. Même
combat que pour le halicot et pour tous les ragoûts
de mouton : le vin doit tenir.

Rouge. Voir notice précédente ▪
Chinon ▪ Touraine ▪ Cheverny ▪ Vins
de la Côte de Beaune.

Pieds de mouton à la poulette

Des pieds échaudés, désossés, encore ébouillantés, passés par la sauteuse, lentement cuits à petite ébullition, rejoints par des champignons et la douce sauce poulette.

Un plat rustique, mais onctueux, adouci par jaunes d'œufs et crème fraîche. Soit un vin blanc sec et aimable, soit un rouge pimpant et fruité.

 BLANC. Sancerre ▪ Pouilly-fumé ▪ Reuilly ▪ Quincy ▪ Coteaux-du-giennois ▪ Haut-poitou.

 **ROUGE.** Chinon ▪ Bourgueil ▪ Saint-nicolas-de-bourgueil ▪ Beaujolais ▪ Beaujolais-villages ▪ Saint-pourçain ▪ Côte-roannaise.

Pieds et paquets

Pieds de mouton et panse, ail, vin blanc et tomate : un régal marseillais, l'une des grandes, mais simples, spécialités de la France du soleil.

On a tout à gagner au régionalisme : vins de la vallée du Rhône méridionale et de Provence s'invitent à table sans façon, et font merveille (le palette est sans doute trop racé… mais quel plaisir ce serait de rencontrer un Château Simone !). Les blancs, rosés et rouges souriant aux pieds paquets sont heureux avec les tripes, parfois sautées, que la Provence accommode au vin blanc et à l'ail.

ROUGE. Servi frais. ▪ Gigondas ▪ Coteaux-d'aix ▪ Les baux-de-provence ▪ Côtes-de-provence.

ROSÉ. Palette ▪ Coteaux-d'aix ▪ Côtes-de-provence.

 BLANC. Palette ▪ Coteaux-d'aix ▪ Côtes-de-provence ▪ Cassis.

CÔTES d'AUVERGNE MADARGUE

CHEVREAU

Le chevreau, souvent appelé cabri, est sacrifié à l'âge de deux ou trois mois, de Pâques à la mi-juin environ. Sa viande, fine, pas très forte en saveur, évoque celle de l'agneau de lait. Elle est surtout appréciée en Corse, où on la cuit et condimente particulièrement bien.

UNE BONNE BOUTEILLE. La dégustation ne sera pas faite dans les meilleures conditions… mais de beaux pieds paquets donnent envie d'un bon vin, évidemment servi frais ▪ Cassis blanc : Clos Sainte-Magdeleine et (rosé, blanc) Domaine La Ferme-Blanche ▪ Coteaux-d'Aix rouge, rosé ou blanc : Château Calissanne ▪ Côtes-de-Provence rouge, rosé ou blanc : Domaine Gavoty ; Château Sainte-Roseline ▪ Bandol rouge : Château Vannières.

POURQUOI PAS ? Philippe Bourguignon, grand sommelier (Laurent) et auteur d'Accord parfait, n'hésite pas à proclamer que l'association des pieds et paquets avec un châteauneuf-du-pape opulent, ayant vieilli une dizaine d'années, vaut le détour.

Tripous

L'Auvergne et le Rouergue aiment aussi les tripes du mouton : les abats ficelés en petits paquets mijotent avec une bonne dose d'aromates. Ils s'associent délicieusement avec l'aligot avivé par l'ail.

 ROUGE. Côtes-d'auvergne ▪ Châteaugay ▪ Saint-pourçain ▪ Côtes-du-forez ▪ Lirac ▪ Corbières ▪ Cahors ▪ Madiran.

ROSÉ. Saint-pourçain ▪ Côte-roannaise ▪ Costières-de-nîmes.

BLANC. Pour se désaltérer, mais il faut que le vin tienne ▪ Saint-véran ▪ Beaujolais ▪ Entraygues.

UNE BONNE BOUTEILLE. Châteaugay : Pierre Lapouge ▪ Saint-Pourçain : Union des Vignerons de Saint-Pourçain ▪ Entraygues blanc : Jean-Marc Viguier.

Cabri rôti, sauté

Délicieux… quand le plat est bien aromatisé, la viande pouvant se révéler un peu fade. Vin blanc, échalotes, ail, thym, romarin et poivre du moulin sont là pour cela.
Un médoc ou un vin de Provence iraient, mais c'est le moment de faire la fête aux vins corses, parfois remarquables, insuffisamment connus.

ROUGE. Médoc ▪ Haut-médoc ▪ Coteaux-d'aix ▪ Les baux-de-provence ▪ Bandol (jeune) ▪ Vin de Corse ▪ Vin de Corse-Calvi ▪ Vin de Corse-Porto-Vecchio ▪ Patrimonio.

ROSÉ. Les mêmes appellations corses.

 UNE BONNE BOUTEILLE. Patrimonio rouge et rosé : Domaine Antoine Arena (le très bon blanc passerait, mais ne serait pas favorisé par le plat) ▪ Vins de Corse-Calvi rosés : Clos Landry ; Clos Culombu ▪ Vin de Corse-Porto-Vecchio rouge et rosé : Domaine de Torraccia.

VEAU

Le veau, magré son prix relativement élevé, appartient au quotidien. Il est en effet à la base de bien des recettes, avec des morceaux et des apprêts divers : blanquette et rôtis, escalopes, abats, bons plats familiaux, recettes minceur... L'on n'ira pas jusqu'à soutenir, comme pour le cochon, que tout est bon dans le veau, mais il y en a pour tous les goûts, dans presque tout l'animal... Et il y en a pour presque tous les vins. Les blancs, statistiquement, ont l'avantage (ils seront également choisis d'acidité pas contrariante ou secs-tendres, jamais acerbes ou trop riches en sucre), mais quantité de rouges apportent également au veau le salut de régions et de cépages dissemblables. Pas de verdeur, pas exagérément de sucre, du calme côté tanin : quelle que soit la couleur du vin, le veau pousse à la modération plus qu'à l'exubérance.

Côte de veau « en casserole »

Épaisse, bien dorée, généralement accompagnée de pommes de terre et d'oignons bien revenus, la côte simplement préparée dans une sauteuse, la cuisson s'achevant au four, s'entend avec les médocs, avec des rouges assez fins pouvant avoir pris de l'âge. Blancs souples très acceptables.

 ROUGE. Médoc ▪ Haut-médoc ▪ Moulis ▪ Listrac ▪ Pauillac ▪ Saint-julien ▪ Saumur-champigny ▪ Bourgueil ▪ Chinon ▪ Éventuellement : côtes-du-rhône-villages pas trop ferme ▪ Côtes-du-ventoux ▪ Bandol assez jeune ▪ Bellet.

 BLANC. Tokay pinot gris ▪ Savennières.

 ROSÉ. Peuvent passer s'ils sont à la fois charpentés et délicats ▪ Marsannay ▪ Corbières ▪ Côtes-du-frontonnais ▪ Côtes-de-provence.

Rouge ou blanc, d'un Montgilet à l'autre... En plein renouveau depuis une dizaine d'années, grâce à des viticulteurs novateurs, l'anjou – toutes couleurs ! – s'entend bien avec le veau.

 UNE BONNE BOUTEILLE. Médoc : La Tour-de-By ▪ Chinon : Domaine Bernard Baudry ; Domaine Charles Joguet ▪ Côtes-du-frontonnais rosé : Château Bellevue la Forêt.

Côte de veau à la crème

De belles côtes premières, la meilleure des crèmes, un vin blanc franchement sec influençant peu, et le sautoir approprié. Cela conduit, sur table, vers un blanc sec tendre, style chenin, ou à un chardonnay d'acidité modérée, ni incisif ni durement boisé, les rouges à la rondeur avenante et aux tanins fins restant néanmoins bienvenus.

 BLANC. Tokay pinot gris ▪ Anjou ▪ Anjou-coteaux de la Loire ▪ Savennières ▪ Vouvray ou montlouis bien secs ▪ Meursault ▪ Savigny-lès-beaune ▪ Mercurey, rully, givry ou mâcon assez riches.

ROUGE. Beaujolais-villages ▪ Chiroubles ▪ Régnié ▪ Anjou-villages ▪ Bourgueil ▪ Chinon ▪ Beaune ▪ Savigny-lès-beaune ▪ Santenay ▪ Ladoix.

 UNE BONNE BOUTEILLE. Savennières : Domaine des Baumard ▪ Saumur blanc : Château de Villeneuve ▪ Chiroubles : Domaine Émile Cheysson ▪ Mâcon chardonnay de Dominique Piron ▪ Savigny-lès-beaune blanc : Reine Pédauque.

Côte de veau Foyot

La grosse et généreuse côte de veau que les séna-teurs d'antan appréciaient (le restaurant *Foyot* se situait à l'angle de la rue de Tournon et de la rue de

HENRI FAUGERON, TOUJOURS CORRÉZIEN

Henri Faugeron, nous l'avons déjà dit, à propos de son lièvre à la royale, fut l'un des pionniers de la « nouvelle cuisine », mais conserva un penchant inné pour les belles préparations presque rustiques, son amour des beaux produits simples. Comme le veau élevé « au pis » de sa Corrèze natale.

« Le veau de lait est fin, onctueux, goûteux. La viande de l'animal élevé sous la mère peut, aussi facilement que la chair du saumon, être gâchée irrémédiablement par une mauvaise cuisson. L'intérieur doit impérativement rester moelleux ! Il n'est rien de meilleur qu'une côte épaisse, préparée tout simplement, dans une sauteuse. La cuisson démarre sur le fourneau, se termine au four…

« Avec le veau de mon pays, pour moi le meilleur (on me permettra un rien de chauvinisme !), j'aime un vin souple, pas trop complexe, pas trop corsé. Très bien fait, évidemment… Un médoc, un saint-julien comme le Clos du Marquis, second vin de Léoville Las-Cases, un margaux… De façon moins convenue, j'incline aussi pour le bellet niçois, que je préfère évolué, après quelques années de cave. »

■ **FAUGERON.** 52, RUE DE LONGCHAMP, PARIS 16e.

Vaugirard) est marquée par la pâte au gruyère râpé, et le beurre abondamment dispensé. Là encore, plutôt un blanc. Sinon, un rouge pas trop charnu, pas trop tannique.

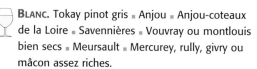 **BLANC.** Tokay pinot gris ▪ Anjou ▪ Anjou-coteaux de la Loire ▪ Savennières ▪ Vouvray ou montlouis bien secs ▪ Meursault ▪ Mercurey, rully, givry ou mâcon assez riches.

ROUGE. Beaujolais-villages ▪ Chiroubles ▪ Régnié ▪ Bourgueil ▪ Chinon ▪ Beaune ▪ Savigny-lès-beaune ▪ Santenay ▪ Ladoix ▪ Médoc ▪ Peut-être un saint-julien assagi par le vieillissement.

UNE BONNE BOUTEILLE. Savennières : Domaine des Baumard ▪ Saumur blanc : Château de Villeneuve ▪ Chiroubles : Domaine Émile Cheysson ▪ Corrézien grand amateur de veau et chef de haute volée, Henri Faugeron conseillerait volontiers le Clos du Marquis, second vin de ce grand saint-julien qu'est Léoville Las-Cases.

Côte ou carré de veau à la provençale

Une cuisson lente, et le rendez-vous provençal avec la tomate, les petits oignons, les olives…

ROUGE. Côtes-du-rhône et côtes-du rhône-villages, choisis plutôt légers pour un déjeuner d'été ▪ Gigondas ▪ Vacqueyras ▪ Châteauneuf-du-pape ▪ Coteaux d'aix ▪ Coteaux-des-baux ▪ Bellet ▪ Patrimonio ▪ Ajaccio ▪ Corbières.

ROSÉ. Côtes-du-rhône ▪ Coteaux-du-tricastin ▪ Tavel ▪ Lirac ▪ Corbières.

Pécharmant : le nom, relativement peu connu, sonne joliment ; le vin, assez puissant, gagne en souplesse lorsqu'il est bien « élevé »… On peut aussi retenir les noms du Château de Biran, du Domaine des Costes, du Château La Renaudie.

Côte de veau Pojarski

La côte de veau est reconstituée, sa chair mêlée de mie de pain trempée dans du lait et assaisonnée. Un rien de muscade, une tombée de beurre noisette… Encore une fois, nous irons vers un blanc sec tendre ou un rouge relativement léger, d'une soyeuse discrétion.

BLANC. Toujours le Val de Loire, de Savennières à Vouvray et Montlouis voir *Côte de veau à la crème* et *Côte de veau Foyot.*

ROUGE. Haut-médoc ▪ Médoc ▪ Moulis ▪ Margaux ▪ Côtes-de-castillon ▪ Savigny-lès-beaune ▪ Mercurey.

Côte de veau panée « à la milanaise »

Plongées dans l'œuf, puis dans la chapelure, puis sautées à la poêle, les côtes s'entendent à la bonne franquette avec quantité de rouges (ceux qui ne sont ni trop astringents, ni trop puissants, ni exagérément fruités), bon nombre de rosés et de blancs.

ROUGE. Anjou-villages ▪ Saumur-champigny ▪ Chinon ▪ Bourgueil ▪ Saint-nicolas-de-bourgueil ▪ Beaujolais ▪ Beaujolais-villages ▪ Bourgogne irancy ▪ Côtes-de-beaune-villages ▪ Bourgogne côte-chalonnaise ▪ Pécharmant ▪ Bordeaux supérieur.

ROSÉ. Marsannay ▪ Côtes-du-rhône-villages ▪ Tavel ▪ Lirac ▪ Palette ▪ Bordeaux clairet.

Côte de veau à la normande, ou vallée d'Auge

Des côtes dont la cuisson se prolonge doucement dans la poêle, mieux : dans une sauteuse épaisse. Le rituel flambage au calvados, ou le simple ajout d'un filet de calvados dans l'épaisse crème fraîche. La gentille présence d'oignons grelots et de champignons de Paris. L'usage veut que l'on propose du cidre, pour le régionalisme, mais un enfant du chenin ferait aussi bien l'affaire.

BLANC. L'on en revient, pour l'essentiel, aux vins des notices précédentes ! Anjou ▪ Savennières ▪ Vouvray ou montlouis bien secs.

POURQUOI PAS ? Cidre de Normandie, c'est la moindre des politesses. Brut, éventuellement bouché.

Escalope de veau à la crème

Généreusement crémée, la sauce dans laquelle s'arrondissent généralement des champignons dissimule souvent une relative sécheresse de la viande (les escalopes minces et aplaties sont fréquemment prélevées dans la noix ou la noix pâtissière, tendre et pas grasse). La plupart des vins cités dans ce chapitre sont à leur place, l'avantage étant cependant donné, nettement, aux blancs pas trop nerveux tendant éventuellement vers le demi-sec, voire le moelleux (surtout si l'ajout d'une pointe de curry donne une légère chaleur exotique à la répétitive préparation familiale). Certains rosés passent bien.

BLANC. Savennières ▪ Anjou ▪ Saumur-champigny ▪ Vouvray et montlouis secs ▪ Tokay pinot gris ▪ Gewurztraminer ▪ Meursault ▪ Rully ▪ Givry ▪ Beaujolais blanc ▪ Arbois ▪ L'Étoile ▪ Chignin ▪ Condrieu ▪ Graves ▪ Côtes-de-duras (sec ou moelleux selon la sauce) ▪ Jurançon sec.

ROSÉ. Anjou-villages ▪ Côtes-du-jura ▪ Arbois.

ROUGE. Beaujolais-villages ▪ Saint-amour ▪ Fleurie ▪ Coteaux-du-lyonnais.

UNE BONNE BOUTEILLE. Tokay pinot gris : J.-B. Adam ; Ostertag ; Léon Beyer ▪ Rosé de Loire : Domaine de Montgilet ▪ Saint-amour : Domaine de la cave Lamartine.

Escalope de veau à la milanaise ou viennoise

Incontournables, la simple milanaise en tête ! Milan ou Vienne, les recettes sont vraiment dissemblables, mais les caractéristiques finales, sur table, s'avèrent

assez nettes pour qu'elles fassent notice commune et que l'on recherche les mêmes vins. Comme les côtes de veau, les escalopes milanaises sont enduites d'œuf battu et revêtues de chapelure, puis poêlées au beurre. Les escalopes viennoises, version française du traditionnel *Wiener Schnitzel* (« escalope de Vienne »), sont, elles, présentées avec de l'œuf dur haché, du persil frit et des câpres. La plupart des vins de la notice précédente (et ceux qui reviennent avec insistance dans ce chapitre) s'accordent avec ces escalopes si souvent servies, mais on ira de préférence, côté blancs, vers des vins secs et frais, souples ou charnus. En rouge, nous nous dirigerions plutôt vers des vins légers, sans prétention, mais l'éventail se révèle large : seuls passent franchement mal les vins marqués par l'excès de tanin, le boisé trop présent ou une abusive lourdeur alcoolisée.

BLANC. Alsace pinot blanc ▪ Mercurey ▪ Mâcon-villages ▪ Saint-véran ▪ Pouilly-fuissé ▪ Beaujolais blanc ▪ Saint-joseph ▪ Saint-péray.

ROSÉ. Rosé de Loire ▪ Alsace pinot noir ▪ Marsannay ▪ Côtes-du-rhône-villages ▪ Tavel ▪ Lirac ▪ Vin de pays de Vaucluse ▪ Patrimonio ▪ Vin de Corse.

ROUGE. Saumur-champigny ▪ Chinon ▪ Bourgueil ▪ Vin de pays du « Jardin de la France » ▪ Sancerre ▪ Alsace pinot noir ▪ Graves ▪ Côtes-du-marmandais ▪ Bordeaux supérieur ▪ Côtes-de-blaye ▪ Côtes-de-bourg ▪ Côtes-de-castillon.

UNE BONNE BOUTEILLE. Le vin n'est pas spécialement mis en valeur, mais le plat revient trop souvent dans le quotidien des Français pour que l'on se désintéresse du verre ▪ Saint-véran : Domaine des Deux Roches ▪ Bordeaux : Château Bonnet ▪ Côtes-de-bourg : Château Brûlesecaille.

Escalope de veau au citron

Vite préparées, assez vite cuites, les escalopes bien dorées ont droit au rehaut gentiment acide du jus de citron servant au déglaçage. Et au renfort de quelques demi-rondelles de citron, disposées en garniture. Tous les « vins du veau » conviennent, mais on se méfiera cependant du citron, qui en ferait trop avec un blanc incisif et appuierait rudement toute astringence marquée.

BLANC. Anjous, vouvrays, montlouis, tokays pinots gris et autres vins de tonalité sec-tendre évoqués dans beaucoup de rubriques précédentes ▪ Sylvaner ▪ Pinot blanc ▪ Mâcon.

ROSÉ. Ne s'impose pas. Voir *Escalope de veau à la milanaise ou viennoise.*

Fricandeau de veau

Le fricandeau (une tranche épaisse de noix de veau) gagne en moelleux d'avoir été piqué de petits dés de lard gras, avant d'avoir emprunté des saveurs aux accompagnements avec lesquels il cuit longuement en cocotte. Les vins amis du veau se mettent à table sans problème si l'accompagnement ne complique pas les choses : il n'y a pas lieu de se «prendre la tête» quand il s'agit d'une jardinière ou de carottes, qu'elles soient Vichy ou à la crème.

 ROUGE. La plupart de ceux qui ont été cités dans les notices précédentes. Petit avantage pour le chinon et le bourgueil.

 ROSÉ. BLANC. Voir notices précédentes (ne pas craindre d'aller vers la souplesse, voire le sec-tendre).

Fricandeau de veau à l'oseille, aux épinards

Ni la fondue d'oseille, ni les épinards, souvent compagnons du fricandeau, ne font d'amabilités au vin (les petits pois ne sont guère plus avenants s'ils sont seuls et fraîchement écossés). On peut jouer avec la malignité d'un chinon jeune, répondre à l'acidité des légumes par une vivacité désinvolte, demander plus diplomatiquement au sauvignon d'être arrangeant. Mais nul n'est obligé de boire alors qu'il a encore l'accompagnement en bouche !

 ROUGE. Chinon ▪ Bourgueil.

 BLANC. Petit-chablis ▪ Peut-être un muscadet, plus vif encore que les épinards… Dans un tout autre registre, et plus raisonnablement sans doute, les sauvignons «de la Loire et du Centre» : sancerre, pouilly-fumé, touraine.

Rôti de veau

La dénomination est très générale, viande et garniture pouvant être assez différentes, de goût, de texture, selon le choix des produits et le talent du chef ou de la cuisinière. Mais, pour d'innombrables familles, il évoque d'emblée le plat œcuménique du repas convivial, du déjeuner du dimanche… Un régal sans surprise, mais rassurant… quand la viande est de qualité et la cuisson juste.

Qu'il provienne de la noix, du quasi, de l'épaule désossée, de la longe ou du carré de côtes désossé, le rôti est «paré», en principe ficelé et bardé. Il doit rendre son jus, d'autant plus savoureux qu'il conserve un rien, voire «un rien trop», de graisse. Ce jus, proposé à part, servira aussi à aromatiser les accompagnements,

 ROUGE. Si l'on force sur le citron… écarter un instant son verre de l'assiette et boire une gorgée d'eau. Se référer à la notice précédente, en choisissant les vins les plus légers et en se méfiant des tanins bordelais.

Paupiettes de veau

Recette à variantes, mais les minces escalopes s'enroulent toujours pour servir d'enveloppe. Dedans ? cela dépend des régions, de l'humeur du chef ou du cordon-bleu, de ce qu'ils ont sous la main : jambon, chair à saucisse, un peu d'œuf dur, peut-être de l'emmenthal, assez souvent des champignons, cela en proportions variables. Il y a presque toujours braisage… et toujours une ficelle à retirer après la cuisson ! La garniture est généralement assez sage pour ne pas compliquer le choix d'un vin sage : riz, purée de pommes de terre, jardinière de légumes, champignons de Paris – rien qui comporte de risques…

 ROUGE. Anjou ▪ Touraine ▪ Alsace pinot noir ▪ Bordeaux supérieur ▪ Médoc.

 ROSÉ. Bordeaux clairet ▪ Marsannay ▪ Côtes-du-rhône.

BLANC. Bourgogne aligoté ▪ Mâcon ▪ Alsace pinot blanc ▪ Touraine.

légumes divers, souvent en jardinière, petits pois, sempiternels haricots verts, blettes, salsifis, topinambours, épinards, oseille, cardons… (certains de ces accompagnements, épinards et oseille en tête, peuvent contrarier le vin, en raison de leur acidité).

 ROUGE. Ni astringence ni puissance excessive ▪ Médoc (plutôt jeune, mais modérément tannique) ▪ Haut-médoc (même prescription) ▪ Moulis ▪ Pauillac ▪ Pomerol ▪ Saint-julien ▪ Éventuellement saint-émilion et pomerols bien ronds, ainsi que leurs cousins : lalande-de-pomerol, fronsac, côtes-de-castillon ou de bourg ▪ Graves ▪ Chinon ▪ Bourgueil ▪ Saint-nicolas-de-bourgueil ▪ Sancerre ▪ Alsace pinot noir ▪ Volnay jeune ▪ Beaune ▪ Savigny-lès-beaune ▪ Côtes-du-rhône-villages pas trop chaleureux ▪ Côtes-de-provence et apparentés.

 ROSÉ. Pas l'idéal, mais certains accords sont heureux ▪ Sancerre ▪ Saint-pourçain ▪ Rosé des Riceys.

 BLANC. Ne pas trop en attendre, mais peut se révéler aimable ▪ Pouilly-fuissé ▪ Mâcon ▪ Mâcon-villages ▪ Saint-véran ▪ Beaujolais blanc ▪ Alsace pinot blanc ▪ Sancerre, touraine et apparentés dans la famille sauvignon « Loire et Centre », quand ce cépage ne s'exprime pas avec trop de vigueur.

 UNE BONNE BOUTEILLE. Médoc : Château Noaillac ▪ Chinon : Domaine du Raifault ▪ Saint-nicolas-de-bourgueil : Domaine Joël et Clarisse Taluau.

Blanquette de veau

Le mot blanquette désigne des apprêts de différentes viandes blanches et de poissons, voire de légumes, cuits dans un fond dit «blanc». Mais il n'est cependant, pour le commun des mortels, qu'une blanquette : de veau. Qu'il s'agisse de l'épaule (le meilleur choix ?), de tendron ou de flanchet, voire de jarret, ce plat onctueux et facilement apprécié ne provoque pas les papilles. L'idéal semble de lui offrir un blanc séduisant sans esbroufe, jeune. Plutôt dans l'univers chardonnay, sans donner l'exclusivité à la Bourgogne et au Mâconnais.

 BLANC. Mercurey ▪ Rully ▪ Givry ▪ Mâcon-villages ▪ Pouilly-fuissé ▪ Riesling jeune (une idée de Jean-Pierre Haeberlin pour le Savour Club) ▪ Tokay pinot gris ▪ Sancerre, reuilly et certains vins issus du sauvignon, à condition qu'ils soient secs et frais, mais d'une certaine plénitude, tout en ne faisant pas exploser son arôme végétal ▪ Crozes-hermitage.

 ROUGE. Saint-joseph ▪ Beaujolais-villages ▪ Fleurie ▪ Brouilly ▪ Chiroubles ▪ Sancerre ▪ Menetou-salon ▪ Reuilly ▪ Alsace pinot noir.

 ROSÉ. Ni spécialement préconisé, ni interdit ▪ Sancerre ▪ Côtes-de-provence.

 UNE BONNE BOUTEILLE. Rully : Domaine Henri et Paul Jacqueson ▪ Mâcon-charnay : Cave de Charnay ▪ Saint-véran : Domaine des Deux-Roches.

 POURQUOI PAS ? Si la blanquette est belle et onctueusement crémée, un château-chalon, un arbois-vin jaune.

Grenadins de veau braisés

Rencontre du veau, tranché large et rond, avec lard gras et couenne, long passage par le four… Les rouges agréablement fruités allant classiquement avec le veau sont invités, mais on peut s'attarder prudemment dans le vaste Sud-Ouest viticole, en évitant les vins trop vigoureux. Les blancs sages ne feraient pas fuir les convives, mais n'apporteraient rien.

 ROUGE. Anjou-villages ▪ Saumur-champigny ▪ Chinon ▪ Bourgueil ▪ Sancerre ▪ Alsace pinot noir ▪ Beaujolais villages ▪ Brouilly ▪ Morgon ▪ Pécharmant ▪ Côtes-de-duras ▪ Côtes-de-buzet ▪ Médoc.

Noix de veau braisée, rôtie

Voir les deux notices précédentes : on reste dans le même univers ! Moins d'apport de gras, quand la barde est discrète, voire absente ? On évitera le rude tannat, cépage à coups de poing du Sud-Ouest, et l'on pourra jouer des partitions distinguées dans le Bordelais. Si la viande n'est, quand même, pas trop sèche…

 ROUGE. Voir notice précédente. Les vins cités, et quelques autres ▪ Beaune ▪ Savigny-lès-beaune ▪ Santenay ▪ Ladoix ▪ Corbières ▪ Haut-médoc ▪ Moulis ▪ Saint-julien ▪ Margaux.

Veau marengo

Comme le sauté de poulet homonyme, le veau ainsi préparé s'entend avec les rouges aimables, éventuellement assez aromatiques, servis relativement frais, et, mieux encore, avec les blancs au fruité plaisant dont l'acidité n'est pas agressive (il n'y a que l'embarras du choix, dans des styles différents).

 ROUGE. Côtes-du-rhône-villages ▪ Gigondas ▪ Vacqueyras ▪

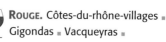

Côtes-du-ventoux ▪ Côtes-du-lubéron ▪ Lirac ▪ Coteaux-d'aix ▪ Les baux-de-provence ▪ Patrimonio ▪ Coteaux-du-languedoc ▪ Côtes-du-roussillon-villages ▪ Anjou-villages.

ROSÉ. Coteaux-du-tricastin ▪ Fitou ▪ Coteaux-du-languedoc ▪ Patrimonio.

BLANC. Côtes-de-provence ▪ Coteaux-d'aix ▪ Cassis ▪ Bandol ▪ Patrimonio ▪ Vin de Corse ▪ Vin de Corse-Calvi ▪ Touraine (sauvignon) ▪ Sancerre ▪ Mâcon villages ▪ Saint-véran ▪ Alsace pinot blanc.

UNE BONNE BOUTEILLE. Vacqueyras : Domaine des Amouriers ▪ Coteaux-du-languedoc : Mas Jullien ▪ Côtes-de-provence rosé et blanc : Domaine Ott-Château de Selle ▪ Patrimonio rouge, rosé et blanc : Domaine Antoine Arena.

POURQUOI PAS ? Un condrieu (crustacés et poissons n'en ont pas l'exclusivité !) à condition qu'il soit jeune et sec, surtout pas «madérisé». Sa corpulence florale et fruitée répond souvent très heureusement à la tomate, au léger parfum d'ail et d'oignon.

Selle de veau Orloff

Cet apprêt « historique » perpétuant la mémoire d'un prince russe du XIXᵉ siècle est plus connu de nom que de saveur : il est répertorié dans les recueils de recettes élitistes, mais rarement proposé au commun des mortels. La selle de veau est braisée et tranchée, « fourrée de champignons et d'oi-

gnons, avec des lames de truffes, nappée de sauce Maintenon, poudrée au parmesan et glacée au four » (le *Larousse gastronomique* rappelle que les tranches sont en finale réunies et superposées pour reformer la selle).

BLANC. Meursault ▪ Puligny-montrachet ▪ Vins jaunes (arbois, étoile, côtes-du-jura) ▪ Château-chalon… au risque d'avoir la bouche (agréablement) encombrée par le vin ▪ Jurançon sec.

ROUGE. Graves ▪ Pessac-léognan ▪ Médoc ▪ Haut-médoc ▪ Pauillac.

POURQUOI PAS ? Champagne blanc de blancs.

Jarret de veau accompagné de légumes

Souvent mobilisé par la potée, parfois demandé par la blanquette, le jarret avant ou arrière peut aussi s'affirmer tel quel, cuit entier dans un bouillon. Mêlant le maigre au gélatineux, pourvu d'un os ne demandant qu'à livrer sa moelle, il est fait pour s'entendre avec les légumes de saison (préférons la belle saison des petits légumes frais, percutants) et se lie d'amitié tranquille avec bien des vins. Selon les prescriptions répétitives de ce chapitre, on évitera les tanins bagarreurs, même s'ils augurent du meilleur, le boisé marqué et l'excès de puissance.

ROUGE. Touraine ▪ Sancerre ▪ Alsace pinot noir ▪ Bourgogne irancy ▪ Beaujolais-villages ▪ Côtes-d'auvergne ▪ Côtes-du-luberon ▪ Côtes-de-provence.

ROSÉ. Sancerre ▪ Marsannay ▪ Saint-pourçain ▪ Côtes-de-provence ▪ Coteaux-du-tricastin ▪ Minervois ▪ Collioures ▪ Côtes-du-roussillon ▪ Bordeaux clairet ▪ Irouléguy.

BLANC. Mâcon ▪ Mâcon-villages ▪ Pouilly-fuissé ▪ Saint-véran ▪ Alsace pinot blanc.

Rouelle de veau « à l'ancienne », aux carottes

Détaillée dans le jarret, la rouelle est généralement vouée à l'osso bucco, mais peut tranquillement dorer et cuire dans la cocotte. L'intitulé de la recette, assez rustique, peut varier, mais il s'efforce généralement de signaler la fidélité à une tradition. Et indique fréquemment la présence, assez anodine, de carottes.

ROUGE. Voir notice précédente. Beaujolais nouveau ▪ Côtes-du-rhône nouveau ▪ Touraine nouveau.

Tête de veau sauce ravigote

Le veau donne de la tête : cuir échaudé et épilé, cervelle et langue, le tout étant diversement coupé selon l'occasion. La ravigote ici envisagée est une sauce relevée servie tiède ou chaude, avec vinaigre, moutarde, oignons. Le vin ne gagne rien à la rencontre : il faut choisir au plat un compagnon soit prudent, soit tenant le choc (le vinaigre est généralement désagréable envers le produit dont il est la métamorphose).

 ROUGE. Servir frais ▪ Beaujolais-villages ▪ Morgon ▪ Saint-pourçain ▪ Haut-poitou ▪ Côtes-du-ventoux ▪ Côtes-du-luberon.

 ROSÉ. Sancerre ▪ Marsannay ▪ Bourgogne côte-chalonnaise ▪ Côtes-du-ventoux ▪ Côtes-du-luberon ▪ Vin de Corse ▪ Touraine ▪ Alsace pinot noir.

 BLANC. Sec, et préféré lorsqu'il offre, sans excès, une désaltérante acidité ▪ Bourgogne aligoté ▪ Mâcon ▪ Pinot blanc ▪ Sylvaner ▪ Entre-deux-mers ▪ Graves de vayres ▪ Peut-être un sancerre de qualité, mais il sera quelque peu malmené.

 UNE BONNE BOUTEILLE. Saint-pourçain : Domaine de Bellevue-Jean-Louis Pétillat ▪ Marsannay rosé : Château de Marsannay ▪ Bourgogne aligoté : Bouzeron Domaine Aubert et Pamela de Villaine.

Tête de veau sauce gribiche

Agrémentée et renforcée de câpres, de fines herbes et de blanc d'œuf dur grossièrement haché, cette sauce cousine de la mayonnaise ne manque pas de caractère. Au point de décourager les vins au tempérament accentué. Comme pour la ravigote, on optera pour un vin de soif ne se vexant pas d'être parfois dépassé par les événements…

 ROUGE. ROSÉ. BLANC. Voir notice précédente.

Osso buco

Voir p. 103.

Cervelle meunière, en beignets

Un abat blanc assez fin, presque autant parfois, que la cervelle d'agneau. Un vin blanc presque obligatoirement (mais on n'ira jusqu'au meursault que si l'on est certain que la préparation régale !). Sinon, un rouge léger et friand.

 BLANC. Mâcon-villages ▪ Pouilly-fuissé ▪ Saint-véran ▪ Saumur ▪ Vouvray ou montlouis le plus secs possible ▪ Côtes-de-provence ▪ Bandol ▪ Ajaccio ▪ Patrimonio ▪ Vin de Corse.

 ROUGE. Beaujolais primeur au fruit mesuré ▪ Beaujolais-villages ▪ Mercurey.

Foie de veau simplement grillé

Risquant d'être un peu sec ainsi préparé, et faisant un peu « régime », le foie de veau n'est pas magnifié, mais garde son goût, qui peut être puissant. Il sera à l'aise avec des vins peu tanniques ou aux tanins fondus, d'origines très diverses. Rosés et blancs ne sont pas forcément à l'aise, mais certains se font accepter. Pour la soif.

 ROUGE. La couleur à privilégier ▪ Sancerre ▪ Alsace pinot noir ▪ Saint-pourçain ▪ Côtes-de-provence ▪ Coteaux d'aix ▪ Les baux-de-provence ▪ Coteaux varois ▪ Côtes-du-frontonnais.

 ROSÉ. Sancerre ▪ Bordeaux clairet.

BLANC. Touraine ▪ Mâcon ▪ Saint-véran.

Foie de veau simplement poêlé

Plus moelleux, de meilleure succulence que grillé, le foie tranquillement poêlé affirme sa saveur. Il s'accommode des vins cités à la rubrique précédente, mais on pourra les choisir « un cran au-dessus ». Nous irons plutôt vers les vins issus du pinot noir, mais pas spécialement en Bourgogne ! Plusieurs rosés passent sans histoire.

Les blancs acides ou gardant trop de sucre résiduel sont à proscrire, mais on peut accepter des vins de cette couleur sans typicité très marquée, qui ne feront ni rire ni pleurer (et s'arrangeront d'une éventuelle tombée de vinaigre).

 ROUGE. Sancerre ▪ Reuilly ▪ Menetou-salon ▪ Saint-pourçain, marqué pinot noir ▪ Certains

POURQUOI PAS ? Si le bacon est généreusement dispensé et le gras très présent, on peut aller, sur la pointe des pieds, sinon des papilles, vers un cahors, servi assez frais, ou vers un madiran à la virilité discrète.

ROSÉ. Marsannay ▪ Côtes-du-jura ▪ Arbois.

BLANC. En passe-partout… Voir notice précédente.

Foie de veau à la vénitienne

Coupé en petites escalopes ou en dés, le foie poêlé reçoit le renfort d'oignons blondis, d'un peu de vin blanc, de quelques gouttes de jus de citron. On évitera les rencontres avec des rouges durs ou alcooleux, comme avec les blancs acides. Des rosés éventuellement assez tendres, mais d'une certaine vigueur, font agréablement l'affaire.

ROUGE. La meilleure couleur, sans doute ▪ Haut-médoc et médoc aux tanins fondus ▪ Pomerol ▪ Sancerre ▪ Menetou-salon ▪ Alsace pinot noir ▪ Fleurie ▪ Brouilly ▪ Chinon ▪ Bourgueil ▪ Saint-nicolas-de-bourgueil ▪ Minervois ▪ Corbières ▪ Côtes-de-provence.

ROSÉ. Sancerre ▪ Menetou-salon ▪ Saint-chinian ▪ Corbières ▪ Minervois ▪ Côtes-du-roussillon.

BLANC. Alsace pinot blanc ▪ Bourgogne ▪ Mâcon ▪ Pouilly-fuissé ▪ Saint-véran ▪ Menetou-salon ▪ Pouilly-fumé.

côtes-d'auvergne ▪ Alsace pinot noir ▪ Chinon ▪ Bourgueil ▪ Saumur-champigny ▪ Médoc ▪ Haut-médoc ▪ Moulis ▪ Pomerol ▪ Fronsac.

ROSÉ. Parfois un très bon choix ▪ Sancerre ▪ Reuilly.

BLANC. Si l'on veut ▪ Cheverny ▪ Bourgogne aligoté souple ▪ Mâcon ▪ Alsace pinot blanc.

UNE BONNE BOUTEILLE. Sancerre rouge : Domaine Alphonse Mellot ▪ Bourgueil : Domaine Yannick Amirault ▪ Saumur-champigny : Château du Hureau ▪ Sancerre rosé : Maison Guy Saget.

Foie de veau au bacon

Le foie de veau légèrement fariné cuit dans le gras rendu par le bacon, dont les tranches rissolées l'accompagnent sur le plat de présentation. Tenir compte de la force du vinaigre ayant servi au déglaçage, et de sa quantité, comme de l'éventuel emploi de jus de citron : ils peuvent prendre plus d'importance que le foie lui-même !

ROUGE. Chinon ▪ Bourgueil ▪ Saint-nicolas-de-bourgueil ▪ Saumur-champigny ▪ Anjou-villages ▪ Touraine gamay ▪ Beaujolais-villages ▪ Sancerre ▪ Alsace pinot noir.

ÉRIC MANCIO, CÔTÉ ALSACES…

Expert, aimant jouer avec les arômes, les saveurs et les mots, mais pas dogmatique, naguère auteur d'un guide des vins à prix raisonnable, Éric Mancio ne cache pas ses amitiés. Justifiées. Le sommelier de *Guy Savoy* a depuis longtemps un faible pour les alsaces d'André Ostertag, excellent vigneron un rien poète, perfectionniste, plutôt anticonformiste. L'un d'eux irait-il avec le foie de veau ? Bien sûr.

« Ostertag propose notamment un riesling et un tokay pinot gris du grand cru Muenchberg, pour moi également remarquables… Puissant, mais enrobant, fin, le tokay va presque toujours de soi avec les poissons, les saint-jacques, la volaille. Servi frais, mais pas trop, aux environs de 12°, il pourrait faire joliment alliance avec un foie de veau de qualité rôti, de juste cuisson. »

■ **GUY SAVOY.** 18, RUE TROYON, PARIS 17ᵉ.

Une bonne bouteille. Minervois rouge : Château d'Oupia ▪ Saint-Chinian rosé : Château Cazal-Viel ▪ Bourgogne côte-chalonnaise : Cave des Vignerons de Buxy.

Ris de veau simplement poêlé

Toute finesse et onctuosité, un abat blanc qui se laisse préparer sans cinéma, mais peut être un tantinet écrasé par une garniture se voulant originale. Net avantage aux rouges élégants, souples, bien ouverts (les bordeaux seront applaudis s'ils n'arrivent pas chargés de tanin). Blancs d'acidité peu marquée et de fruité léger tout à fait acceptés.

 Rouge. Chinon ▪ Saint-nicolas-de-bourgueil ▪ Médoc ▪ Haut-médoc ▪ Pauillac ▪ Pessac-léognan.

 Rosé. Sancerre ▪ Touraine-azay-le-rideau ▪ Alsace pinot noir vinifié « clair ».

 Blanc. Sancerre ▪ Pouilly-fumé ▪ Meursault ▪ Rully ▪ Côtes-du-jura.

Ris de veau à la crème

Délicatesse et douceur… Il est rituel, dans les ouvrages théoriques davantage que dans la pratique, de conseiller des vins liquoreux de belle étiquette. Nous restons fidèles à cet usage, mais ne tenterions certainement pas l'aventure avec un ruineux et encombrant Château d'Yquem. Nos préférences iraient, de toute façon, davantage vers un coteau-de-l'aubance agréablement moelleux ou un vouvray demi-sec, ou, dans un autre registre, vers un meursault, vers un graves blanc charnu ou un pessac-léognan, gras et riche.

 Blanc. Sauternes et barsac (ne pas chercher les grands liquoreux de grande année, qui écraseraient le plat et ne seraient pas à leur place) ▪ Sainte-croix-du-mont ▪ Loupiac ▪ Monbazillac ▪ Jurançon sec ou moelleux ▪ Graves ▪ Pessac-léognan ▪ Jurançon ▪ Savennières pas trop sec ▪ Coteaux-du-layon ▪ Coteaux-de-l'aubance ▪ Bonnezeaux ▪ Vouvray et montlouis ▪ Tokay pinot gris ▪ Meursault ▪ Puligny-montrachet ▪ Chassagne-montrachet.

Rouge. Ne s'impose pas ▪ Graves, pessac-léognan et médocs ayant évolué.

Une bonne bouteille. Pessac-léognan : Château Haut-Brion blanc (un luxe !) ▪ Graves : Clos Floridène ▪ Jurançon : Clos Lapeyre ▪ Savennières : Domaine du Closel ▪ Montlouis : Domaine Olivier Delétang ▪ Meursault : Château de Meursault ▪ Tokay pinot gris : Domaine Zind-Humbrecht.

Ris de veau « financière »

L'orthodoxie et les bonnes manières de la grande cuisine veulent que les ris méticuleusement préparés soient cloutés de lamelles de truffe, voire de langue écarlate, qu'il y ait braisage à brun, présentation dans une croustade… À tout le moins nappera-t-on le ris de la très classique et riche sauce dite financière, véritable ragoût parfumé à la truffe (outre les champignons et les olives vertes, elle devrait notamment comporter des crêtes de coq… souvent oubliées). Plutôt un rouge élégant, mais le parfum de truffe oriente aussi vers certains blancs de l'univers rhodanien.

 Rouge. Préférer des vins un peu vieillis… Graves ▪ Pessac-léognan ▪ Pomerol ▪ Bandol.

 Blanc. Hermitage ▪ Crozes-hermitage ▪ Saint-péray ▪ Meursault ▪ Tokay pinot gris.

Cassolette de ris et rognon de veau à la moutarde

Ris de veau et rognons sont aussi à l'aise rapprochés dans la casserole… qu'éloignés dans l'anatomie du veau. Un régal avec des pommes noisettes

— et un appel à un rouge de caractère, pas exagérément corsé, soit bordelais, pour une alliance plus élégamment austère, soit bourguignon, pour une rencontre souriante. Mais le chinon, omniprésent dans ce chapitre, fait aussi valoir ses droits à la rencontre.

 ROUGE. Médoc ▪ Haut-médoc ▪ Pauillac ▪ Saint-estèphe ▪ Beaune ▪ Savigny-lès-beaune ▪ Santenay ▪ Ladoix ▪ Chorey-lès-beaune ▪ Saint-romain ▪ Chinon.

Rognons de veau grillés, sautés, en brochette, en cocotte

Très fins bien choisis (le produit avant tout, pas facile à sélectionner !), demandant une méticuleuse préparation, exigeant d'être cuits avec attention, gagnant à être servis rosés, les rognons de veau explosent de délicate saveur quand ils sont rissolés entiers dans leur graisse. Et méritent alors de beaux vins ! Mais on a souvent droit à des lamelles un peu sèches, parfois racornies…

Le choix de la bouteille dépend donc de ce que l'on espère trouver dans son assiette, de la confiance faite à l'acheteur. Un rognon entier peut se révéler une merveille, au demeurant assez coûteuse ; un rognon quelconque… ne mérite qu'un vin passe-partout.

ROUGE. Anjou-villages ▪ Saumur-champigny ▪ Chinon ▪ Bourgueil ▪ Côte-rôtie ▪ Cornas ▪ Saint-joseph ▪ Crozes-hermitage ▪ Saint-émilion.

ROSÉ. Va bien avec les rognons grillés, mais ne les sauve pas s'ils sont desséchés ▪ Côtes-du-rhône ▪ Tavel.

BLANC. Si l'on y tient… Plus indiqué quand la moutarde fait sentir sa présence ▪ Sancerre ▪ Chablis ▪ Pouilly-fuissé ▪ Vouvray envisageable, le plus sec possible.

UNE BONNE BOUTEILLE. (De préférence avec un rognon entier cuit dans sa graisse.) Côte-rôtie ou Cornas : Maison Chapoutier ▪ Crozes-hermitage : Paul Jaboulet aîné ▪ Saint-joseph rouge : Domaine Bernard Gripa.

Rognonnade de veau braisée

La rognonnade est le morceau de filet de veau comportant le rognon. Découpé, roulé, ficelé, l'ensemble est mis à rôtir.

 ROUGE. ROSÉ. BLANC. Voir notice précédente.

BŒUF

Hampe, persillé, onglet, faux-filet, filet, macreuse, paleron, côte et entrecôte, rumsteck, bavette, araignée, plat de tranche : de l'encolure au postérieur, nous en passons ! Se superposent ensuite les modes de cuisson, la multiplicité des préparations. À la grande carte du bœuf, voici le tournedos, encore dédié à Rossini en quelques occasions, le chateaubriand, la côte à l'os, le filet en croûte, le bœuf bourguignon, le bœuf à la mode, le bœuf gros sel, l'entrecôte béarnaise, le steak au poivre et le steak tartare, le hachis Parmentier, la langue écarlate, le gras-double... Suggérant bien des garnitures et des apprêts, le bœuf fraternise avec des rouges plutôt jeunes, parfois corsés, dont le tanin ne cherche pas noise à la saveur de la viande. « Costauds », les rosés passent ; mous ils sont gommés par la rencontre. Les blancs font piètre mine.

Simples grillades (steaks et autres)

Plus ou moins persillés, voire marbrés – c'est plutôt mieux en l'occurrence –, bien des morceaux se prêtent à la grillade rapidement faite ou à la récréation du barbecue. Filet, entrecôte, tranche, bavette... La viande se révèle telle qu'en elle-même, avec, parfois, un petit goût de brûlé plaisant (s'il est léger, superficiel, seulement lié à la surcuisson extérieure de la viande, bien saisie et restant moelleuse à cœur).
Les partenaires sont nombreux parmi les rouges aux arômes plutôt primaires, encore proches du cépage. Il s'agit de vins éventuellement rustiques, à servir frais, surtout aux beaux jours. Agréablement passepartout, quoique pas timides, éventuellement un peu fermes : il devront vraisemblablement tenir sur tout le repas. Ne pas fuir les tanins s'ils sont ronds, ou, du moins, peu offensifs. Un vin expressif sera heureux si l'on force, sans vulgarité cependant, sur les brindilles de thym et les « herbes de Provence ».

Pas de problèmes avec le 89, le 90 et le 91. Le 88, bien conservé, devrait aussi dire la qualité de Montrose à l'aube du millénaire : ce saint-estèphe robuste et racé se valorise en cave. Un Château méritant les plus belles viandes rouges, de préférence cuisinées, s'il a longuement évolué.

 ROUGE. Côtes-du-rhône-villages ▪ Côtes-du-ventoux ▪ Lirac ▪ Coteaux-du-languedoc ▪ Faugères ▪ Fitou ▪ Minervois ▪ Saint-chinian ▪ Côtes-du-roussillon-villages ▪ Collioure ▪ Côtes-du-frontonnais (marqué par le cépage négrette) ▪ Gaillac ▪ Côtes-de-saint-mont ▪ Bergerac ▪ Bordeaux supérieur ▪ Fronsac ▪ Canon-fronsac ▪ Côtes-de-blaye ▪ Côtes-de-bourg ▪ Médoc ▪ Moulis ▪ Listrac ▪ Touraine (pinot noir ou gamay) ▪ Sancerre ▪ Saint-pourçain ▪ Alsace pinot noir ▪ Bourgogne irancy ▪ Marsannay ▪ Santenay ▪ Ladoix ▪ Mâcon ▪ Beaujolais-villages ▪ Brouilly ▪ Chénas ▪ Morgon.

 ROSÉ. Tavel ▪ Bandol ▪ Collioure.

 UNE BONNE BOUTEILLE. Lirac : Domaine de la Mordorée ▪ Faugères : Château des Estanilles ▪ Côtes-du-roussillon-villages : Les Maîtres vignerons de Tautavel ▪ Collioure rosé : Les Clos de Paulille ▪ Bandol rosé : Domaine de La Laidière ▪ Côtes-de-saint-mont : Plaimont producteurs ▪ Sancerre rosé et rouge : Domaine Guy Saget ▪ Beaujolais-villages, chénas, morgon, moulin-à-vent : Georges Dubœuf ; Dominique Piron ; Hubert Lapierre.

Côte de bœuf ou entrecôte grillée ou poêlée

Une belle pièce mérite un bon vin, un beau vin, quand la viande est excellente et très bien cuite. Pencher vers un rouge solidement charpenté, corsé, voire d'une franche vigueur.

 ROUGE. Médoc ▪ Haut-médoc ▪ Saint-julien ▪ Saint-estèphe ▪ Graves ▪ Pessac-léognan ▪ Cahors ▪ Gevrey-chambertin ▪ Hermitage ▪ Côtes-du-rhône-villages ▪ Collioure.

 ROSÉ. Pas à rechercher, mais à la rigueur, et seulement s'il a réellement du corps. Un tavel charnu, par exemple.

 UNE BONNE BOUTEILLE. Haut-médoc : Château Coufran ▪ Saint-estèphe : Château Meyney ▪ Cahors : Château Lagrezette ▪ Côtes-du-rhône-villages : Domaine Cazes.

Chateaubriand simplement grillé

Si possible taillée dans cette pièce de choix qu'est le filet, une tranche assez épaisse, tendre, qui ne résiste ni au couteau ni à la mastication et n'impose pas de saveurs fortes. La cuisson compte beaucoup, le gril permettant mieux que la poêle de laisser l'intérieur bleu (ce qui n'arrange pas trop le vin) ou rosé. Choisir de bons rouges sans forte astringence, de ceux qui ne se laissent pas facilement éclipser.

 ROUGE. Voir notice précédente (privilégier les appellations dont on peut se procurer, sinon les grandes bouteilles, du moins les vins les plus élégamment robustes ; se méfier des médocs à la jeunesse très tannique) ▪ Saint-émilion ▪ Pomerol ▪ Graves ▪ Gevrey-chambertin ▪ Nuits-saint-georges.

UNE BONNE BOUTEILLE. Médoc : Château La Tour de By ▪ Haut-médoc : Château Verdignan ▪ Graves : Château d'Ardennes.

Chateaubriand vert-pré

Le beurre maître d'hôtel s'impose, travaillé à la spatule avec du persil ciselé, un filet de jus de citron et du poivre tout juste tombé du moulin. Les pommes château, tournées de façon particulière, sont généralement présentes. Toujours des rouges, de qualité, dont l'âge peut différer sensiblement selon l'origine (les bordeaux étant choisis plus évolués).

 ROUGE. Voir notices précédentes. La sauce et les pommes de terre favorisent la rencontre de la viande avec des bourgognes assez jeunes, de dégustation facile, éventuellement « haut de gamme ». Les premiers crus précédemment cités, mais tout aussi bien un morey-saint-denis ou un chambolle-musigny. Rien n'interdit d'aller du côté des chambertins et des vosne-romanée, mais l'enjeu n'en vaut guère la chandelle.

Chateaubriand sauce béarnaise

Fréquemment proposée avec diverses viandes grillées et escorte habituelle du chateaubriand,

Dominique Piron, l'un des très bons viticulteurs du Beaujolais, est connu pour son morgon, mais commercialise d'autres vins et propose un blanc agréable d'accent local… Des compagnons de tout le repas !

la béarnaise émulsionnée à base de jaune d'œuf est marquée par le vinaigre et l'estragon haché. Les pommes château, rarement hors jeu au restaurant, jouent un rôle modérateur quand elle s'impose trop (on abuse facilement de cette médiocre partenaire du vin, qui tapisse parfois trop la bouche). Les rouges, jamais vieux, d'une certaine fraîcheur, doivent faire chatoyer leur fruité sans qu'explosent arômes et saveurs. Les médocs jeunes, dont le tanin s'arrange de la fermeté et du côté « bouchée avalée sans réfléchir » d'une grillade commune, risquent de brutaliser la viande et, surtout, de se cogner à la sauce ; ces quasi béarnais que sont les madirans ne copinent pas facilement avec la béarnaise… Les bons rosés ont le droit d'entrer en scène.

 ROUGE. La plupart des AOC des notices précédentes, en se méfiant des vins corsés et des tanins austères ▪ Côtes-du-ventoux ▪ Coteaux-du-languedoc ▪ Côtes-du-roussillon-villages ▪ Bergerac ▪ Bordeaux supérieur ▪ Côtes-de-blaye ▪ Côtes-de-bourg ▪ Médocs et graves aux tanins fondus ▪ Sancerre ▪ Saint-pourçain ▪ Marsannay ▪ Santenay ▪ Ladoix ▪ Mâcon ▪ Beaujolais-villages ▪ Brouilly ▪ Chénas ▪ Morgon.

 ROSÉ. Tavel ▪ Lirac ▪ Bandol ▪ Collioure ▪ Arbois.

UNE BONNE BOUTEILLE. Bergerac : Château Tour des Gendres ▪ Premières-côtes-de-blaye : Château Bertinerie ▪ Côtes-de-bourg : Château Roc de Cambes ▪ Tavel : Château d'Aquéria.

Tournedos grillé, poêlé

Un peu moins épais, ce serait le clone aminci du chateaubriand si la tranche de viande n'était entourée d'un ruban de lard ficelé, qui lui donne sa forme arrondie. On trouve un peu plus de gras (pas tellement plus au gril), la cuisson témoigne davantage d'uniformité, notamment si le tournedos est poêlé, l'intérieur contrastant moins avec la partie externe… Il n'y a rien là qui oblige à des choix différents.

 ROUGE. La plupart des AOC des notices précédentes, sans viser trop haut ▪ Bourgogne ▪ Beaune ▪ Morgon ▪ Bordeaux supérieur ▪ Médoc. Les sauces et garnitures du tournedos sont variées. Présenté avec une sauce béarnaise, le tournedos a droit aux mêmes vins que le chateaubriand ainsi servi, mais on peut être moins ambitieux.

Tournedos Rossini

Rossini aimait le foie gras et la truffe. La petite histoire veut que le compositeur du *Barbier de Séville,* qui se fixa à Paris, ait indiqué la recette du

Martin Cantegrit a fait du *Réca-mier* le rendez-vous de l'édition (et du Tout-Paris aimant les solides bonnes nourritures). C'est un inconditionnel du bour-gogne – mieux vaut dire : « des bourgognes », rouges, blancs, illustres ou à découvrir, qui ont toujours leur place à table chez lui. De l'entrée au cigare…

tournedos sauté. Foie gras et truffes, donc, et déglaçage au madère… Un vin rond, très merlot, type pomerol. Peut-être une grande bouteille, si l'on n'est pas découragé par un apprêt que l'on peut estimer écœurant.

 ROUGE. Pomerol ▪ Saint-émilion ▪ Lalande-de-pomerol ▪ Fronsac ▪ Canon-fronsac ▪ Graves et pessac-léognan vieillis ▪ Madiran d'un âge certain ▪ Cahors assez gras.

Onglet à l'échalote

Des fibres longues, une viande tendre, mais assez forte en goût. Meilleur saignant, qu'il soit grillé ou poêlé, l'onglet servi avec un hachis d'échalote emplit la bouche et demande un vin ayant du répondant, quels que soient le ou les cépages d'origine.

 ROUGE. Sancerre ▪ Nuits-saint-georges ▪ Beaujolais-villages ▪ Morgon ▪ Cornas ▪ Saint-joseph ▪ Côte-rôtie ▪ Crozes-hermitage ▪ Corbières ▪ Côtes-du-roussillon-villages.

UNE BONNE BOUTEILLE. Sancerre rouge : La Moussière-Domaine Alphonse Mellot ▪ Morgon : Domaine Louis-Claude Desvignes ▪ Corbières rouge : tradition Château Pech Latt.

Bavette grillée

Juteuse, franchement tendre souvent, parfois élas-tique (elle peut être tranchée dans des morceaux différents), la bavette demande les mêmes bou-teilles que la majorité des bons steaks. Inutile d'al-ler chercher les grands crus, encore moins de vieux millésimes ! La présence d'une sauce choron ne favorise pas le vin. Quant à l'échalote, elle pose les mêmes problèmes qu'avec l'onglet.

ROUGE. Puiser, en tête de chapitre, dans toute la notice *Simples grillades (steaks et autres)* ▪ Côtes-du-rhône-villages ▪ Gigondas ▪ Faugères ▪ Côtes-du-roussillon-villages ▪ Collioure ▪ Bordeaux supérieur ▪ Fronsac ▪ Côtes-de-blaye ▪ Côtes-de-bourg ▪ Médoc ▪ Touraine ▪ Sancerre ▪ Saint-pourçain ▪ Alsace

pinot noir ▪ Bourgogne irancy ▪ Bourgogne côte chalonnaise ▪ Mâcon ▪ Beaujolais-villages.

Brochettes de bœuf

Pourquoi pas ? Les brochettes de filet de bœuf seront plus goûteuses si la viande a mariné, si champignons, oignons, tomates-cerises et lardons alternent correctement sur les grosses aiguilles pré-sentées aux braises. De bons vins rustiques, servis frais, conviennent alors. Mais un banal coup de rouge suffit largement quand les morceaux de viande sont à demi calcinés, accompagnés d'oignon brûlé et de tomate pas assez cuite, comme c'est souvent le cas.

 ROUGE. Voir *Simples grillades (steaks et autres)*, en tête de chapitre.

Steak au poivre

Inévitable, incontournable. Parfois médiocre, mais délicieux quand le filet est bien tranché et le cognac convenable, quand le poivre concassé chante fort (le poivre vert est aussi de mise), quand la crème est épaisse, légèrement acidulée. Un vin d'une certaine ampleur, jeune ou dans la force de l'âge, chaleureux. On hésite entre diverses tonalités, le choix est vaste. La sauce pourrait pousser vers un beau vin sec tendre, notamment un enfant du che-nin, mais il se heurterait péniblement à la viande.

 ROUGE. Côtes-du-rhône-villages ▪ Gigondas ▪ Côtes-du-ventoux ▪ Faugères ▪ Collioure ▪ Anjou-villages bien fait et dense ▪ Saumur-champigny ▪ Chinon ▪ Bourgueil.

 UNE BONNE BOUTEILLE. Côtes-du-rhône-villages : Domaine de Cabasse ▪ Saumur-champigny : Château de Villeneuve ▪ Chinon : Logis de la Bouchardière.

Filet de bœuf rôti

Lardé, paré, ficelé, le filet doit être bien saisi, afin de ne pas perdre son jus. Puis juste cuit. Cette belle pièce, qui gagne à être accompagnée d'une sauce corsée, peut susciter diverses préparations, certaines assez sophistiquées, mais quelques vins font quasi-ment l'unanimité en Bordelais et en Bourgogne.

 ROUGE. Gevrey-chambertin ▪ Nuits-saint-georges ▪ Morey-saint-denis ▪ Beaune rouge ▪ Chorey-lès-beaune ▪ Santenay ▪ Saint-romain ▪ Monthélie ▪ Les meilleurs mâcons ▪ Saint-émilion ▪ Pomerol ▪ Lalande-de-pomerol ▪ Fronsac ▪ Canon-fronsac ▪ Graves ▪ Médoc ▪ Haut-médoc ▪ Moulis ▪ Listrac.

 POURQUOI PAS ? Un grand de la Côte de Nuits : vosne-romanée, chambertin, bonnes-mares… (Pour éviter au vin de petites, mais inutiles vexations, on donnera au filet un accompagnement simple, rien ne valant les pommes de terre !)

Rosbif au four

Bardé et ficelé par le boucher, le rôti classique des bons déjeuners du dimanche… La viande, qui doit se révéler un peu ferme, provient souvent de tranche grasse, de rond de gîte, de gîte à la noix, mais les rosbifs aristocratiques peuvent être taillés dans le filet, le faux-filet ou le rumsteck. Rien de préférable à la purée en accompagnement : elle s'assortit en douceur à la viande dont elle absorbe le jus à plaisir, elle permet la dégustation d'un beau vin, ne s'oppose à aucune appellation. On choisira fatalement une bouteille pouvant aller avec le filet de bœuf rôti évoqué précédemment, puisqu'il en va pratiquement du pareil au même.

ROUGE. Voir notice précédente ▪ Bandol ▪ Cahors et madiran pas trop robustes.

Rosbif froid

Avec une salade, dont la vinaigrette ne pousse pas à dégustation très affinée, l'un des plats classiques de l'été. Soit un rouge pas complexe, voire un peu rustique (cela n'est pas péjoratif !), servi frais, soit un bon rosé, de préférence assez corsé.

 ROUGE. Alsace pinot noir ▪ Bourgogne irancy ▪ Sancerre ▪ Saumur-champigny ▪ Bordeaux supérieur.
 ROSÉ. Bordeaux clairet ▪ Irouléguy ▪ Corbières ▪ Marsannay.

Bœuf Stroganov

Vivement sautées, agrémentées de paprika, nappées de crème, les minces tranches de filet, de contre-filet ou de rumsteck sont servies avec des champignons sautés, du riz pilaf. Le tout peut être plus ou moins relevé, ce qui élargit la gamme des vins élus. Plus de poivre, plus de paprika, un peu de moutarde, et nous irions du pinot d'Alsace et du sancerre au côte-rôtie, au saint-joseph, peut-être à l'hermitage. Il n'est guère d'usage de proposer un blanc, mais nous acceptons volontiers un tokay pinot gris équilibré, et ne rejetons pas un gewurztraminer restant sur sa réserve.

 ROUGE. Sancerre ▪ Alsace pinot noir ▪ Côte-rôtie ▪ Cornas ▪ Saint-joseph ▪ Hermitage (mais une très belle bouteille ne serait pas valorisée) ▪ Chinon.
 POURQUOI PAS ? Un tokay pinot gris, un gewurztraminer sage, un saumur blanc tel le Château de Villeneuve (qui convient aussi en rouge).

Bœuf mode

Plat dont on se ressert, meilleur réchauffé… quand il en reste, le bœuf mode, plus exactement «à la mode», est onctueux, d'une succulence légèrement grasse. Classiquement réalisé avec de la culotte de bœuf ou « aiguillette de rumsteck » (la macreuse et le paleron désossé ont aussi droit de cocotte), il doit beaucoup au lard gras et au pied de veau, toujours parties prenantes quelles qu'en soient les variantes de la recette, aux carottes, aux oignons.
Le vin utilisé lors de la préparation, rouge ou blanc, doit être correct, mais ne marque pas suffisamment le plat pour que son choix, dans telle ou telle AOC, soit déterminant lors de l'élection de la bouteille qui sera sur table. Une bonne bouteille, d'un vin pas trop complexe. Nous allons vers un bourgogne, un côte-de-nuits en priorité (théoriquement, car les nuances de l'accord ne sont guère différentes avec un côte-de-beaune de même année et de qualité comparable !), assez frais dans son épanouissement. On trouve cependant son bonheur en d'autres régions, principalement dans le Bordelais et dans le Val de Loire. Voire dans l'univers rhodanien, sans aller jusqu'à l'hermitage, en évitant les vins séveux trop chaleureux. Les madirans traditionnels et les vins dominés par le tannat ne trouvent pas assez de gras à râper sur les papilles pour que le contact soit heureux. Les rosés, tolérables, ne sont à l'aise qu'avec le plat froid.

 ROUGE. Marsannay ▪ Fixin ▪ Divers vins de la côte de Nuits (chercher la plénitude, sans aller jusqu'aux grands crus) ▪ Nuits-saint-georges ▪ Beaune ▪ Divers vins de la côte de Beaune (là encore, inutile de focaliser sur les grands) ▪ Mercurey ▪ Givry ▪ Rully ▪ Beaujolais et beaujolais-villages fermes, structurés ▪ Côtes-du-rhône-villages ▪ Pomerol ▪ Lalande-de-pomerol ▪ Fronsac ▪ Saint-émilion ▪ Médoc ▪ Haut-médoc ▪ Graves ▪ Bourgueil de bonne charpente ▪ Anjou-villages à forte personnalité.

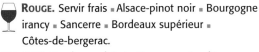 **UNE BONNE BOUTEILLE.** Mercurey : Domaine du Meix-Foulot ▪ Côtes-du-rhône : E. Guigal ▪ Saumur-champigny : Château du Hureau ▪ Anjou-villages : Domaine de Montgilet.

Bœuf mode en gelée

Un régal, mais l'abus des petits oignons et des cornichons, trop complaisamment proposés en accompagnement, ne vaut rien au vin… Boire une gorgée d'eau ou mastiquer un peu de viande avant de reprendre son verre quand le vinaigre s'est fortement imposé au palais.

ROUGE. Servir frais ▪ Alsace-pinot noir ▪ Bourgogne irancy ▪ Sancerre ▪ Bordeaux supérieur ▪ Côtes-de-bergerac.

ROSÉ. Bordeaux clairet ▪ Bergerac ▪ Irouléguy ▪ Corbières ▪ Tavel ▪ Lirac ▪ Patrimonio.

Bœuf bourguignon

Grand classique du bœuf cuisiné : de gros cubes de viande à braiser, des oignons, des lardons – et la magie d'une longue cuisson à couvert… La tradition, cela va avec l'intitulé de la recette, exige que la préparation soit mouillée d'une rasade généreuse de bourgogne (un bon vin suffit, un grand cru n'apporterait guère plus). Mais bien des appellations font l'affaire ! L'usage, même rengaine que pour le coq au vin, veut que l'on préconise à table le vin utilisé lors de la prépara-

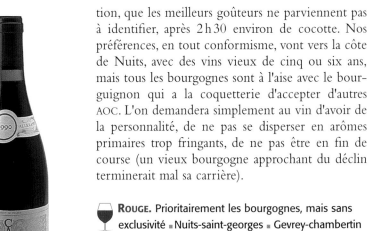

tion, que les meilleurs goûteurs ne parviennent pas à identifier, après 2 h 30 environ de cocotte. Nos préférences, en tout conformisme, vont vers la côte de Nuits, avec des vins vieux de cinq ou six ans, mais tous les bourgognes sont à l'aise avec le bourguignon qui a la coquetterie d'accepter d'autres AOC. L'on demandera simplement au vin d'avoir de la personnalité, de ne pas se disperser en arômes primaires trop fringants, de ne pas être en fin de course (un vieux bourgogne approchant du déclin terminerait mal sa carrière).

ROUGE. Prioritairement les bourgognes, mais sans exclusivité ▪ Nuits-saint-georges ▪ Gevrey-chambertin ▪ Beaune ▪ Santenay ▪ Ladoix ▪ Saint-romain ▪ Rully ▪ Côtes-du-rhône et côtes-du-rhône-villages ▪ Gigondas ▪ Côtes-du-ventoux ▪ Lirac ▪ Cahors n'affichant pas trop sa bonne santé, ou un peu vieilli ▪ Côtes-de-duras ▪ Saint-émilion ▪ Pomerol.

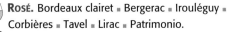 **UNE BONNE BOUTEILLE.** Nuits-saint-georges : Chauvenet-Chopin ▪ Gevrey-chambertin : Château de Marsannay ▪ Côtes-du-rhône-villages-Rasteau : Domaine de La Soumade ▪ Lirac : Domaine de La Mordorée.

Bœuf braisé aux carottes (et autres garnitures de légumes)

Une pointe de culotte de bœuf de préférence, soit bien lardée, soit «foncée» dans une braisière, dûment ficelée, avec de gros rectangles de lard gras. Une très longue cuisson à feu doux avec des rondelles de carottes et d'oignons. À l'arrivée, une généreuse garniture de carottes, traditionnellement, mais elle peut être remplacée par une jardinière de légumes, des petits pois ou de la laitue braisée, si ce n'est par une bonne purée. Un rouge de bonne tenue, aimant se fondre dans le moelleux de la viande. Il ne se vexera pas de l'éventuelle et légère agression de légumes frais.

ROUGE. Plusieurs côte-de-nuits (ne pas chercher les sommets des coûteux grands crus) ▪ Nuits-saint-georges ▪ Beaune ▪ Plusieurs côtes-de-beaune (là aussi, grands vins hors compétition) ▪ Mercurey ▪ Givry ▪ Rully ▪ Beaujolais-villages ▪ Crus du Beaujolais ▪ Côtes-du-rhône-villages ▪ Côtes-de-provence ▪ Les baux-de-provence ▪ Pomerol ▪ Lalande-de-pomerol ▪ Fronsac ▪ Saint-émilion ▪ Médoc ▪ Haut-médoc ▪ Graves ▪ Anjou-villages de caractère ▪ Saumur-champigny ▪ Bourgueil ▪ Saint-nicolas-de-bourgueil.

Bœuf en daube

Le mot daube désigne une cuisson à l'étouffée, avec des aromates, mais il dénomme aussi, traditionnelle-

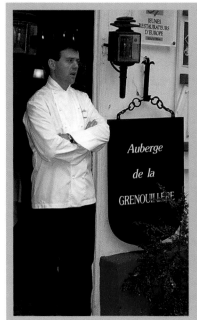

ment, une pièce de bœuf braisée au vin (plutôt dans le Midi). On utilise généralement du gîte, qui passe par la marinade et est voué à une interminable cuisson. Tous les amateurs savent que c'est encore meilleur réchauffé le lendemain… Il faut des rouges aimables, sans astringence, séveux. À la rigueur, un très bon rosé affichant quelque corpulence.

 ROUGE. Servi plutôt frais ▪ Côtes-du-rhône-villages ▪ Gigondas ▪ Vacqueyras ▪ Coteaux-du-tricastin ▪ Côtes-du-ventoux ▪ Coteaux-du-languedoc ▪ Faugères ▪ Vins de Corse souples.

ROSÉ. Tavel ▪ Patrimonio.

 UNE BONNE BOUTEILLE. Côtes-du-rhône-villages : Domaine Sainte-Anne ▪ Gigondas : Domaine Les Goubert ▪ Coteaux-d'aix : Château Calissanne ▪ Patrimonio rouge ou rosé : Antoine Arena.

Estouffade de bœuf provençale

Du collier de bœuf, par exemple, en principe attendri et parfumé par une sérieuse baignade dans la marinade parfumée au thym. Là encore, une très longue cuisson à petit feu, cette fois de préférence dans une marmite en terre hermétiquement close. Le lard, voire des pieds de porc peuvent venir à la rescousse… Tomates mondées et concassées, olives vertes dénoyautées, en principe blanchies et vite passées à la poêle, quelques olives noires en prime. Le vin rouge de la marinade peut être provençal, si suffisamment corsé, mais on peut rester méditerranéen en allant jusqu'aux Corbières. Servir le même à table ? S'il est bon, mais il ne s'agira que d'une coquetterie… ou d'une facilité. Les choses dépendent quelque peu de l'«assent» du plat, qui peut être rehaussé par une tombée d'huile, plus ou moins fortifié par l'ail, par les condiments de Provence.

 ROUGE. Les mêmes que pour la daube, également servis frais. Pour faire bonne mesure (méridionale), on ajoutera quelques autres vins du Sud-Est ▪ Côtes-du-luberon ▪ Les baux-de-provence ▪ Coteaux-d'aix ▪ Côtes-de-provence ▪ Bandol ▪ Minervois ▪ Corbières ▪ Fitou ▪ Côtes-du-roussillon-villages ▪ Vin de Corse ▪ Une estouffade pas trop marquée Provence (ce n'est pas une exclusivité du Midi) s'entendrait avec un chinon.

Carbonade de bœuf flamande

De bonnes tranches de hampe ou de paleron, colorées dans du saindoux, cuites avec des oignons

et de la bière. Cette dernière ne marque pas spécialement la préparation, mais on aura la coquetterie de boire une bière du Nord (l'embarras du choix est réel). Plutôt une ambrée, mais qui préfère les blondes de caractère peut leur rester fidèle, en privilégiant l'onctuosité nuancée d'une petite amertume.

 UNE BIÈRE. Ambrée ample, mais de quelque nervosité ▪ Blonde un peu amère ▪ Brune pas trop épaisse possible ▪ Ch'ti ▪ 3 Monts-brasserie de Saint-Silvestre ▪ Angélus-brasserie Annœulin, Saint-Landelin-Enfants de Gayant ▪ Épi de Facon.

 ROUGE. Côte-de-nuits et côte-de-beaune assez jeunes et fruités ▪ Côte-chalonnaise ▪ Crus du Beaujolais ▪ Côtes-du-rhône-villages ▪ Saumur-champigny ▪ Chinon ▪ Bourgueil ▪ Saint-nicolas-de-bourgueil.

Hochepot de queue de bœuf

Ou queue de bœuf en hochepot… Le pot-au-feu des Flamands, qui sont loin d'accorder l'exclusivité au bœuf, puisque les oreilles et la queue du porc, l'épaule de mouton et le lard salé ont le droit de figurer auprès des «légumes du pot». Une cuisson en cocotte longuement prolongée à feu doux, une longue finition à four moyen. Ça fond dans la bouche et demande un vin friand, de là ou d'ailleurs…

 ROUGE. Servi frais ▪ Beaujolais ▪ Beaujolais-villages ▪ Mondeuse ▪ Saint-pourçain ▪ Touraine ▪ Alsace pinot noir ▪ Saint-nicolas-de-bourgueil ▪ Côtes-du-frontonnais.

Langue de bœuf à l'écarlate

Classée parmi les abats, la langue suggère de nombreux apprêts. Dont celui-ci, qui ne relève guère de la préparation à domicile : nous sommes là devant un plat de longue élaboration et de longue cuisson… que l'on préfère de nos jours acheter tout prêt quand on ne s'en régale pas au restaurant. Devant sa dénomination à la couleur vive résultant de l'immersion dans une saumure au salpêtre, la langue à l'écarlate se sert froide, en hors-d'œuvre, en plat d'été, ou chaude, avec des légumes. Bien condimentée, occupant la bouche sans trop donner à réfléchir, la langue à l'écarlate fait plutôt voir rouge, mais tolère le rosé. Elle appelle un vin digeste, aux arômes éventuellement méridionaux, de caractère assez sage.

 ROUGE. Servi frais ▪ Coteaux-du-languedoc ▪ Faugères ▪ Fitou ▪ Minervois ▪ Corbières ▪ Côtes-de-provence ▪ Côtes-du-frontonnais ▪ Côte-roannaise.
ROSÉ. Côtes-de-provence ▪ Costières-de-nîmes ▪ Bergerac ▪ Bordeaux clairet.

Langue de bœuf braisée

Bouillie, bien nettoyée de sa peau blanchâtre, la langue passe par la cocotte, où une bonne tombée de vin blanc la rejoint, puis est longuement cuite au four. Cornichons et câpres viennent à la rescousse. À peu près les mêmes vins que pour la langue à l'écarlate.

ROUGE. Voir notice précédente ▪ Sancerre ▪ Alsace pinot noir ▪ Morgon ▪ Un très bon bourgogne fruité serait plaisant, mais qui oserait conseiller un nuits-saint-georges avec ce plat si simple?

Langue de bœuf sauce piquante, sauce vinaigrette

Parmi beaucoup de préparations, sans doute les plus réalisées. Servie généralement en plat pratiquement unique d'un repas simple (d'été quand il s'agit de la vinaigrette), la langue ne réclame qu'un vin rustique, gentiment fruité.
Pour nous, plutôt un rosé, un petit rouge ne se rebellant pas trop quand il approche du vinaigre. Un blanc, comme «vin de soif»? Avec prudence, en s'amusant de sa rencontre avec la vinaigrette (il y a risque de petite grimace).

ROSÉ. Sancerre ▪ Saint-pourçain ▪ Alsace pinot noir.
ROUGE. Beaujolais ▪ Côte-roannaise ▪ Côtes-d'auvergne ▪ Côtes-du-forez.
BLANC. Choisir un vin peu contrariant, frais… qui s'effacera sans doute trop, mais ne se bagarrera pas ▪ Muscadet léger et parfumé ▪ Entre-deux-mers ▪ Picpoul-de-pinet.

Carpaccio

De très fines tranches de faux-filet, servies froides (et crues), avec de la mayonnaise… Un peu de sauce Worcestershire, une tombée de jus de citron… C'est bon, mais quel vin conseiller? Un chianti, un valpolicella, pour rappeler les origines italiennes, plus exactement vénitiennes, du plat?
On peut s'en tenir sagement à un rosé. Peut-être à un rouge aux arômes méridionaux, servi frais. Mais on ne se précipitera pas sur son verre le goût de la mayonnaise encore bien en bouche.

ROSÉ. Tavel ▪ Lirac ▪ Côte-de-provence, aussi puissant que possible ▪ Bandol ▪ Patrimonio ▪ Vin de Corse-Calvi ▪ Corbières ▪ Bordeaux clairet.
ROUGE. Coteaux-du-tricastin ▪ Costières-de-nîmes ▪ Coteaux-du-languedoc.

Steak tartare

Viande crue (rumsteck, contre-filet, aiguillette baronne, tranche grasse), jaune d'œuf, oignon haché, câpres, condiments divers, ketchup, Worcestershire… À peu près les mêmes vins que pour le carpaccio, mais aussi certains rouges du Val de Loire et du Bordelais.

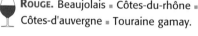 **ROUGE.** Voir notice précédente.
Saumur-champigny ▪ Saint-nicolas-de-bourgueil ▪
Bordeaux supérieur ▪ Corbières.

ROSÉ. Voir notice précédente.

UNE BONNE BOUTEILLE. L'accommodement du tartare
ne permet pas la dégustation… mais un tartare
bien fait donne envie d'un verre de bon vin ▪
Saumur-champigny : Domaine Filliatreau (mais
garder les Vieilles Vignes de ce Domaine pour
d'autres occasions) ▪ Bordeaux : La Réserve
Château Bonnet ▪ Côtes-d'auvergne-boudes :
André Charmensat ▪ Corbières : Château Prieuré
Borde-Rouge ; Château Cascadais.

Fondue bourguignonne

Gare à l'huile bouillante ! Emplissant un caquelon,
elle sert à la cuisson vite-fait de petits morceaux de
bœuf très frais, piqués au bout d'une longue fourchette. Mieux valent le filet, le faux-filet ou le rumsteck…, mais le traitement brutal et hypercalorique
que subit la viande ne lui permet guère de s'exprimer. Elle est, de surcroît, trempée par les convives
dans diverses sauces (mayonnaise, béarnaise, tomate, aïoli, etc.), non loin des
bocaux de petits oignons ou de cornichons… Le vin ne s'en remet pas mieux
que la viande : il est préférable qu'il soit
assez fruité, et servi très frais.

ROUGE. Beaujolais ▪ Côtes-du-rhône ▪
Côtes-d'auvergne ▪ Touraine gamay.

Tripes à la mode de Caen

Laissant le mouton au Centre et au Midi, les
régions de l'Ouest privilégient les tripes de bœuf.
Les préparations sont multiples, mais l'apprêt « à la
mode de Caen » a conquis une durable célébrité.
La recette est sujette à fortes variantes, mais il y a
fatalement fraternisation avec pied de veau et
carottes. Le cidre devrait toujours être versé
copieusement dans la tripière ou la cocotte avant
son interminable passage au four (les puristes
réclament un four de boulanger !), mais le vin
blanc sec est fréquemment recommandé. D'abord
garnir le fond de la tripière de pommes de rei-
nette en quartier, comme le veut Michel Bru-
neau, meilleur cuisinier de Caen ? Tout est bien
qui permet ensuite de préconiser le cidre du Calvados, de la Manche ou de l'Orne. Un cidre franchement brut, qui devra pétiller légèrement pour
mieux décaper la bouche du gras doucement
insistant des tripes, ou être carrément «bouché».

Il faut cependant avouer qu'un vin blanc sec et vif
a de l'agrément.

CIDRE. Assez fort en alcool, éventuellement bouché.
Un cidre de Normandie, normalement, mais
la Bretagne et le lointain pays d'Othe sont
également bons fournisseurs. Le cidre bouché
désaltère et s'amuse du gras de la préparation.

POURQUOI PAS ? Un bon poiré passe aussi bien
que le cidre.

BLANC. Muscadet ▪ Jasnières ▪ Petit-chablis ▪
Pouilly-fumé.

ROUGE. Peu mis en valeur par le plat,
obligatoirement servi frais ▪ Anjou ▪ Saumur-
champigny ▪ Peut-être un corbières souple.

Gras-double à la lyonnaise

Faite de morceaux de panse de bœuf échaudés, cette
préparation tripière suggère autant de variantes que
les tripes : chaque région possède sa recette. L'essentiel demeure que le gras-double soit bien relevé ! La
méthode lyonnaise veut que le gras-double détaillé
en minces lanières passe vivement par la poêle, avec
beurre ou saindoux, et soit bien rissolé. Un bon filet
de vinaigre pour le déglaçage… Pour répondre à ce
plat costaud, bien assaisonné, on hésitera entre un
blanc désaltérant ne se laissant pas trop écraser,
quelque rouge primeur, si c'est l'époque, ou un
aimable gamay.

BLANC. Pas interdit, mais le plat l'emportera :
inutile de chercher une grande bouteille ▪ Petit-
chablis ▪ Mâcon ▪ Saint-véran ▪ Alsace pinot blanc.

ROUGE. Vin nouveau en fin d'année (beaujolais,
côtes-du-rhône, touraine) ▪ Beaujolais ▪ Beaujolais-
villages ▪ Morgon ▪ Saint-pourçain ▪ Côte-roannaise ▪
Sancerre.

UNE BONNE BOUTEILLE. Saint-pourçain : Union
des Vignerons de Saint-Pourçain ▪ Côte-roannaise :
Robert Sérol et fils.

Tablier de sapeur

Le gras-double, dénommé « nid d'abeilles » en raison
de son apparence alvéolaire, est taillé en morceaux
enduits d'œuf battu, panés, puis grillés ou poêlés. Un
régal lyonnais, qui se déguste très chaud, avec un
beurre d'escargot, une sauce tartare ou une gribiche.

BLANC. Voir notice précédente.

ROUGE. Là aussi des vins primeurs, quand
c'est l'époque ▪ Beaujolais ▪ Beaujolais-villages ▪
Morgon, juliénas et autres crus du Beaujolais ▪
Saint-pourçain ▪ Côte-roannaise ▪ Touraine.

MIS EN BOUTEILLE AU CHATEAU
Château Cascadais
CORBIÈRES
Appellation Corbières Contrôlée
1996
12,5 % Vol.   750 ml
S.C.E.A. PHILIPPE COURRIAN, 11220 ST-LAURENT DE LA CABRERISSE - FRANCE
PRODUCT OF FRANCE

PORC

*Échine, carré de côtes, filet mignon, palette, travers, jarret, oreilles
et queue, abats : tout est bon dans le cochon, «repas sur pattes»
que se partagent le boucher et le charcutier. Ce chapitre très copieux recense d'une part
les plats réalisés avec la viande de boucherie la plus consommée en France
et d'autre part ceux qui relèvent franchement de la charcuterie. Sans oublier bien sûr ces vedettes
de la gastronomie française que sont les saucisses, l'andouillette, les boudins noir et blanc,
les pieds en vinaigrette ou panés. Le menu tout cochon est étendu. Comme le choix
des vins, blancs, rouges ou rosés «allant avec», que l'on ne choisira ni très tanniques,
ni chargés de sucre résiduel. On peut les aimer rustiquement corsés, d'une astringence
sans âpreté, ou préférer un gentil «vin de soif» surtout désaltérant.*

Rôti de porc

Il existe de meilleurs morceaux à rôtir… selon les goûts : certains plutôt secs, d'autres toute tendreté. Les blancs d'acidité modérée présentent bien des avantages, comme certains rosés, à ne pas choisir flasques ; mais on donnera plutôt la préférence à des rouges assez jeunes, sans excès d'expression, gentiment fruités. À boire frais, ils seront choisis relativement tendres, soyeux, lorsque la viande n'est pas trop grasse. Nettement plus tanniques, s'il faut riposter à un gras envahissant.

🍷 **ROUGE.** Chinon ▪ Bourgueil ▪ Saint-nicolas-de-bourgueil ▪ Saumur-champigny ▪ Anjou-villages ▪ Côte-de-beaune ▪ Beaujolais-villages ▪ Morgon et autres crus beaujolais ▪ Côtes-du-rhône-villages ▪ Crozes-hermitage ▪ Faugères ▪ Fitou ▪ Minervois ▪ Corbières ▪ Un pomerol ou un saint-émilion souples, avec du cochon de lait rôti. Les hauts-médocs et médocs, appréciés par de bons dégustateurs, ne devront pas être trop tanniques (une légère

astringence – remarque valable pour tout ce chapitre – ne gêne cependant qu'avec une viande franchement maigre, comme celle de certains filets, ou desséchée par la brutalité de la cuisson).

🍷 **BLANC.** Alsace pinot blanc ▪ Côtes-du-jura ▪ Savennières ▪ Vouvray et montlouis secs.

🍷 **ROSÉ.** Marsannay ▪ Tavel ▪ Lirac ▪ Rosé des Riceys.

⭐ **UNE BONNE BOUTEILLE.** Chinon : Charles Joguet ▪ Morgon : Dominique Piron ▪ Côtes-du-rhône-villages : Domaine de Cabasse ▪ Marsannay : Château de Marsannay.

Rôti de porc à la dijonnaise

Le porc passe au four enduit de moutarde, mais la vigueur du condiment ainsi employé ne tue pas le vin. Rester sur la sélection de la notice précédente, en inclinant davantage vers le blanc et en privilégiant, côté rouges, le chinon et le bourgueil.

🍷🍷🍷 **BLANC. ROSÉ. ROUGE.** Voir notice précédente.

Rôti de porc froid

Pratiquement les mêmes vins que précédemment, en favorisant les plus légers (trop de boisé écraserait la viande – et il faut juste assez de tanin pour répondre au gras). Les rosés assez charpentés ont parfaitement leur place sur une table estivale. Gare à la mayonnaise et à la moutarde souvent dispensées avec une dangereuse générosité !

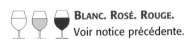

ROUGE. Beaujolais ▪ Beaujolais-villages ▪ Alsace pinot noir ▪ Sancerre ▪ Vins du Haut-Poitou ▪ Châteaumeillant ▪ Côtes-du-vivarais ▪ Vins de Savoie et du Bugey issus de la Mondeuse ▪ Des vins du Languedoc et du Roussillon, notamment le collioure, accepteront peut-être de répondre presque aimablement à l'abus de mayonnaise et d'ail.

ROSÉ. Voir notice précédente ▪ Vin de Corse Patrimonio.

BLANC. Voir notice précédente. Si l'ail se manifeste avec vigueur, penser crozes-hermitage, saint-péray, côtes-de-provence, cassis. Si l'on ne force pas sur les condiments, on peut, lors d'un déjeuner estival sur la terrasse, explorer les AOC vins de Savoie, du registre « frais et léger » (apremont, montmélian, chignin).

Carré de porc à l'alsacienne

Le régal d'une journée fraîche ! Le carré est cuit au four, puis dressé sur un lit épais de choucroute braisée. Les Alsaciens ne faisant pas les choses à moitié, des saucisses viennent généralement à la rescousse. Un plat donnant envie de boire à assez larges rasades…

 BLANC. Sylvaner de qualité ▪ Pinot blanc ▪ Riesling jeune ▪ Mâcon-villages ▪ Pouilly-fuissé.

ROUGE. Alsace pinot noir (vinifié rouge, épargné par le boisé) ▪ Bourgogne irancy ▪ Sancerre.

ROSÉ. Alsace pinot noir ▪ Marsannay ▪ Sancerre.

Filet mignon poêlé

Détaillé en médaillons, revenu à la poêle, faisant ami-ami par sauce interposée avec le vin blanc, le bacon et ce qu'il faut d'oignon et d'ail, le filet appelle la moutarde, pas trop piquante. La choucroute est la bienvenue en accompagnement. Plutôt du blanc.

BLANC. Pinot blanc ▪ Riesling (pas trop minéral) ▪ Mâcon-villages ▪ Pouilly-fuissé.

 ROUGE. ROSÉ. Voir notice précédente ▪ Choisir un vin léger, bu frais.

Filet mignon à la crème

Changement de registre quant au vin. Il n'est pas interdit de penser à un chinon, voire à quelque cru du Beaujolais, mais nous irions plutôt vers un blanc sec tendre issu du chenin (qui ferait merveille si le poivre concassé venait donner du tonus à la sauce).

 BLANC. Savennières ▪ Anjou ▪ Vouvray et montlouis secs ▪ Certains graves ▪ Jurançon sec ▪ Peut-être un condrieu.

PAUL BOCUSE : LE BEAUJOLAIS, BIEN SÛR. MAIS POURQUOI PAS UNE BIÈRE ?

Le cuisinier le plus célèbre du monde est aussi connu pour sa générosité. Et pour l'éclectisme de ses goûts : il n'est pas homme à jeter l'anathème. Lui-même vigneron du côté de Letra, et grand ami de Georges Dubœuf, Paul Bocuse recommande facilement un beaujolais avec les charcuteries et le porc, mais il est trop ami avec les Haeberlin, Alsaciens à 150 %, pour refuser une bière. Voire pour lui donner la priorité absolue avec certaines préparations.

Présentant dans « Bon Appétit » une recette de filets de porc au cumin, avec emploi de fond brun et de bière brune, il remarquait que « le cumin et la sauce à la bière ne s'accordent guère avec le vin ». Et suggérait, tout simplement, une bière bien fraîche, blonde ou brune. Les Haeberlin lui auraient vraisemblablement proposé une Météor, comme il en but plus d'une dans leur merveilleuse « auberge » du bord de l'Ill !

■ **PAUL BOCUSE.** COLLONGES-AU-MONT-D'OR (RHÔNE).

 ROUGE. Chinon jeune ▪ Moulin-à-vent.

Grillades de porc

Et autres tranches d'échine, côtelettes, morceaux dits « grillades », jambon frais, spare-ribs.

Le gril et surtout le barbecue des beaux jours, bourreau des viandes quand il est mal disposé et contrôlé, éliminent l'excès de gras. Parfois un peu trop… On ira vers les accords simples « rustiques », avec des rouges assez typés pour affronter aimablement le goût de grillé et décaper le palais sans perdre leur identité. De bons rosés font l'affaire. Le fréquent accompagnement de haricots verts (un rien aillés,

Frédéric Mochel, l'un des meilleurs viticulteurs du Bas-Rhin, fait déguster ses vins à un chef venu en voisin à Traenheim : Michel Husser, qui a gardé sa tenue de cuisinier sous son blouson, mettra bientôt les derniers millésimes sur la superbe carte du *Cerf,* à Marlenheim.

 Georges Dubœuf est l'ambassadeur du beaujolais dans le monde entier. Les vins, portant les étiquettes de ce grand ami de Bocuse et des bons vignerons avec lesquels il travaille, sont bus à New York comme à Tokyo... et dans les meilleurs restaurants de France. Avec le porc, les charcuteries, la volaille, le gibier, les poissons : des mâcons au remarquable petit viognier de l'Ardèche, de Romanèche-Thorins aux terroirs d'Oc, le célèbre négociant offre l'embarras du choix, en privilégiant le Beaujolais, sa patrie.

demi-sec. Les rosés font un peu figure de passe-partout avec les currys, mais sont agréables, assez nerveux et d'un certain caractère.

ROUGE. Côtes-du-rhône-villages ▪ Gigondas ▪ Lirac ▪ Vacqueyras ▪ Côtes-du-ventoux.

ROSÉ. Tavel ▪ Lirac ▪ Côtes-du-roussillon.

BLANC. Château-chalon ▪ Arbois ▪ Condrieu jeune ▪ Muscat d'Alsace (sec, choisi alerte) ▪ Tokay pinot gris avec un peu de sucre résiduel ▪ Gewurztraminer ▪ Jurançon ▪ Savennières ▪ Anjou ▪ Coteaux-du-layon demi-sec ▪ Peut-être un pacherenc-du-vic-bilh.

souvent) appelle un blanc assez ferme, en mésentente avec la plupart des rouges quand il est délicieusement frais et juste cuit.

 ROUGE. Beaujolais-villages ▪ Mâcon gamay ▪ Touraine gamay ▪ Anjou-villages ▪ Bourgogne Irancy ▪ Alsace pinot noir ▪ Sancerre ▪ Vacqueyras ▪ Coteaux-du-languedoc ▪ Collioure.

BLANC. Voir notices précédentes ▪ Sancerre ▪ Graves ▪ Entre-deux-mers.

ROSÉ. Voir notices précédentes.

Travers de porc grillés

BLANC. ROSÉ. ROUGE. Voir notice précédente.

Travers de porc à l'aigre-doux, sauce diable, laqué

La plupart des blancs, et dans une moindre mesure, des rouges énumérés dans les notices précédentes conviennent. Mais la gamme des vins s'élargit, notamment vers les côtes-du-rhône, en rouge, et vers les blancs mi-secs prêts à jouer avec le sucré-salé et l'aigre-doux.

ROUGE. Voir notices précédentes ▪ Gigondas ▪ Costières-de-nîmes ▪ Faugères.

BLANC. Anjou ▪ Vouvray, montlouis, demi-sec ▪ Tokay pinot gris ▪ Gewurztraminer équilibré, pas trop fruité ▪ Riesling jeune.

Curry d'échine de porc

« Le porc, comme le poulet et l'agneau, se marie fort bien au curry indien », écrit Christian Parra dans *Mon cochon de la tête aux pieds,* avant de conseiller un morceau d'échine bien entrelardé. Le curry, complexe mélange d'épices, peut être plus ou moins fort. Il appelle des rouges sans agressivité tannique, relativement suaves, et des blancs allant du sec tendre au

Petit salé aux lentilles

L'expression « petit salé » désigne sans manières tout morceau de porc passé par le salage. Choisissons travers, jambonneau, échine et poitrine, réclamons des lentilles vertes du Puy ! Vite préparé, servi à la bonne franquette, le plat est simple, succulent : la viande ainsi traitée (celle qui fait aussi le bonheur des potées) affirme fortement sa saveur. Blancs simples et rosés nets font l'affaire. Les rouges aussi… Encore mieux quand ils sont issus du gamay, à condition que leur fruité de jeunesse n'explose pas exagérément (on fera une exception au temps des beaujolais primeurs, mais la bouteille proviendra de chez un viticulteur rigoureux, inclinant presque vers l'austérité).

 ROUGE. Beaujolais ▪ Beaujolais-villages ▪ Côtes-de-brouilly ▪ Brouilly ▪ Coteaux-du-lyonnais ▪ Côte-roannaise ▪ Saint-pourçain ▪ Côtes-d'auvergne ▪ Côtes-du-forez ▪ Sancerre ▪ Alsace pinot noir ▪ Touraine gamay ▪ Bourgueil ▪ Chinon.

BLANC. Ne laisse pas une forte impression, mais désaltère ▪ Mâcon-villages ▪ Saint-véran ▪ Sylvaner ▪ Alsace pinot blanc.

ROSÉ. Sancerre ▪ Reuilly ▪ Saint-pourçain ▪ Côtes-du-vivarais ▪ Irouléguy.

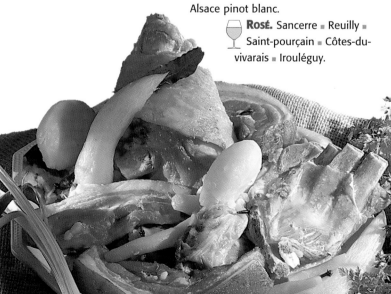

L'AMBASSADEUR DE L'AUVERGNE À PARIS

Francis Panek est le plus parisien des (presque) Auvergnats. Il ne fut peut-être pas baptisé à la Volvic, ni oint en son jeune âge au châteaugay, mais il sait tout des vins d'Auvergne et de sa périphérie, l'Allier, l'Aveyron. Et pour cause : il régit, notamment, la cave de la conviviale *Ambassade d'Auvergne*, modèle de régionalisme presque contigu au centre Pompidou. Ayant visité tous les chais, toutes les bonnes caves du Massif central, il hésite au moment de suggérer un vin pour la potée.

Il ferait bien un sort au châteaugay de l'exemplaire Pierre Lapouge, mais il l'a déjà tellement conseillé, notamment avec l'aligot ! Un entraigues rouge, peut-être moins élégant, ne lui déplairait pas... Contraint de choisir, il opte finalement pour un VDQS côtes-d'auvergne, vendangé au sud du Puy-de-Dôme : « Il répond bien au porc, et sait affronter le chou, qui ne se laisse pas oublier... J'irais volontiers vers le côtes-d'auvergne-boudes de Jean-René Imbert, gamay-pinot bien fait, assez rond, qui tient le coup devant ce plat puissant. C'est un bon vin. Comme celui d'André Charmensat, lui aussi viticulteur à Boudes, où sont vendangées les vignes les plus méridionales des côtes-d'auvergne. »

■ **L'AMBASSADE D'AUVERGNE.** 22, RUE DU GRENIER-SAINT-LAZARE, PARIS 3e.

Potées auvergnate, bourguignonne, champenoise, lorraine

Il existe autant de potées que de provinces, en très grande majorité à base de porc (il en est cependant qui font un sort au gîte de bœuf, au confit d'oie, à l'épaule d'agneau). Celles concernées ici laissent la part belle au lard, fumé ou salé, au petit salé, à la palette de porc, au saucisson, pour la plupart au chou. Les navets, pommes de terre, carottes, poireaux et autres légumes viennent en renfort, selon la saison et les usages locaux, sans que cela influe beaucoup sur les rapports avec le vin. La présence quasi inévitable du chou – qui n'est pas traité en choucroute ! – ne pousse pas spécialement vers les blancs, auxquels font pourtant penser les potées agréablement nourrissantes et donnant convivialement soif. Les rouges du petit salé sont tous à leur place, ainsi que leurs proches du centre de la France. On peut aussi déboucher un petit bourgogne.

 ROUGE. Tous les vins cités dans la notice *Petit salé aux lentilles* ■ Côtes-d'auvergne-boudes, châteaugay, chanturgue, madargue ■ Côtes-du-forez ■ Châteaumeillant ■ Coteaux-champenois ■ Bourgogne irancy ■ Épineuil ■ Reuilly ■ Coteaux-du-giennois.

BLANC. Si le chou ne se manifeste pas trop... Sancerre ■ Reuilly ■ Alsace pinot blanc ■ Bourgogne aligoté.

ROSÉ. Sans s'imposer, peut faire plaisir. Les mêmes que pour le petit salé.

UNE BONNE BOUTEILLE. Côtes-d'auvergne-boudes : Collection Prestige, Domaine Sauvat ; Domaine Jean-René Imbeau ; Domaine André Charmensat ■ Côtes-d'auvergne-châteaugay : Domaine Lapouge ■

Côtes-d'auvergne : Jean-Pierre et Marc Pradier ; Jean-Michel Deat ■ Reuilly (rouge, rosé, blanc) : Domaine Gérard Bigonneau ■ Bourgogne irancy : Anita et Jean-Pierre Colinot.

Chou farci

Voir p. 101.

Tomates farcies

Prête à bien des mariages, flirtant volontiers avec les condiments affirmés, une belle tomate mûre et ferme s'offre toujours à accueillir en son sein chair à saucisse et oignon. Moelleux et parfumé, ce régal simple s'arrange de bien des vins, mais trouve surtout son bonheur avec les côtes-du-rhône.

 ROUGE. Côtes-du-rhône ■ Côtes-du-rhône-villages ■ Vacqueyras ■ Gigondas ■ Côtes-du-ventoux ■ Lirac ■ Côtes-du-roussillon-villages ■ Corbières ■ Faugères.

Jarret de porc au chou rouge

Un beau plat rustique et nourrissant, particulièrement appétissant lorsqu'il est réalisé selon les prescriptions de Robert et Michel Husser, les « deux étoiles » de Marlenheim dont le *Larousse gastronomique* pérennise la recette. Consulté lors de la rédaction de cette notice, Husser junior conseillait soit un pinot noir fruité, plutôt jeune, un peu vif, soit le vorlauf de Mosbach, spécialité locale, ou encore un riesling assez minéral, voire un peu «pétrole» (ce n'est pas péjoratif !), capable de tenir devant cette préparation assez puissante.

 ROUGE. La meilleure couleur, mais que le tanin soit discret ! ■ Alsace pinot noir ■ Coteaux champenois ■ Bourgogne irancy ■ Bourgogne marsannay ■ Sancerre.

BLANC. Riesling, en priorité ■ Rully ■ Givry ■ Peut-être un savennières (qui sympathisera plus avec le porc qu'avec le chou).

Jambon sauce madère

Un bon jambon cuit à l'os, tendre et moelleux comme le jambon d'York, un bon madère... Quelle que soit la variante de la recette, le madère marquera le plat de sa douce puissance, mais sans excès. L'on regardera d'abord du côté de Bordeaux, en cherchant une certaine élégance, mais des cahors pas trop hauts en couleur, ronds, sont envisageables, ainsi que bien des côtes-du-rhône.

 ROUGE. Bordeaux supérieur bien choisi ▪ Haut-médoc ▪ Médoc ▪ Fronsac ▪ Canon-fronsac ▪ Côtes-de-blaye ▪ Côtes-de-bourg.

Jambon braisé aux épinards

Moins courant dans les familles que par le passé, mais toujours un classique des brasseries. L'idéal : du jambon frais salé (et bien dessalé à l'eau fraîche !), des épinards frais… Ces épinards font mauvais ménage avec le tanin et contrarient le vin rouge : on ira donc systématiquement vers les blancs. Ils pourront être agréablement neutres, à l'instar d'un correct alsace pinot blanc, ou plus expressifs, *a priori* dans la grande famille sauvignon.

 BLANC. Touraine sauvignon ▪ Sancerre ▪ Pouilly-fumé ▪ Quincy ▪ Reuilly ▪ Menetou-salon.

Rognons de porc à la moutarde

Cela peut être bon, mais le plat ne brille pas par sa finesse. Choisir un blanc, chardonnay ou sauvignon, d'une saine rusticité, assez expressif pour ne pas être totalement éclipsé par le plat.

 BLANC. Mâcon-villages ▪ Sancerre ▪ Reuilly ▪ Quincy.

Endives au jambon

Qu'elles soient poudrées en finale de gruyère râpé et passées au four, nappées de béchamel, recouvertes de sauce Mornay, ou agrémentées d'une sauce au madère, les endives font bon ménage avec le jambon de Paris. Et avec le vin blanc, gentiment fruité, pas trop expressif (le sauvignon pouvant cependant montrer sa personnalité, sans faire désordre). Un rouge léger, dépourvu d'astringence, est acceptable.

 BLANC. Alsace pinot blanc ▪ Bourgogne aligoté ▪ Pouilly-fuissé ▪ Mâcon-villages ▪ Saint-véran ▪ Sancerre.

 ROUGE. Alsace pinot noir ▪ Bourgogne irancy ▪ Beaujolais.

Andouillette « de Troyes »

Depuis un siècle environ « traditionnellement pur porc », meilleure quand elle vient de chez un bon faiseur de l'Aube ou d'ailleurs (Lemelle, Thierry,

AVEC L'ANDOUILLETTE DE TROYES ? CHAMPAGNE !

Fils de charcutier établi à Troyes, cité de vieille réputation charcutière où son affaire a pris une considérable extension, Dominique Lemelle livre dans toute la France des andouillettes dont se sont régalés plusieurs grands chefs et restaurateurs : Paul Bocuse, Marc Meneau, Marc Haeberlin, Émile Jung, René Lasserre, Claude Terrail, Jean Bardet, Robert et Michel Husser… entre autres. Présente dans les charcuteries de luxe comme au rayon traiteur des grandes surfaces, la « véritable andouillette de Troyes » qu'il cosigne avec son père, Gilbert (avec lui sur la photo), et son frère, Benoît, demeure parfaitement exemplaire, notamment dans sa version « labellisée » AAAAA par un jury de journalistes gastronomiques (ce sigle garantit généralement une extrême qualité).

Photo du haut : en blouse blanche, Dominique (à droite) et Gilbert Lemelle. À table, Michel et David Deroussis.

Face à une andouillette, très bonne grillée, excellente poêlée, le jeune patron passe sans se prendre la tête du vin blanc au rouge. En restant fidèle à l'Aube, dont les champagnes se sont tant améliorés, aux proches Riceys et à la Bourgogne voisine.

« En blanc, j'apprécie les chablis du Domaine Laroche, à des prix raisonnables. Mais je peux changer de couleur : pour l'andouillette AAAAA, je débouche volontiers un bon fleurie ou un saint-amour. Un rosé des Riceys va bien aussi.

« Un bon Aubois est bon Champenois. Quelques bulles de chez Drappier ? Essayez ! Cela rafraîchit et "décape" avec élégance, dans un jeu subtil avec le gras léger et les épices fines de l'andouillette. Avec une préparation crémée, certaines bouteilles de Pierre Gerbais iraient bien. Et il y a l'embarras du choix chez Veuve Devaux. »

Michel Deroussis et son fils David ont pris une place importante à Troyes, notamment avec plusieurs restaurants et un hôtel (on reparlera d'eux en 2001, avec l'inauguration – une première en France ! – d'un complexe « hôtelier et cinématographique » intégrant un Mercure, deux restaurants et huit ou dix salles). Lauréats 1998 de l'AAAAA pour l'andouillette servie au *Bistroquet*, le petit Lipp troyen, ils ne reculent pas davantage devant le champagne et apprécient les meilleures cuvées de Veuve Devaux, union de coopératives auboise. Vous vous méfiez des bulles ? Pas contrariant, David Deroussis rapporte de la cave de l'Hôtel de la Poste un petit-chablis de Jean-Pierre Ellevin et un coteaux-champenois de chez Benoît Tassin.

▪ **Le Bistroquet (Deroussis).** PLACE LANGEVIN, TROYES (AUBE).

Duval et autres maîtres), l'andouillette dite de Troyes peut être grillée au barbecue éventuellement, mais irradie mieux ses moelleuses saveurs à la sortie du four. Généralement accompagnée de frites – c'est lassant, mais bon –, suggérant aux amateurs bien d'autres accompagnements, elle se suffit à elle-même. Assez pour ne pas être sauvagement badigeonnée de moutarde, ingrédient particulièrement hostile au rouge, bien que certains

Puiseaux) ont essayé l'accord avec un cidre assez sec du pays d'Othe. Pas mal! En Alsace, Marc Haeberlin a joué « andouillette-bière » (préférer une ambrée, Schutzenberger ou Météor).

Boudin noir grillé ou poêlé

Aux pommes ou avec des frites? L'accompagnement influe quelque peu, mais on restera sur un vin assez charnu, pas trop puissant, se mêlant bien dans la bouche avec cette succulente préparation sang-et-gras (que l'on se gardera de trop assécher à la cuisson). Il existe autant de boudins que de régions ou presque, certains très particuliers, tels le boudin antillais à la pâte fluide fortement pimentée, ou la formule du Béarn et du Bas-Adour, élaboration goûteuse que l'on conserve en boîte ou en bocal, sans l'habiller d'un boyau. Selon le tempérament du charcutier et la recette régionale, choisir un vin ayant un certain corps, capable, *a priori*, de tenir tête à un assaisonnement marqué. Les vins généreux du Sud-Ouest issus du tannat et certains bordeaux (éventuellement d'une certaine aristocratie, si le boudin et l'accompagnement le méritent) sont candidats à la rencontre. Mais les enfants de la syrah ont droit de table, largement à égalité, et le gamay est accueilli en ami, s'il ne livre pas trop les arômes de sa jeunesse.

Bourguignons fassent semblant de le croire presque copain avec un beaune ou un santenay… Les rouges habituellement amis du porc conviennent tous. De nombreux blancs font parfaitement l'affaire et répondent mieux quand l'andouillette est nappée d'une sauce à la crème.

 ROUGE. Bourgogne irancy ▪ Mâcon gamay ▪ Beaujolais ▪ Beaujolais-villages ▪ Fleurie ▪ Saint-amour ▪ Côtes-de-toul ▪ Côtes-d'auvergne ▪ Coteaux-du-giennois ▪ Touraine gamay ▪ Anjou-villages.

BLANC. L'andouillette risque d'éclipser le vin… mais la rencontre avec un beau chablis fait des heureux (un petit-chablis si l'on ne veut pas prendre de risques) ▪ Bourgogne irancy ▪ Bourgogne aligoté ▪ Mâcon, mâcon-villages ▪ Pouilly-fuissé ▪ Saint-véran ▪ Alsace pinot blanc ▪ Saint-joseph ▪ Savennières ▪ Jasnières pas trop brutal ▪ Un vouvray sec s'entretient courtoisement avec une andouillette généreusement crémée.

ROSÉ. Rosé des Riceys (mais c'est payer le régionalisme un peu cher) ▪ Marsannay ▪ Côtes-d'auvergne-corent.

 ET AUSSI… Gilbert et Dominique Lemelle, as de l'andouillette labellisée AAAAA, dégustent volontiers leur produit avec un champagne assez jeune, allègre. Restaurateurs aubois experts en la matière, David Deroussis (Troyes) et Alain Grémaud (Eaux-

 ROUGE. Saint-émilion ▪ Pomerol ▪ Fronsac ▪ Côtes-de-castillon ▪ Côtes-de-bourg ▪ Madiran ▪ Côtes-de-saint-mont ▪ Béarn ▪ Irouléguy ▪ Côte-rôtie ▪ Cornas ▪ Saint-joseph ▪ Crozes-hermitage ▪ Beaujolais-villages.

 ROSÉ. S'il a de la puissance et de la personnalité ▪ Côtes-du-rhône-villages séguret ▪ Tavel ▪ Lirac ▪ Bandol ▪ Irouléguy.

 BLANC. Des expériences à tenter… On peut oser un vouvray ou un montlouis secs, mais le vin risque de ne pas être apprécié à sa juste valeur. Ou essayer un tokay pinot gris, voire un gewurztraminer rigoureux, cela avec un boudin très épicé.

 UNE BONNE BOUTEILLE. Madiran : Château Bouscassé d'Alain Brumont (conseillé en version Vieilles Vignes par Christian Parra, chef « deux étoiles » d'Urt, virtuose du boudin) ▪ Saint-joseph : Bernard Gripa ▪ Saint-joseph et crozes-hermitage : Cave de Tain-l'Hermitage.

Boudin blanc

Gagnant à être relevé, généralement d'herbes, plus richement de truffes, le boudin blanc fait figure de plat de fête et est une vedette des réjouissances de fin d'année. Très différent du boudin noir, puisqu'il est en principe fait de viande blanche, de lait

Souples, parfois vifs, à boire jeunes, les aligotés ont parfois été surnommés « les muscadets de la Bourgogne ». Compagnons sans façon des fruits de mer, de la truite et du brochet, ils peuvent escorter quelques préparations à base de porc, voire une belle andouillette (les choisir concentrés, ce qu'il faut acides et gras).

et d'œufs, il n'a, lui, que faire du tannat et de la syrah ! Il est promis au vin blanc, vif dans la souplesse, sec tendre, frôlant éventuellement les lisières du moelleux (vive le chenin !), voire au champagne du réveillon.

🍷 **BLANC.** Anjou ▪ Savennières ▪ Vouvray et montlouis secs ▪ Sancerre, pouilly-fumé, menetou-salon et apparentés, choisis délicats, sans explosion du sauvignon ▪ Tokay pinot gris ▪ Jurançon.

🍷 **ROUGE.** Ce n'est pas la bonne couleur. Mais un côte-de-beaune, et même un cru de beaujolais ayant supporté quelques années de cave ne feraient pas scandale.

🍷 **ET AUSSI…** Un champagne plutôt jeune, mais ayant du corps.

Pieds de porc en gelée

Un régal avec de bonnes pommes de terre cuites dans leur peau, coupées en grosses rondelles. Et une vinaigrette bien relevée à la ciboulette, voire remontée d'une pointe d'ail… qui n'arrange pas le vin ! Inutile de faire le tour de sa cave en se creusant la tête. Un gentil rosé servi bien frais fera l'affaire : il pourra donner du plaisir, mais ne gagnera rien à la rencontre. Un blanc simple irait aussi.

🍷 **ROSÉ.** Arbois ▪ Tavel ▪ Lirac ▪ Côtes-de-provence ▪ Minervois ▪ Vin de Corse.

🍷 **BLANC.** Bourgogne aligoté ▪ Touraine sauvignon ▪ Viognier de l'Ardèche ▪ Edelzwicker ▪ Alsace pinot blanc.

Pieds de porc à la Sainte-Menehould

Habituellement vendus salés, précuits et panés, les pieds de porc servis chauds sont habituellement grillés. Parfois relevés d'un peu de moutarde, sans plus, ils ont souvent droit à la sauce Sainte-Menehould, qui fait appel à la moutarde, à l'oi-

gnon, au vinaigre et aux fines herbes (sauce que l'on peut aussi associer aux oreilles de porc). Plutôt un rouge léger.

🍷 **ROUGE.** Chinon ▪ Bourgueil ▪ Sancerre ▪ Coteaux-champenois ▪ Côtes-de-toul ▪ Alsace pinot noir ▪ Beaujolais ▪ Beaujolais-villages ▪ Fleurie ▪ Morgon.

Jarret de porc à la choucroute

Voir *Choucroute garnie,* p. 100.

De nombreuses charcuteries sont évoquées à la fin du chapitre *Entrées.*

Verre en main…

AVEC CHRISTIAN PARRA

À deux pas d'un mini-port sur l'Adour, à la lisière du Pays basque et face à la Chalosse, la délicieuse *Auberge de la Galupe* a droit aux deux macarons du *Guide Michelin*. Christian Parra, maître de maison chaleureux et chef d'envergure, est aussi récompensé par les embrassades de ses pairs et les félicitations de Michel Guérard, tous emballés par ses plats malicieusement rustiques. Par son boudin notamment, merveille maintenant imitée dont Joël Robuchon se régala. Le cuisinier doublement étoilé est un virtuose du porc, qu'il a décrit dans tous ses états, faisant de lui la vedette d'un livre savoureux et sérieux publié chez Payot et intitulé *Mon cochon de la tête aux pieds*.

Citant au passage Jules Renard («Quel animal admirable que le cochon. Il ne lui manque que de savoir lui-même faire son boudin.»), Parra ouvre son recueil de recettes avec le boudin noir, ce boudin de la *Galupe* entré dans l'histoire gastronomique, inlassablement réclamé par les familiers du restaurant à la suite de Guérard. Un boudin assez particulier — beaucoup d'oignons et de poireaux, de l'ail

haché – dans lequel chantent les piments d'Espelette, bourg basque proche d'Urt à vol de palombe.

« Pour ce boudin, nous confie-t-il, je déboucherais volontiers un madiran tel que le Château Bouscassé d'Alain Brumont. Plutôt une cuvée Vieilles Vignes. »

Pour un boudin plus classique, au barbecue, au gril ou simplement poêlé, servi avec une marmelade de pommes en l'air ?

« Le madiran Château d'Aydie, de Laplace, ou le Chapelle l'Enclos de Ducournau. »

Deux vins qui répondent présents avec un égal bonheur quand une bonne purée de pommes de terre sert d'accompagnement…

Changeons de paysage gustatif avec le boudin blanc que Parra sert rituellement à Noël, « bien que cela ne soit pas une spécialité basque ».

Prié de rester dans les vignes du Sud-Ouest, il pense d'abord à l'ami et presque voisin Guérard, également viticulteur, dont il privilégie le tursan blanc Château de Bachen. Et cite, *ex æquo,* le jurançon cuvée Thibault du Domaine Bellegarde.

Dans un tout autre registre, voici le jambon braisé aux épinards, plat de brasserie délicieux… quand les épinards sont frais :

« Un collioure rouge de chez Parcé ou un coteaux-du-languedoc Château Puech-Haut. »

Zappons sur les joues de porc braisées aux carottes, chef-d'œuvre de moelleux :

« Le madiran Château Montus de Brumont ou un corbières telle la cuvée Simone Descamps du Château de Lastours. »

Passant aux pieds de cochon, Parra donne prioritairement ce bon conseil pas ruineux :

« Sur les marchés, certains bistrots servent du pied de cochon dès 10 heures le matin avec une petite chopine de rouge. Ne manquez pas ce plaisir. »

Près du large Adour que remontent la marée et les pibales, il débouche un irouléguy rouge de Brana ou du Domaine Arretxea avec un pied pané.

«Tiens, et si je faisais une côte

de porc ? » Pour terminer sur une préparation souvent faite à la maison, voici les côtes charcutières, à accompagner d'une bonne purée. Pour ce plat plus banal, Christian Parra remonte vers le Médoc :

« La Demoiselle de Sociando-Mallet ou un saint-estèphe Château Tour de Marbuzet. »

Reste à rêver des rôtis… Puis de ce cousin du porc qu'est le sanglier, autre ami de Parra. Mais cela entraînerait à un autre chapitre !

■ AUBERGE DE LA GALUPE.

PORT DE L'ADOUR. URT (PYRÉNÉES-ATLANTIQUES).

VOLAILLE

*Le chapitre «basse-cour» entraîne dans la plupart des AOC, souvent du côté des rouges
au fruité pas trop marqué, à l'occasion vers des vins plus puissants,
voire d'une certaine corpulence (pour le canard et l'oie, quelque robustesse tannique
étant même de mise pour le confit). En ce qui concerne les poulet, poule, coq
et chapon – le même volatile tout un univers ! –, l'on va le plus souvent vers des rouges légers
ou gentiment corsés. Les blancs prennent la vedette en plusieurs occasions,
notamment avec les préparations crémées et les currys. Les rosés, eux, sont bons camarades
de la volaille simplement rôtie ou grillée. Mais la dinde
des jours de fête fait, elle, revenir vers des rouges d'un certain caractère,
coulants et souples.*

Poulet simplement rôti

De Loué, de Challans, des Landes, d'Alsace ou d'ailleurs (de Bresse, par exemple), le poulet à chair blanche ou jaunâtre se révèle, ainsi préparé, tel qu'il est réellement. Mieux vaut alors ne pas parler des volatiles d'élevage industriel! Un rouge aimable, gentiment fruité mais pas trop, servi frais, lui tient compagnie sans façons. On peut également déboucher une bouteille de rosé, s'il a du corps, ou se désaltérer avec un blanc pas trop acide, plutôt tendre, qui fera par la suite merveille avec le reste du poulet servi froid.

ROUGE. Anjou-villages ▪ Saumur-champigny ▪ Chinon ▪ Bourgueil ▪ Saint-nicolas-de-bourgueil ▪ Touraine gamay ▪ Sancerre ▪ Bourgogne (plutôt côte-de-beaune) ▪ Mercurey ▪ Rully ▪ Givry ▪ Alsace pinot noir ▪ Arbois ▪ Beaujolais-villages ▪ Brouilly ▪ Saint-amour ▪ Côtes-du-rhône-villages ▪ Cornas ▪ Saint-joseph.

ROSÉ. Arbois ▪ Marsannay ▪ Tavel ▪ Bandol ▪ Côtes-de-provence.

BLANC. Pas à conseiller systématiquement, mais un savennières, un meursault ou un tokay pinot gris peuvent apporter beaucoup. Plus neutres : anjou sec, alsace pinot blanc, bordeaux d'élégante simplicité.

Poulet à la broche ou grillé

À peu près les mêmes vins que pour le poulet rôti, en favorisant les rosés et en forçant encore moins sur le blanc. Le poulet grillé en crapaudine (fendu, aplati, pané), en principe de petit format, partage le même

Poulet à la crème

Choisir un beau poulet, à défaut de poularde (voir notice, plus loin)… Se méfier de la brutalité des vins jeunes, des astringences.

 ROUGE. Anjou-villages ▪ Bourgueil ▪ Saint-nicolas-de-bourgueil ▪ Chinon ▪ Beaujolais-villages ▪ Moulin-à-vent ▪ Juliénas ▪ Pauillac évolué envisageable si la volaille est belle et ne nage pas dans la crème.

 ROSÉ. À la rigueur, mais pas emballant… Corbières ▪ Sancerre.

BLANC. Bordeaux ▪ Graves ▪ Tokay pinot gris ▪ Anjou ▪ Savennières ▪ Vouvray et montlouis relativement secs ▪ Bel accord avec le meursault quand le poulet est de grande qualité ▪ *Idem* avec le montrachet… quand le poulet est exceptionnel ▪ Vin jaune ▪ Jurançon pas trop sec.

UNE BONNE BOUTEILLE. Moulin-à-vent : Château des Jacques ▪ Jurançon sec : Cuvée Marie du Clos Uroulat.

Poulet au citron

Le citron dans le jus duquel a macéré le poulet se sent dans la chair et réapparaît dans la sauce, adouci par la cuisson et un petit apport de crème fraîche épaisse. L'on ira plutôt vers un blanc pas trop acide ou un rosé, lui, de fraîche acidité.

 BLANC. Anjou ▪ Montlouis sec ▪ Sancerre ▪ Jurançon sec ▪ Un gewurztraminer net, raisonnablement fruité et sans trop de sucre résiduel, répondrait subtilement à la saveur citronnée.

ROSÉ. Bordeaux clairet ▪ Bergerac ▪ Irouléguy ▪ Sancerre ▪ Menetou-salon ▪ Reuilly.

Poulet sauté chasseur

Le rendez-vous, dans une cocotte, d'un beau poulet et de champignons émincés, de vin blanc, d'une sauce tomate bien réduite et d'un doigt de marc… Blanc pas exclu, mais le rouge l'emporte auprès de la majorité des convives.

 ROUGE. Anjou-villages ▪ Saumur-champigny ▪ Bourgueil ▪ Chinon ▪ Côtes-du-rhône-villages ▪ Crozes-hermitage ▪ Gigondas ▪ Faugères ▪ Collioure ▪ Côtes-du-roussillon-villages ▪ Minervois.

 BLANC. Mâcon blanc ▪ Petit-chablis.

 UNE BONNE BOUTEILLE. Médoc : Château Les Ormes Sorbet ; Château Noaillac ▪ Crozes-hermitage : Domaine Alain Graillot.

---

sort, mais il faut tenir compte du beurre maître d'hôtel ou de la sauce diable pouvant l'accompagner.

 ROUGE. Anjou-villages ▪ Saumur-champigny ▪ Chinon ▪ Bourgueil ▪ Saint-nicolas-de-bourgueil ▪ Touraine gamay ▪ Sancerre ▪ Bourgogne (plutôt côte-de-beaune) ▪ Mercurey ▪ Rully ▪ Givry ▪ Alsace pinot noir ▪ Arbois ▪ Beaujolais-villages ▪ Brouilly ▪ Saint-amour ▪ Côtes-du-rhône-villages ▪ Cornas ▪ Saint-joseph ▪ Saint-pourçain.

 ROSÉ. Arbois ▪ Marsannay ▪ Tavel ▪ Bandol ▪ Côtes-de-provence ▪ Pinot noir style Vorlauf (Mosbach) ▪ Patrimonio ▪ Vin de Corse-Calvi.

Poulet froid

L'un des mets les plus demandés lors des repas sur le pouce ! Rouge frais, léger, gentiment fruité ou rosé aimable et assez structuré ? Inutile de s'interroger si l'on abuse de la mayonnaise en accompagnement !

 ROUGE. Anjou ▪ Saumur-champigny ▪ Touraine ▪ Sancerre ▪ Alsace pinot noir ▪ Beaujolais.

ROSÉ. Côtes-de-provence ▪ Tavel ▪ Bergerac ▪ Côtes-de-duras ▪ Bordeaux clairet ▪ Sancerre.

 POURQUOI PAS ? Grand sommelier responsable du luxueux *Laurent,* Philippe Bourguignon conseille un champagne d'expression assez simple, dans son bel album *L'Accord parfait* (pour un chic pique-nique ?) ▪ Un cidre non douceâtre.

Puissant, mais subtilement bouqueté, le vin jaune gagne en harmonie avec un indispensable vieillissement… Ce 89, qui vient d'une propriété par ailleurs connue pour ses mousseux, ne gagnera cependant pas à passer l'an 2000 s'il doit fraterniser avec une belle volaille à la sauce onctueusement crémée.

Poulet en barbouille

Toujours la cocotte… Le sang du poulet (et, parfois, du sang de porc), les champignons de couche, les lardons, les oignons, le vin rouge et l'ail sont de la partie. Les compagnons rouges du poulet chasseur ne sont pas déplacés : on se portera vers les plus corsés.

 ROUGE. Anjou-villages ▪ Saumur-champigny ▪ Bourgueil ▪ Chinon ▪ Côtes-du-rhône-villages ▪ Crozes-hermitage ▪ Gigondas ▪ Faugères ▪ Collioure ▪ Côtes-du-roussillon-villages ▪ Minervois ▪ Beau châteauneuf-du-pape envisageable, assez vieilli, quand le plat promet d'être délectable ▪ Lirac ▪ Vacqueyras ▪ Costières-de-nîmes ▪ Rioja.

Poulet sauté au vinaigre

Apprécié dans la région lyonnaise, le poulet doré à la sauteuse, puis cuit à feu modéré après avoir été arrosé de vinaigre de vin n'oblige pas à sortir de grandes bouteilles. Bien qu'une tombée de blanc soit la bienvenue dans la sauce toute simple, l'on ira plutôt vers le rouge… en espérant la vivacité du vinaigre modérée.

 ROUGE. Saumur-champigny ▪ Bourgueil ▪ Saint-nicolas-de-bourgueil ▪ Chinon ▪ Chiroubles ▪ Plus charnus, certains vins rhodaniens conviennent : crozes-hermitage, saint-joseph, par exemple.

 ROSÉ. Tavel généreux ▪ Bourgueil rosé ▪ Alsace pinot noir de qualité.

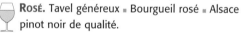 **POURQUOI PAS ?** Antoine Zochetto, sommelier au *Meurice,* conseille un xérès (pour un poulet au vinaigre de xérès).

Rouge, blanc ou rosé… Le vignoble d'Irouléguy répond toujours au poulet. Notamment « basquaise » !

Poulet basquaise

Le piment d'Espelette, dont la poudre remplace avantageusement le paprika, mêle son parfum et sa force modérée aux saveurs simples et allègres de la tomate, de l'oignon et du piment vert. Un bon irouléguy rosé rebondit comme une balle de pelote, en accord parfaitement régionaliste, mais le madiran… et beaucoup de rouges assez fermes fraternisent virilement avec ce plat. Le vin peut faire preuve d'une rudesse aimablement rustique, comme le sont souvent ceux issus du tannat, ce qui lui permet de tenir tête aux piments, mais l'on évitera de le choisir trop dur au palais et risquant d'écraser le poulet.

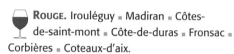 **ROUGE.** Irouléguy ▪ Madiran ▪ Côtes-de-saint-mont ▪ Côte-de-duras ▪ Fronsac ▪ Corbières ▪ Coteaux-d'aix.

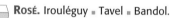 **ROSÉ.** Irouléguy ▪ Tavel ▪ Bandol.

UNE BONNE BOUTEILLE. Madiran : Château d'Aydie ▪ Irouléguy : Les Terrasses de l'Arradoy (Cave d'Irouléguy) ▪ Irouléguy rosé : Domaine Abotia ; Domaine Brana ; Domaine Arretxea.

Poulet marengo

Le sauté de poulet dont Bonaparte se serait régalé au soir de la victoire de Marengo… Le vin blanc, la tomate et l'ail fredonnent un petit air italien dans ce plat simple. Des rouges servis frais passent bien, mais on penchera davantage vers le blanc, à choisir gentiment fruité et d'acidité tranquille.

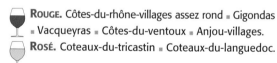 **ROUGE.** Côtes-du-rhône-villages assez rond ▪ Gigondas ▪ Vacqueyras ▪ Côtes-du-ventoux ▪ Anjou-villages.

 **ROSÉ.** Coteaux-du-tricastin ▪ Coteaux-du-languedoc.

BLANC. Côtes-de-provence ▪ Bandol ▪ Patrimonio ▪ Vin de Corse-Calvi ▪ Touraine (sauvignon) ▪ Sancerre ▪ Mâcon-villages ▪ Beaujolais blanc.

Croquettes de poulet

Ce petit apprêt frit est plutôt servi en hors-d'œuvre, quand il n'est pas grignoté comme plat-repas de « fast-food ». En palet, en boule ou en rectangle, souvent arrosé de quelques gouttes de citron, ou accompagné d'une sauce forte, ce mets pané mangé distraitement appelle un vin de soif, plutôt blanc.

BLANC. Bordeaux ▪ Graves ▪ Alsace pinot blanc ▪ Bourgogne aligoté ▪ L'ajout de certaines sauces épicées fait songer à un gewurztraminer frais.

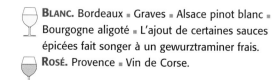 **ROSÉ.** Provence ▪ Vin de Corse.

Verre en main…

AVEC GEORGES BLANC

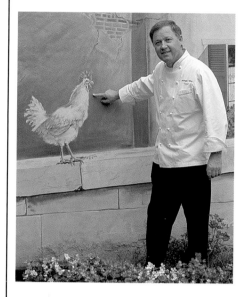

Georges Blanc, depuis longtemps au pavois des guides, a fait connaître le bourg fleuri de Vonnas dans le monde entier. Ce chef-restaurateur-hôtelier bressan, petit-fils d'aubergistes, fils d'une célèbre cuisinière, père de cuisiniers, cache plusieurs casquettes derrière la toque qu'il arbore peu : il est aussi viticulteur à Azenay, dans le Mâconnais, et préside aux destinées du CIVB, le Comité interprofessionnel de la volaille de Bresse. Il a notamment publié *Le Grand Livre de la volaille* (Robert Laffont), dans lequel il note :

« Une règle générale des accords des mets et des vins, édictée depuis fort longtemps, a toujours son importance. La voici :
– vins rouges légers avec les volailles à viande blanche ;
– vins rouges plus corsés avec les volailles à chair plus goûteuse ou à chair noire. »
Il est évident que la brièveté de cet énoncé n'a d'égal que son côté peu explicite. Comme toutes les règles, celle-ci a besoin d'être approfondie, voire contrée, car elle ne peut guère s'appliquer avec justesse, surtout dans ce domaine des volailles, où, avant de parler vin, il faut d'abord penser l'animal en fonction de son espèce, de son âge, de sa préparation. Ici, plus encore que dans n'importe quel autre volet culinaire, on peut avoir à accompagner la recette la plus noble ou le mets le plus simple… »
Admettant que maints vins rouges peu corsés conviennent au poulet rôti, au four, en cocotte, Georges Blanc préconise d'autres choix quand la garniture témoigne de quelque acidité (épinards ; utilisation du vinaigre, du citron) : un rosé sec, tel le tavel, par exemple, ou un blanc, également sec. Mais il nous confia récemment qu'il appréciait la rencontre d'un chiroubles ou d'un saumur-champigny avec son poulet au vinaigre. S'il boit volontiers un moulin-à-vent, un juliénas ou un monthélie pour accompagner son poulet à la crème « comme en Bresse », il préconise un blanc rond, légèrement moelleux, quand

la vedette de la préparation crémée est donnée au chapon ou à la poularde.
Pour la poule simplement cuisinée au pot : bourgueil ou chinon, brouilly, irouléguy ou pomerol. Quand elle est accompagnée de quelque sauce ivoire, dont la couleur dit la présence de crème, plutôt un chablis, un mâcon. Pourquoi pas l'un des blancs… de blancs du Domaine d'Azenay ?
Avec une volaille de Bresse en vessie, à l'apogée de la succulence quand elle est traitée par un chef de son niveau, il n'hésite pas à faire fort en prônant un volnay du Domaine de Montille ou signé Marquis d'Angerville.
Chauvin, c'est la moindre des choses, Georges Blanc n'imagine pas la dinde aux marrons de Noël sans l'étiquette Dinde de Bresse : « Pour cette volaille des fêtes, je pense volontiers à un côte-rôtie de chez Guigal. Un mariage ne manquant pas de noblesse ! »

■ **RESTAURANT GEORGES BLANC.** VONNAS (AIN).

 ROUGE. Un gentil petit vin issu tout ou partie de la syrah ■ Coteaux-du-tricastin ■ Côtes-du-luberon.

« Côtelettes de poulet » Pojarski

Vedettes sans prétention de la cuisine russe, ces côtelettes reconstituées portent le nom d'un aubergiste d'antan, dont la haute société adora les boulettes de bœuf, puis de veau (le nom de Pojarski, pour les puristes, reste surtout lié à un apprêt du veau). La préparation, de nos jours, est souvent faite avec du blanc de volaille. Finement haché, il est mélangé à de la crème fraîche, roulé en palet dans la chapelure et poêlé. Pas de grands vins, mais on évitera les rouges rustauds ou simplement trop tanniques pour ce plat simple que l'on préférera avec des blancs d'acidité légère, désaltérante.

BLANC. Pas liquoreux, bien sûr, mais un rien tendre. Pas trop de fruité ■ Savennières ■ Anjou ■ Montlouis bien sec ■ Tokay pinot gris.

ROSÉ. Pinot noir d'Alsace, pas ou peu boisé, style Vorlauf (Mosbach) ■ Côtes-de-provence.

ROUGE. *A priori*, le rouge de tout le repas… Anjou-villages ■ Bourgueil ■ Gamay de Touraine ■ Beaujolais sans excès de fruit ■ Petit bourgogne ■ Côtes-du-rhône, éventuellement primeur.

Curry de poulet

Ce condiment indien – marqué par le poivre, le cumin, la coriandre et le curcuma – frappe davantage les papilles que la saveur du poulet. Cela fait préférer certains blancs ou rechercher un rouge peu astringent pouvant affronter gentiment la note épicée, parfois forte et à l'occasion brûlante, notamment dans les

gingembre et autres condiments indiens et pakistanais), les salades d'accompagnement ont de fortes saveurs épicées. Les rosés passe-partout ont la vie dure, mais on leur préférera, de loin, les vins secs tendres du Val de Loire et certains alsaces marqués par le sucre résiduel, sans aller jusqu'aux « vendanges tardives ».

🍷 **BLANC.** Gewurztraminer au fruité modéré ▪ Tokay pinot gris ▪ Muscat d'Alsace (jeune, net et frais) ▪ Sancerre de très belle année ▪ Bonnezeaux ▪ Coteaux-de-l'aubance ▪ Coteaux-du-layon ▪ Quarts-de-chaume ▪ Savennières ▪ Condrieu.

🍷 **ROSÉ.** Chinon ▪ Bourgueil ▪ Marsannay ▪ Tavel ▪ Vin de Corse.

Waterzoï de poulet

Fréquemment préparé avec des poissons de la mer du Nord, le waterzoï est aussi un accommodement du poulet. La crème fraîche épaisse fait sentir son onctueuse présence et l'on a souvent envie de renforcer l'assaisonnement.

🍷 **BLANC.** Meursault ▪ Savennières ▪ Vin jaune.

⭐ **POURQUOI PAS ?** Une bière ambrée.

Poularde à la crème

Mêmes vins que pour le poulet à la crème… un cran au-dessus ! Ou très supérieurs, s'il s'agit d'une belle volaille de Bresse onctueusement accommodée d'une crème fine à la présence bien étudiée. Attention aux mésalliances, voire aux heurts désagréables avec les rouges tanniques ou trop puissants.

🍷 **ROUGE.** Bourgueil ▪ Saint-nicolas-de-bourgueil ▪ Chinon ▪ Santenay ▪ Monthélie ▪ Moulin-à-vent ▪ Pauillac assez âgé.

🍷 **ROSÉ.** Bordeaux ▪ Graves ▪ Tokay pinot gris ▪ Anjou ▪ Savennières ▪ Vouvray et montlouis relativement secs ▪ Meursault ▪ Dans un registre « moelleux », penser loupiac, cérons, jurançon, au risque de contrarier certains convives.

⭐ **UNE BONNE BOUTEILLE.** Moulin-à-vent (de belle année) : Georges Dubœuf ▪ Savennières : Domaine des Baumard.

Poulette ou poularde en vessie

Pour rêver de l'illustre Fernand Point, de la grande tradition d'hier… Savant chef-d'œuvre de simplicité, ce plat célèbre est servi chez Chapel, chez Bocuse, et ne sera jamais de ceux que l'on rencontre souvent au coin de sa table. Un bourgogne souple, même léger,

restaurants thaïlandais. On s'intéressera aux vins issus du chenin, dans le Val de Loire, et du gewurztraminer, en Alsace (éviter l'excès de sucre résiduel, sans craindre une certaine « tendreté moelleuse »).

🍷 **BLANC.** Plutôt des demi-secs, sans trop d'acidité, servis bien frais ▪ Anjous secs ▪ Coteaux-du-layon et coteaux-de-l'aubance d'année moyenne, pas trop riches en sucre ▪ Alsace tokay pinot gris ▪ Gewurztraminer ▪ Condrieu.

🍷 **ROSÉ.** À choisir assez vif et à servir bien frais ▪ Tavel ▪ Lirac ▪ Bandol ▪ Palette ▪ Côtes-de-provence ▪ Vin de Corse.

🍷 **ROUGE.** Anjou-villages ▪ Côtes-du-rhône-villages ▪ Gigondas ▪ Lirac ▪ Vacqueyras ▪ Coteaux-du-tricastin ▪ Côtes-du-ventoux.

Poulet tandoori

Devant son nom à un four spécial en terre cuite (le *tandoor*), cet apprêt du poulet chante de toutes ses épices, avec des notes très pimentées. La chair est tendre, mais croustillante en surface (les morceaux sont enduits de yaourt parfumé par curcuma,

racé et de fine texture, lui fait la fête. Certain bordeaux, ronds, « plutôt merlot », ne demanderaient qu'à être conviés, mais ne font pas partie des compagnons traditionnels de cette spécialité plutôt lyonnaise.

 ROUGE. Beaune ■ Savigny-lès-beaune ■ Volnay ■ Santenay ■ Pomerol ou lalande-de-pomerol soyeux.

 BLANC. Meursault ■ Puligny-montrachet ■ Montrachet.

 POURQUOI PAS ? Un champagne racé vineux, de préférence marqué par le pinot noir.

Poularde demi-deuil

Coupée en fines lamelles, la truffe fait sentir sa présence, mais la qualité de la poularde demeure primordiale. Sortie du bouillon bien parfumé et débarrassée de la mousseline dans laquelle elle était serrée lors de la cuisson, elle s'entend avec les blancs racés non moelleux, auxquels va notre préférence, comme avec les bourgognes rouges sans sévérité, presque cajoleurs, ou avec les très bons beaujolais.

 ROUGE. Santenay ■ Saint-amour ■ Moulin-à-vent ■ Fleurie ■ Pessac-léognan et graves vieillis (quand la truffe s'exprime).

 BLANC. Savennières évolué, pas trop dominé par son acidité ■ Vouvray sec ■ Arbois ■ Meursault.

Poularde truffée cuite à la vapeur

Une belle poularde, quelques truffes découpées en fines lamelles, une longue cuisson dans une marmite hermétiquement close au-dessus d'un consommé s'épanouissant en vapeur aromatique. Rien d'excessivement compliqué, mais ce n'est certes pas un plat de tous les jours ! Le vin ne relèvera pas davantage du quotidien. Quelque beau bordeaux ayant fêté, au moins, son dixième anniversaire ? Un hermitage ou un vin proche, choisis pour leur élégance veloutée davantage que pour leur puissance ? Un blanc généreux, plutôt vallée du Rhône, ne nous déplaît pas quand la truffe s'affirme, mais nous ne l'avons jamais entendu conseiller.

 ROUGE. Pessac-léognan ■ Graves ■ Haut-médoc ■ Médoc ■ Hermitage et crozes-hermitage vieillis ■ Volnay.

 BLANC. Crozes-hermitage ■ Saint-péray.

Poule au pot

Le pot-au-feu que le bon roi Henri IV aurait souhaité offrir le dimanche aux laboureurs de son royaume… Ce plat de fête pour copains conviviaux

ne voulant pas casser leur tirelire se prête à variantes, mais les Béarnais oublient le jambon de Bayonne, mêlé à la farce. Un peu fade parfois – ce qui oblige à inviter moutarde, cornichons et gros sel en renfort –, la poule au pot appelle plutôt le blanc, mais les rouges au tanin léger sont bienvenus. Des bordeaux peuvent convenir, notamment dans le secteur Saint-Émilion/Pomerol, bien qu'une grande bouteille ne gagne pas à la rencontre (éviter les vins dont la rondeur serait doublée d'une trop belle puissance).

 BLANC. Rully ■ Mercurey ■ Pouilly-fuissé ■ Mâcon ■ Beaujolais blanc.

 ROUGE. Beaujolais-villages ■ Brouilly ■ Pour rester dans la tradition Sud-Ouest, si le plat est bien assaisonné : madiran… pas exagérément dense, béarn… pas trop généreux, irouléguy aimable, servi frais ■ Côtes-de-castillon ■ Côtes-de-bourg ■ Premières-côtes-de-blaye.

Coq au vin

Un coq de ferme, à l'ancienne, ou simplement un beau poulet musclé… et le vin d'un vignoble proche, si possible. Reste à conter l'histoire, qui a bien des variantes. Coq au chambertin ? Coq au juliénas ? au chanturgue ? au vin jaune ? au riesling ? Blanc ou rouge, meilleur sera le vin, meilleur sera le plat… ce qui ne signifie cependant pas que les grands et premiers crus de la côte-de-nuits passent souvent dans la sauce.

Dans le grand récipient de la marinade, puis dans la cocotte, un bon vin suffit. Sur la table, son grand

QUAI DE LA TOURNELLE, LE CHANT DU COQ

Bras droit de Claude Terrail à *La Tour d'Argent*, Alain Robert dirige la chaleureuse *Rôtisserie du Beaujolais*, à l'ombre du plus célèbre restaurant du monde. Il n'a qu'une rue à traverser pour passer des bureaux de la *Tour* au comptoir malicieusement authentique du confortable « bistrot ».

Il sert, bien entendu, des plats correspondant à l'enseigne. Avec les vins adéquats.

« Je ne peux que proposer, d'emblée, un beaujolais de qualité, tel le moulin-à-vent de Georges Duboeuf, que j'apprécie avec quelques années de bouteille. En bon Lyonnais, j'aime aussi regarder vers le couloir rhodanien, tapissé de si belles vignes… Je mets volontiers en avant le Château de Montmirail, gigondas floral, agréablement rocailleux, qui fait preuve d'une bonne tenue devant la savoureuse onctuosité de la sauce. »

Mais le coq n'est pas fatalement voué au rouge…

« Avec une préparation au vin jaune et des morilles ? Tout de suite un arbois signé Rolet. »

■ **LA RÔTISSERIE DU BEAUJOLAIS.**
19, QUAI DE LA TOURNELLE, PARIS 5e.

frère ou son cousin, de même couleur, plutôt de même région, choisi un cran au-dessus (meilleur terroir, meilleur viticulteur, meilleur millésime…). Une bouteille honorable dans le plat, deux bouteilles plus qu'honorables sur la table, voilà qui fait des heureux.

🍷 **ROUGE.** Plus lourd, plus léger, l'embarras du choix… Bourgueil ▪ Chinon ▪ Touraine (robuste) ▪ Bourgogne ▪ Irancy ▪ Beaune ▪ Volnay ▪ Pommard ▪ Santenay ▪ Ladoix ▪ Monthélie ▪ Nombreux côte-de-nuits, proches parents de préférence un peu vieillis du chambertin (gevrey-chambertin, morey-saint-denis, etc.) ▪ Beaujolais-villages ▪ Juliénas ▪ Moulin-à-vent ▪ Saint-pourçain ▪ Côtes-d'auvergne ▪ Saint-joseph ▪ Châteauneuf-du-pape ▪ Gigondas ▪ Bandol.

🍷 **BLANC.** Tenter d'assortir au mieux… ce qui est plus facile quand on connaît l'intitulé du plat, en se demandant, au passage, si l'on veut un vin désaltérant (dans ce cas, plutôt un enfant du chardonnay, bourguignon ou mâconnais). Belles rencontres avec le vin jaune, surtout lorsque les morilles font de la figuration intelligente dans la sauce, et avec le riesling, pas trop minéral ▪ Arbois ▪ Mâcon-villages ▪ Beaujolais.

🍷 **UNE BONNE BOUTEILLE.** L'embarras du choix, dans les rouges ▪ Sans risque : Juliénas : Château de Juliénas ▪ Gigondas : Domaine Raspail-Ay ▪ Pour le coq au riesling, un vin assez puissant : Léon Beyer ▪ Au vin jaune : Domaine Rolet.

Coq à la bière

La rencontre, en cocotte, d'un jeune coq et de 50 cl de bière blonde. Des lardons, des petits oignons, des champignons… La bière marque moins la préparation qu'un vin, et ne laisse pas toujours deviner sa présence. Elle appelle néanmoins une bière sur la table ! Mais un vin rouge pas trop accaparant, éventuellement un peu rustique, ne bousculerait pas le plat.

🍷 **POURQUOI PAS ?** Ambrée moelleuse, mais vive. Blonde un rien amère si l'on a soif. Brune assez puissante parfaitement envisageable si la sauce est bien relevée.

🍷 **ROUGE.** Pas à propos, mais la plupart des vins conseillés pour le coq au vin conviennent.

Danielle Guillot a fait d'un restaurant d'hôtel proche de Mérignac l'une des tables bordelaises recommandables. Elle propose les « Grands Vins Mercure », puisqu'elle fait partie de la chaîne (dont les sélections témoignent d'un bon rapport qualité/prix), mais aussi quelques-unes des meilleures bouteilles d'un mari viticulteur et négociant, Jean-Louis Guillot. Le Domaine de Bouteilley, en premières côtes, d'autres châteaux, un entre-deux-mers vif, des bordeaux supérieurs… Vins dont il faut savoir interroger la robe, même lors d'une dégustation estivale !

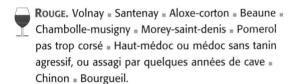

Chapon à la broche

Un régal, si la cuisson est bien conduite, à savoir si la volaille est régulièrement arrosée de sa graisse rendue… Avec un superbe chapon bressan à la chair délicate, nous conseillons, à l'instar de Georges Blanc, orfèvre en la matière, un bourgogne racé et fin. D'autres rouges sont envisageables, à qui il sera toujours demandé une certaine délicatesse. Un très beau médoc discret, par exemple, dont les tanins se seraient estompés.

🍷 **ROUGE.** Volnay ▪ Santenay ▪ Aloxe-corton ▪ Beaune ▪ Chambolle-musigny ▪ Morey-saint-denis ▪ Pomerol pas trop corsé ▪ Haut-médoc ou médoc sans tanin agressif, ou assagi par quelques années de cave ▪ Chinon ▪ Bourgueil.

🍷 **UNE BONNE BOUTEILLE.** Volnay : Domaine de la Pousse d'Or ▪ Santenay : Domaine Roger Belland ; Domaine Denis et Françoise Clair ▪ Premières côtes-de-bordeaux : Domaine de Bouteilley.

Chapon rôti

À peu près les mêmes prescriptions que pour le chapon à la broche.
L'univers de la côte-de-beaune sera exploré en priorité. Les blancs sont très envisageables, dans une toute autre conception de l'accord, mais doivent être charnus, d'acidité peu marquée.

🍷 **ROUGE.** Volnay ▪ Santenay ▪ Aloxe-corton ▪ Beaune ▪ Chambolle-musigny ▪ Morey-saint-denis ▪ Pomerol pas trop corsé ▪ Haut-médoc ou médoc sans tanin agressif, ou assagi par quelques années de cave ▪ Chinon ▪ Bourgueil.

🍷 **BLANC.** Meursault ▪ Puligny-montrachet ▪ Condrieu.

Canard ou caneton aux pêches

La suavité des pêches pousse à de doux accords avec des blancs peu acides. L'on ira de préférence vers les demi-secs, mais les moelleux affirmant une certaine acidité font merveille.

🍷 **BLANC.** Vouvray ▪ Montlouis ▪ Coteaux-de-l'aubance ▪ Bonnezeaux ▪

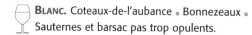

AVEC LES CANETONS DE LA TOUR

Claude Terrail avec Gérard Boyer (*Les Crayères*, Reims).

La sveltesse toujours sportive, Claude Terrail reçoit bien des vedettes, mais est la seule véritable vedette du restaurant dont les baies vitrées offrent le plus beau spectacle de Paris. Le grand seigneur de la restauration (photographié avec Gérard Boyer, chef-propriétaire d'une maison luxueusement hors normes, à Reims) a goûté des centaines de fois le célèbre caneton Tour d'Argent, création, il y a plus d'un siècle, d'un virtuose de la découpe.

Un grand plat, qui plaît aux rois, aux stars, aux personnalités du monde entier depuis des décennies, et qui reste actuel. Le canard, dont les cuisses grillées arrivent en deuxième service, est marqué par une sauce issue de la carcasse pressée, où se sent une touche de madère. Les clients, naguère, étaient « plutôt bordeaux », mais les accords, aujourd'hui, se font davantage avec les côte-de-nuits.

David Ridgway, sommelier veillant sur une cave impressionnante, aussi luxueuse que le restaurant, conseille volontiers un chambertin du domaine Armand Rousseau, coûteuse merveille lorsqu'on le choisit judicieusement vieux d'une bonne vingtaine d'années (et de grand millésime !).

Avec le caneton Mazarine à l'orange – les cuisses grillées sont également apportées en deuxième service –, il préconise le crozes-hermitage Château de Curson-domaine Étienne Pochon.

Avec le caneton Marco Polo où s'exprime le poivre vert, dont une touche de crème arrondit la vivacité, Claude Terrail et le sommelier privilégient un côte-de-beaune. Plus particulièrement, le volnay santenot du Domaine des comtes Lafon : le 1985 restait idéal à l'aube de l'an 2000.

■ **LA TOUR D'ARGENT.** 15-17, QUAI DE LA TOURNELLE, PARIS 5ᵉ.

Quarts-de-chaume ▪ Sauternes et barsacs pas trop opulents ▪ Loupiac ▪ Jurançon ▪ Dans un autre registre : saint-joseph et crozes-hermitage blancs.

Canard ou caneton aux olives

Les olives font rêver de la vallée du Rhône, de la Provence. On ne se trompera guère en choisissant un vin des pays du soleil (mais le Sud-Ouest fera acte de candidature si les olives ne s'expriment pas de façon trop explosive).

 ROUGE. Côtes-du-rhône-villages ▪ Gigondas ▪ Lirac ▪ Côtes-du-ventoux ▪ Palette ▪ Côtes-de-provence ▪ Madiran ▪ Côtes-de-saint-mont ▪ Côte-de-bourg.

Canard ou caneton aux cerises

La préparation traditionnelle s'avérant compliquée, bien des ménagères font un sort à un bocal de griottes au naturel plutôt que de pocher dans du vin les cerises de Montmorency, dont le nom est souvent attaché à la recette. Les blancs demi-secs se tiennent bien ; on peut tenter un bourgogne rouge fruité.

 ROUGE. Gevrey-chambertin ▪ Nuits-saint-georges.

BLANC. Coteaux-de-l'aubance ▪ Bonnezeaux ▪ Sauternes et barsac pas trop opulents.

Canard ou caneton braisé aux navets

Plutôt avec un bourgogne jeune, en bonne entente avec la note marquée des navets.

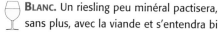 **ROUGE.** Côte-de-nuits ▪ Nuits-saint-georges ▪ Morey-saint-denis ▪ Vosne-romanée ▪ Côte-de-beaune ▪ Côtes-du-rhône ▪ Médoc et graves pas trop tanniques (mais pas trop vieux !) ▪ Côte-rôtie ▪ Saint-joseph ▪ Châteauneuf-du-pape ▪ Minervois.

BLANC. Un riesling peu minéral pactisera, sans plus, avec la viande et s'entendra bien avec les navets.

Canard ou caneton braisé aux petits pois

Surtout s'ils sont nouveaux, les petits pois (qui auront flirté avec des petits oignons pendant la cuisson) s'entendront avec de jeunes bourgognes friands et avec des rouges de Loire ; mais on pensera aussi à des blancs répondant à l'aspect printanier du plat.

 ROUGE. Bourgueil ▪ Saint-nicolas-de-bourgueil ▪ Chinon ▪ Côte-de-beaune ▪ Beaune ▪ Santenay ▪ Ladoix.

 BLANC. Pour l'accompagnement plus que pour le canard ! Côtes-de-provence ▪ Alsace pinot blanc ▪ Entre-deux-mers.

Canard à la rouennaise

Grande recette perpétuée par les grands restaurants, qui nécessite un canard étouffé, non saigné. Le sang resté dans la chair ou recueilli pour s'ajouter à la sauce donne une saveur particulière, appelant un beau vin fortement constitué.

ROUGE. Côte-rôtie ▪ Cornas ▪ Chambertin ▪ Vosne-romanée.

Canard à l'orange

L'orange est très présente, mais le plat, qui mérite un grand vin s'il est préparé avec tact, n'a rien de douceâtre. Éviter les rouges trop tanniques comme les blancs trop acides, ne rien attendre des rosés.

 ROUGE. Graves ▪ Pessac-léognan ▪ Cahors (vieilli) ▪ Crozes-hermitage ▪ Bandol ▪ Côte-de-nuits ▪ Gevrey-chambertin ▪ Nuits-saint-georges ▪ Côte-de-beaune ▪ Chinon.

 BLANC. Sauternes ▪ Barsac ▪ Sainte-croix-du-mont ▪ Loupiac ▪ Monbazillac ▪ Hermitage ▪ Arbois ▪ Vin jaune ▪ Coteaux-de-l'aubance ▪ Coteaux-du-layon ▪ Gewurztraminer pas trop marqué par le fruit.

 UNE BONNE BOUTEILLE. Nuits-saint-georges : Domaine Henri Gouges ▪ Crozes-hermitage : Domaine Étienne Pochon ▪ Pessac-léognan : Château La Louvière.

Canard sauce aux truffes

Plutôt un rouge répondant aux truffes avec une aimable puissance. Le cépage mourvèdre convient à merveille, seul ou très présent (dans les vignobles d'encépagement complexe), mais il faut choisir un vin évolué.

De toute façon, éviter les vins à la jeunesse agressive, quelle que soit l'AOC.

 ROUGE. Bandol, choisi racé ▪ Châteauneuf-du-pape ▪ Cahors (vieilli) ▪ Peut-être un très bon irouléguy ▪ Rioja.

 BLANC. Un hermitage flirterait avec la truffe et ne serait pas trop contrariant avec le canard.

 UNE BONNE BOUTEILLE. Bandol : Château de Pibarnon ▪ Cahors : Clos de Gamot.

Escalopes de foie gras de canard aux raisins

Il s'agit de délicat foie frais, juste cuit (rien à voir avec le foie gras en conserve), ce qui interdit l'opulence des grands sauternes, des chenins d'année très ensoleillée et des alsaces sélection de grains nobles. Les sommeliers des meilleurs restaurants proposent souvent des rouges, pour ne pas choquer la clientèle, bien que les accords parfaits soient rares. Éviter les bordeaux fortement tanniques et les vins nettement boisés ; chercher une généreuse rondeur.

Le millésime, que l'on avait dit très prometteur, s'avéra souvent décevant. La Mission Haut-Brion compta parmi les grands châteaux dont le 70 sut vieillir, sans pour cela garder la grande forme au-delà de la décennie 80-90.

 ROUGE. Médoc et haut-médoc vieux de cinq ou six ans au moins ▪ Graves, également vieillis ▪ Pomerol ▪ Cahors et madirans le plus soyeux possible.

 BLANC. Tokay pinot gris ▪ Condrieu ▪ Liquoreux issus du chenin, sans excès de sucre (vouvray, montlouis, coteaux-de-l'aubance et du layon, quarts-de-chaume) ▪ Sauternes et barsacs sont souvent proposés : là aussi, la richesse en sucre risque d'être dommageable ▪ Loupiac ▪ Jurançon.

 UNE BONNE BOUTEILLE. Tokay pinot gris : Zind-Humbrecht ▪ Médoc : Château Tour Haut-Caussan.

POURQUOI ? Champagne assez vineux (plutôt issu du pinot noir) ▪ Porto ou banyuls discrets.

Escalopes de foie gras de canard aux pommes

À peu près les mêmes vins que pour le foie aux raisins, mais les rouges, quoique très acceptables, sont moins conseillés.

 BLANC. Voir notice précédente : presque le même choix. S'intéresser aux anjous moelleux encore jeunes, équilibrant bien l'acide et le sucré (coteaux-du-layon et de l'aubance, bonnezeaux, quarts-de-chaume), ainsi qu'aux vouvrays et montlouis de proche caractère.

 ROUGE. Vins du Sud-Ouest assagis par l'âge. En Bourgogne, on peut penser à un santenay, à un ladoix, à un beaune, voire, si l'on se met en frais, à un beau volnay « encore sur le fruit rouge ».

Dodine de canard

Dans le Sud-Ouest, en Touraine et en Bourgogne, cette minutieuse et accaparante préparation de canard désossé fait plus ou moins partie des spécialités régionales (attention : elle diffère de la préparation de grande cuisine dite « canard à la dodine »). Servie froide, elle demande plutôt un (beau) vin blanc. Chaude, elle va avec bourgognes et côtes-du-rhône.

 BLANC. Meursault ▪ Montrachet ▪ Pouilly-fuissé.

 ROUGE. Côte-de-beaune ▪ Côte-de-nuits ▪ Côte-rôtie ▪ Châteauneuf-du-pape.

Canard laqué

Le soja flirte, dans la sauce, avec cinq-épices et miel liquide ; le gingembre ne cache guère sa présence, le

glutamate renforce les saveurs. Les vins à tendance liquoreuse sont les bienvenus, à condition que la présence du sucre ne soit pas écrasante et que l'acidité soit suffisante.

 BLANC. Tokay pinot gris ▪ Coteaux-de-l'aubance ▪ Bonnezeaux ▪ quart-de-chaumes ▪ Jurançon.

 ROUGE. Bandol ▪ Palette ▪ Patrimonio.

 ET AUSSI… Banyuls, maury et rivesaltes sont parfois proposés par les sommeliers de pointe (Didier Bureau et Alain Senderens préconisèrent les premiers la rencontre d'un vin doux naturel avec un canard épicé).

Caneton rôti à la broche

Cette cuisson étant réservée à la volaille très tendre, un bordeaux élégant peu tannique ou aux tanins fondus fera l'affaire, si l'on ne joue pas la Bourgogne. Les cahors et madirans s'assortiront mieux vieillis que débouchés dans leur abrupte jeunesse. On peut aussi songer à certains rouges du Val de Loire (*a priori*, pas de gamay).

 ROUGE. Médoc ▪ Haut-médoc ▪ Pomerol ▪ Graves ▪ Pessac-léognan ▪ Cahors ▪ Madiran ▪ Côte-de-nuits ▪ Côte-de-beaune ▪ Chinon ▪ Bourgueil.

Caneton ou canard simplement rôti au four

À peu près les mêmes vins qu'à la broche. On admettra, éventuellement, davantage d'astringence et l'on recherchera une certaine puissance, de la plénitude.

 ROUGE. Voir notice précédente ▪ Côte-de-nuits ▪ Marsannay ▪ Gevrey-chambertin ▪ Nuits-saint-georges ▪ Volnay ▪ Ladoix ▪ Santenay ▪ Monthélie ▪ Côtes-du-rhône-villages ▪ Châteauneuf-du-pape ▪ Lirac ▪ Faugères ▪ Coteaux-du-languedoc généreux.

 UNE BONNE BOUTEILLE. Gevrey-chambertin : Moillard ▪ Faugères : Gilbert Alquier-Les Bastides ; Maison jaune.

Magret de canard grillé

Autrefois réservé au confit, le magret de canard gras connaît une vogue exceptionnelle depuis une trentaine d'années. Servi saignant, il est délicieux poêlé à nu, peau retirée, ou simplement grillé, d'abord côté peau, sans aucune matière grasse. Mais on peut se régaler d'un magret au jus d'herbes et aux cèpes, d'un magret au beurre d'escargot, d'un magret à l'aigre-doux ou au poivre vert.

Cela suggère de larges choix, les rouges du Sud-Ouest restant en tête malgré la concurrence des vins de la vallée du Rhône et du Midi (éviter ici et là les vins trop adoucis par l'âge). Les blancs sont hors jeu, les rosés peu conseillés.

 ROUGE. Madiran ▪ Côtes-de-saint-mont ▪ Côtes-de-buzet ▪ Cahors ▪ Haut-médoc ▪ Médoc ▪ Saint-estèphe ▪ Montagne-saint-émilion ▪ Fronsac ▪ Cornas ▪ Saint-joseph ▪ Gigondas ▪ Châteauneuf-du-pape ▪ Lirac ▪ Bandol ▪ Corbières ▪ Collioure.

UNE BONNE BOUTEILLE. Cahors : Clos Triguedina-prince Probus ▪ Châteauneuf-du-pape : Domaine de La Janasse.

Magret de canard au poivre vert

André Daguin, qui fit beaucoup pour la promotion de la Gascogne, lança le magret au poivre vert, maintenant banal au restaurant. Trop présent – question de choix et de dosage –, le poivre contrarie les bordeaux, à leur place seulement quand le plat est équilibré (la

 ROUGE. Madiran ▪ Cahors ▪ Côtes-de-saint-mont ▪ Irouléguy ▪ Côtes-du-frontonnais ▪ Bergerac ▪ Côtes-de-bourg ▪ Premières-côtes-de-blaye ▪ Fronsac ▪ Pomerol ▪ Graves ▪ Médoc ▪ Côtes-du-rhône.

 ROSÉ. Recommandable avec le confit froid, s'il est bien structuré ▪ Irouléguy ▪ Marsannay ▪ Bandol.

 POURQUOI PAS ? Un champagne assez vineux.

 UNE BONNE BOUTEILLE. Madiran : Château Montus ▪ Cahors : Prestige Château du Cèdre.

Oie rôtie

L'oie, à qui cuisiniers et conserveurs réservent tant de succulentes destinées, est surtout cuisinée entière pendant les fêtes.

Elle mérite un beau vin ni trop tannique, ni trop atténué par l'âge.

 ROUGE. Haut-médoc ▪ Médoc ▪ Listrac ▪ Moulis ▪ Pomerol ▪ Graves ▪ Pessac-léognan ▪ Cahors ▪ Madiran ▪ Côte-de-nuits ▪ Gevrey-chambertin ▪ Nuits-saint-georges ▪ Morey-saint-denis ▪ Côte-de-beaune ▪ Côte-rôtie ▪ Corbières ▪ Chinons et bourgueils seront, eux, choisis relativement tanniques.

UNE BONNE BOUTEILLE. Haut-médoc : Château Comensac ▪ Listrac : Château Fourcas Hosten ▪ Moulis : Château Maucaillou ▪ Chinon : Château de la Grille.

touche de crème doit arrondir l'expression du poivre, qui gagne à être choisi parfumé, non «explosif»).

 ROUGE. Graves ▪ Haut-médoc ▪ Médoc ▪ Listrac ▪ Moulis ▪ Gigondas ▪ Anjou-villages ▪ Saint-joseph.

UNE BONNE BOUTEILLE. Cahors : Château Lagrezette ▪ Madiran : Domaine Labranche-Lafont.

Confit d'oie ou de canard

Provenant, comme le foie gras, des volailles engraissées, le confit doit sa succulence à une longue cuisson dans sa graisse, mais l'accompagnement s'impose souvent, qu'il s'agisse de pommes sautées à cru, genre sarladaises, ou de cèpes. Le sel se fait parfois trop sentir. Choisir des vins dits « virils », assez puissants pour occuper la bouche sans redouter la confrontation avec l'ail, mais ne pas espérer d'accords grandioses. Vins, notamment cahors et madirans, vieux d'au moins cinq ou six ans.

Oie farcie aux marrons

Savoureuse douceur, que peut rehausser un trait de raifort. Là aussi, boire rouge. Accords heureux avec les bordeaux dont les tanins prêts à se fondre sont encore marqués.

 ROUGE. Tous les vins convenant à l'oie rôtie ▪ Prêter attention aux côte-rôtie assez corsés.

 UNE BONNE BOUTEILLE. Haut-médoc : Château Sociando-Mallet ▪ Médoc : Château La Tour-de-By.

Oie à l'alsacienne

Farcie de chair à saucisse, l'oie rôtie est servie sur un beau lit de choucroute… L'on peut incliner pour un tokay pinot gris, alsace s'entendant avec le chou comme avec l'oie et la farce, voire pour un simple pinot blanc, mais il y a gros à parier que la majorité des convives soient tentés par un rouge.

 BLANC. Tokay pinot gris ▪ Pinot blanc assez ample ▪ Riesling pas trop « minéral ».

ROUGE. Pinot noir particulièrement charpenté ▪ Rouges cités dans les notices précédentes.

Cou d'oie farci

Froid ou chaud, un apprêt utilisé comme le confit. C'est solide, rustique : privilégier les rouges d'une certaine rondeur, le caractère plus que la finesse. Le tanin, cependant prié de ne pas être agressif, participe profitablement à la rencontre.

 ROUGE. Madiran ▪ Cahors ▪ Côtes-de-saint-mont ▪ Irouléguy ▪ Côtes-du-frontonnais ▪ Bergerac ▪ Côtes-de-bourg ▪ Premières-côtes-de-blaye ▪ Fronsac.

• DINDE, DINDONNEAU •

Dinde aux marrons ou aux châtaignes

Mêmes conseils pour la dinde ou le dindonneau aux marrons que pour l'oie ainsi préparée. Vin assez corsé, mais pas alcooleux ; tanins bien fondus.

 ROUGE. Haut-médoc ▪ Médoc ▪ Listrac ▪ Moulis ▪ Pomerol ▪ Graves ▪ Pessac-léognan ▪ Cahors ▪ Madiran ▪ Chambertin ▪ Nuits-saint-georges ▪ Morey-saint-denis ▪ Côte-de-nuits ▪ Côte-de-beaune ▪ Côte-rôtie ▪ Cornas ▪ Saint-joseph ▪ Corbières ▪ Chinon ▪ Bourgueil ▪ Sancerre.

 UNE BONNE BOUTEILLE. Côte-rôtie : Marcel Guigal ▪ Moulis : Château Chasse-Spleen.

Dinde farcie forestière

Farcie de foies de volaille, de jambon, de chapelure, d'un rien de truffes, de pignons (nombreuses variantes possibles), la dinde lentement cuite au four appelle des vins différents, selon préparation et accompagnement. La plupart de ceux qui sont issus du mourvèdre, notamment, conviennent.

 ROUGE. Corbières ▪ Minervois ▪ Faugères ▪ Bandol ▪ Cassis ▪ Côtes-de-provence ▪ Coteaux-d'aix ▪ Palette ▪ Côtes-du-rhône.

Escalope de dinde panée

Vite fait, vite cuit. Et risque de quelque sécheresse. Ne pas chercher de vins complexes ni vieillis. Préférer les blancs bien secs au fruité retenu.

 ROUGE. Sancerre ▪ Beaujolais-villages (préférés un rien austères) ▪ Alsace pinot noir ▪ Côtes-du-ventoux ▪ Anjou-villages ▪ Bourgueil ▪ Côtes-de-castillon.

BLANC. Alsace pinot blanc ▪ Coteaux-de-l'ardèche ▪ Côtes-de-saint-mont.

Blancs de dinde à la crème

Guère de mésalliances avec les blancs pas trop acides (liquoreux bien sûr exclus). Bon accord quasi garanti avec les vins secs ou secs tendres issus du chenin.

 BLANC. Meursault ▪ Mâcon ▪ Saint-véran ▪ Beaujolais blanc ▪ Viognier de l'Ardèche ▪ Savennières ▪ Anjou ▪ Vouvray et montlouis demi-secs ▪ Sancerre.

 POURQUOI PAS ? Cidre ▪ Poiré.

Escalope de dinde au curry

À peu près les mêmes vins que précédemment. Privilégier les secs tendres, côté chenin, mais penser aussi aux alsaces.

 BLANC. Meursault ▪ Mâcon ▪ Saint-véran ▪ Beaujolais blanc ▪ Viognier de l'Ardèche ▪ Savennières ▪ Anjou ▪ Vouvray et montlouis demi-secs ▪ Sancerre.

Savennières ▪ Coteaux-de-l'aubance ▪ Tokay pinot gris ▪ Gewurztraminer pas exagérément fruité.

🍷 **ROUGE.** Alsace pinot noir ▪ Saint-joseph ▪ Crozes-hermitage.

Rôti de dindonneau

Comme pour la dinde, en se mettant moins en frais.

🍷 **ROUGE.** Bordeaux génériques de qualité ▪ Haut-médoc ▪ Médoc ▪ Anjou-villages ▪ Beaujolais-villages ▪ Côtes-du-rhône léger.

🍷 **ROSÉ.** Pas l'idéal, mais un rosé assez costaud et d'aimable fruité passerait (tavel haut de gamme, bandol, bon irouléguy).

Pintadeau rôti

Grosso modo, on le traitera comme le poulet. S'écarter des vins trop charpentés.

🍷 **ROUGE.** Anjou-villages ▪ Saumur-champigny ▪ Chinon ▪ Bourgueil ▪ Saint-nicolas-de-bourgueil ▪ Touraine gamay ▪ Sancerre ▪ Bourgogne (plutôt côte-de-beaune) ▪ Mercurey ▪ Rully ▪ Givry ▪ Alsace pinot noir ▪ Arbois ▪ Beaujolais-villages ▪ Brouilly ▪ Saint-amour ▪ Côtes-du-rhône-villages ▪ Cornas ▪ Saint-joseph ▪ Bordeaux supérieur.

🍷 **ROSÉ.** Marsannay ▪ Alsace pinot noir.

⭐ **POURQUOI PAS ?** Cidre non douceâtre.

Pintadeau à la normande

Le parfum du calvados, la crème fraîche, un rien de folklore régionaliste : nous opterons pour un cidre nerveux. Mais le vin n'est pas interdit. Pour nous, un blanc net, pas exagérément fruité, pas forcément très sec.

🍷 **BLANC.** Anjou sec tendre ▪ Savennières ▪ Tokay pinot gris.

⭐ **POURQUOI PAS ?** Cidre bouché très envisageable. Le plus sec, le plus « brut » possible.

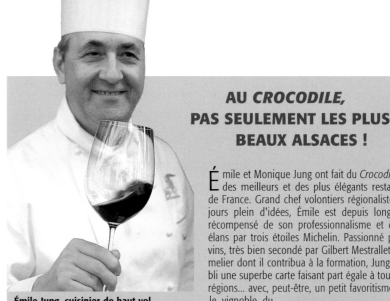

É mile et Monique Jung ont fait du *Crocodile* l'un des meilleurs et des plus élégants restaurants de France. Grand chef volontiers régionaliste, toujours plein d'idées, Émile est depuis longtemps récompensé de son professionnalisme et de ses élans par trois étoiles Michelin. Passionné par les vins, très bien secondé par Gilbert Mestrallet, sommelier dont il contribua à la formation, Jung a établi une superbe carte faisant part égale à toutes les régions... avec, peut-être, un petit favoritisme pour le vignoble du Haut et du Bas-Rhin.

Émile Jung, cuisinier de haut vol, dégustateur hors pair et personnage de l'Alsace gourmande.

Bien entendu, Émile Jung pense alsace quand il réalise sa recette de poule faisane prince Igor, recette qui s'applique également, et sans problème, à la simple, mais bonne pintade fermière. Mais il franchit les Vosges sans se faire prier pour chercher également de bonnes bouteilles en d'autres terroirs : «Après l'ajout des échalotes émincées et du paprika, quand les morceaux ont pris de la couleur, je mouille avec du tokay pinot gris... Je proposerais donc le tokay pinot gris de Léon Beyer, ample, généreux, et charpenté, mais toujours vif et subtil... Pour une poule faisane ou une pintade de qualité, je songerais aussi à un châteauneuf-du-pape, Château Mont-Redon ou Domaine de Nalys, à un beau graves blanc comme le Château de Carbonnieux. Les coteaux-champenois sont également envisageables... »

■ **LE CROCODILE.** 10, RUE DE L'OUTRE, STRASBOURG (BAS-RHIN).

Gilbert Mestrallet, sommelier au cœur de Strasbourg.

Pintade au chou

Plutôt du vin rouge, pour beaucoup – pas trop riche, de grâce ! –, mais le blanc nous séduit davantage. (Avec de la choucroute... l'on irait sûrement vers le blanc, mais c'est une autre histoire, d'entre Vosges et Rhin).

🍷 **ROUGE.** Sancerre ▪ Reuilly ▪ Saint-pourçain ▪ Alsace pinot noir (« vinifié rouge ») ▪ Brouilly ▪ Fleurie.

🍷 **ROSÉ.** Sancerre ▪ Alsace pinot noir.

🍷 **BLANC.** Blanc ▪ Savennières ▪ Meursault ▪ Graves.

Pintade au paprika

L'on peut traiter la pintade fermière de qualité comme la poule faisane. En rêvant au beau vin blanc qui ajoutera au plaisir.

🍷 **BLANC.** Tokay pinot gris ▪ Châteauneuf-du-pape ▪ Graves ▪ Savennières.

🍷 **ROUGE.** Pas notre choix, mais on peut se satisfaire de médocs et de graves souples, penser au volnay, au santenay.

UNE BONNE BOUTEILLE. Suggestion d'Émile Jung, le « trois étoiles » de Strasbourg *(Le Crocodile)* : le Tokay pinot gris : Léon Beyer (Eguisheim) ▪ Châteauneuf-du-Pape : Domaine de Nalys.

Pigeonneau simplement rôti

Pour le tendre pigeonneau d'à peine un mois, aller vers des vins relativement souples et ronds, dont les tanins caressent. Le choix est vaste ! Se méfier, dans le Bordelais, des beaux vins puissants aux élégances astringentes.

 ROUGE. Bordeaux ▪ Médoc ▪ Haut-médoc ▪ Saint-julien ▪ Pauillac ▪ Pomerol ▪ Pessac-léognan ▪ Bourgogne ▪ Savigny-lès-Beaune.

 UNE BONNE BOUTEILLE. Médoc : Château Les Ormes-Sorbet ▪ Savigny-lès-beaune : Domaine du Prieuré.

Pigeonneau à la crapaudine

Aplati «comme un crapaud», fréquemment servi avec un beurre maître d'hôtel ou une sauce diable, la volaille grillée, parfois panée, est souvent d'assez forte saveur pour mériter un rouge de caractère. La sauce diable peut faire songer à un blanc bien sec d'une certaine puissance. Peu orthodoxe, le choix d'un bourgogne ne nous choquerait pas.

 ROUGE. Beaune ▪ Savigny ▪ Mercurey ▪ Rully ▪ Givry ▪ Pinot noir ▪ Sancerre ▪ Corbières ▪ Minervois ▪ Fitou ▪ Médoc.

 BLANC. Peut-être un meursault.

Pigeon aux olives

Forte chiquenaude des olives ou tranquille clin d'œil à la Provence, pas trop appuyé ? Cela influera. Les petites olives noires délicieusement expressives

---

PALOMBE

Le pigeon sauvage, en l'honneur de qui on peut déboucher un rouge assez puissant, tannique, n'est pas sur toutes les tables (voir *Gibier*). En revanche, son jeune cousin d'élevage est souvent proposé dans les restaurants d'un certain niveau et s'achète facilement. Le pigeonneau des «colombiculteurs» ne gagne rien à rencontrer un saint-estèphe, un cahors ou un vin à la puissance trop affirmée. Selon l'accommodement, on ira, dans le Bordelais comme en Bourgogne, vers des vins aimables, sinon faciles.

ARRAMBIDE, BASQUE GUETTEUR DE PALOMBES

Face aux remparts de Saint-Jean-Pied-de-Port, le vieil Hôtel des Pyrénées, totalement métamorphosé, est devenu un Relais et Châteaux de classe, détendant, sans esbroufe. Avec deux macarons Michelin pour le restaurant ! Firmin Arrambide et son épouse, très présents, travaillent en famille (leur fille, maintenant, vient leur donner un coup de main). L'un des cuisiniers français les moins vagabonds, le chef-propriétaire s'absente un peu plus quand passent les palombes, dont il guette les vols en bon Basque… Il met évidemment le migrateur au menu.

Sa carte comporte tous les bons vins nés sur les pentes d'Ispoure, d'Irouléguy et de Baïgorry, ainsi que les meilleurs madirans. Mais il sait changer d'horizons viticoles :

«Avec une salade d'ailes de palombe au foie gras, agrémentée de girolles ? Un rouge bien

Le sommelier, Patrick Filatriau.

---

défient bien des vins et se bagarrent avec le tanin. L'affrontement n'est pas forcément déplaisant, mais ne facilite pas la dégustation.

 ROUGE. Côtes-du-rhône-villages ▪ Gigondas ▪ Lirac ▪ Coteaux-d'aix ▪ Chianti.

 ROSÉ. Puissant et de bonne structure ▪ Tavel ▪ Irouléguy.

Pigeon aux petits pois

Plutôt un rouge relativement léger, frais. Les petits pois peuvent donner au plat un air printanier faisant incliner vers un blanc guilleret, pas trop acide.

 ROUGE. Anjou-villages ▪ Beaujolais-villages ▪ Touraine gamay ▪ Bourgogne générique.

 BLANC. Bourgogne ▪ Givry ▪ Mâcon ▪ Saint-véran ▪ Beaujolais.

structuré et de caractère, pas forcément de grande appellation : un côtes-du-rhône ou un côtes-du-rhône-villages, par exemple. Pour une palombe rôtie flambée au lard ? Un saint-estèphe. Les bons graves rouges conviennent, comme avec d'autres gibiers.»

Arrambide, qui se fournit de foie gras à Saint-Palais et de poisson à Saint-Jean-de-Luz, fait acheter les agneaux par son beau-père, boucher, et fait son marché lui-même à Bayonne, chaque semaine. Malgré son éclectisme (la carte comporte des plats de toute la France et d'Espagne), il se montre également régionaliste en ce qui concerne les vins ; à moins d'une heure des vignes de Jurançon, et pas tellement plus de l'AOC madiran, pas bien loin de l'univers bordelais, il a l'embarras du choix.

■ **LES PYRÉNÉES - CHEZ ARRAMBIDE.** SAINT-JEAN-PIED-DE-PORT (PYRÉNÉES-ATLANTIQUES).

LAPIN

Le garenne, plus « goûteux », très parfumé lorsqu'il a gambadé dans la garrigue, se fait rare.
Le lapin d'élevage autrefois dit « de chou », à la chair blanche et fine parfois un peu sèche, impose
moins sa saveur : apprêts et accompagnements s'affirment en rehaussant le plat (aisément
relevé par le verre de vin d'une marinade). Fréquemment traité avec la volaille, parce
qu'il vient de la basse-cour et qu'il s'achète plus souvent chez le volailler que chez le boucher,
il s'entend bien avec les vins amis du poulet. Rouge, rosé, blanc : déboucher de grandes
bouteilles serait assez vain, mais on cherchera toujours quelque élégance dans la rusticité
(pas trop de lourdeur aromatique !), une certaine atténuation des tanins.

Lapereau rôti

Généreusement piqué de lard gras, le jeune lapin à la chair tendre supporte d'être mis à la broche quand il est bien arrosé de beurre fondu. Il appelle le rouge, des pays rhodaniens, du Bordelais, de Bourgogne et d'ailleurs, à préférer souple, car il n'est pas de taille à affronter les tanins affirmés et accuserait mal le choc avec un boisé agressif (les vins issus de la syrah passent généralement assez bien… à condition de ne pas être trop astringents ni trop alcooliques).

🍷 **ROUGE.** Côte-rôtie, cornas et saint-joseph tendres ▪ Hermitage (conseillé par de bons gourmets, mais pour nous trop puissant) ▪ Lalande-de-pomerol ▪ Fronsac ▪ Côtes-de-castillon ▪ Côtes-de-bourg ▪ Rully ▪ Givry ▪ Alsace pinot noir ▪ Sancerre ▪ Chinon.

Lapin à la moutarde

Préparation courante, de réalisation facile. La moutarde, de préférence forte et piquante, compense de sa vivacité la relative fadeur d'un lapin d'élevage courant. Elle relève mieux encore la sauce quand elle est « de Meaux ». Bien que des blancs très divers et des rosés soient envisageables, on privilégiera plutôt des rouges répondant avec une certaine douceur à son piquant (évitons le heurt avec le tanin d'un bordeaux jeune ou d'un madiran de choc).

🍷 **ROUGE.** Servir assez frais (14 ou 15 °C) ▪ Chinon ▪ Bourgueil ▪ Beaune ▪ Savigny-lès-beaune ▪ Pernand-vergelesses ▪ Santenay ▪ Ladoix ▪ Moulin-à-vent ▪ Pomerol ▪ Lalande-de-pomerol ▪ Côtes-de-bergerac.

🍷 **ROSÉ.** Tavel ▪ Lirac.

🍷 **BLANC.** Savennières ▪ Saint-véran ▪ Côtes-de-provence.

🍷 **UNE BONNE BOUTEILLE.** Bourgueil : Domaine Pierre-Jacques Druet ▪ Savigny-lès-beaune : Domaine Lucien Camus-Bruchon.

Lapin chasseur

Un beau lapin, souvent des lardons, une sauce aux champignons, à l'échalote, au vin blanc et à la tomate. Les vins auront de la tenue mais pas de raideur, le tanin s'affirmera avec discrétion.

🍷 **ROUGE.** Anjou-villages ▪ Chinon. Bourgueil ▪ Saint-nicolas-de-bourgueil ▪ Saumur-champigny ▪ Lalande-de-pomerol ▪ Côtes-de-castillon ▪ Côtes-de-bourg ▪ Premières-côtes-de-blaye ▪ Côtes-de-franc ▪ Un madiran jeune sera à l'aise, s'il est choisi souple.

Lapin en gibelote

Avec ce ragoût, dans lequel se fondent lardons, petits oignons et bouquet garni, on n'est pas très loin du lapin chasseur. On peut se tourner vers des rouges plus tanniques (surtout pas « durs »), que

l'on choisira encore jeunes, modérément corsés. Il n'est pas interdit de se désaltérer d'un trait de vin blanc aimablement fruité, en fréquentant plutôt l'univers du chenin ou du sauvignon.

 Rouge. Les vins du lapin chasseur ▪ Bandol envisageable si le lapin est assez fort en saveur ▪ Minervois ▪ Corbières.

 Blanc. Anjou ▪ Savennières ▪ Vouvray très sec ▪ Sancerre.

 Une bonne bouteille. Anjou-villages : Domaine de Montgilet ▪ Saumur-champigny : Domaine Filliatreau (plutôt un friand jeunes vignes ? Ce domaine laisse l'embarras du choix) ▪ Côtes-de-castillon : Château d'Aiguilhe.

Lapin aux pruneaux

L'arôme des pruneaux, assez onctueux, rond, pousse vers des rouges à la fois denses et moelleux. On peut penser à d'assez grands bandols – pas trop jeunes ! –, voire à quelque châteauneuf-du-pape.

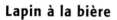 **Rouge.** Bandol vieux de cinq ou six ans ▪ Châteauneuf-du-pape également adouci par l'âge ▪ Gigondas ▪ Les meilleurs côtes-de-provence et coteaux-d'aix ▪ Coteaux-des-baux ▪ Patrimonio.

Lapin à la bière

Même dispensée abondamment, même amère et de caractère, la bière marque moins fortement le plat qu'on ne l'imagine. Elle sera offerte en accompagnement, et tout à fait à sa place si elle présente quelque caractère (éviter les produits correctement passe-partout tels que l'omniprésente Heineken), mais un rouge aimable et servi frais ne choque aucunement.

Là encore, un blanc sec pas trop acide, ni trop fruité, peut se révéler de bonne compagnie.

 Une bière. Blonde ou ambrée, voire brune légère ▪ Du Nord : Ch'ti, Grain d'Orge, Saint-Silvestre-Trois Monts, Enfants de Gayant, Janlain ▪ Alsace : Météor, Schutzenberger.

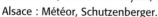 **Rouge.** Sancerre ▪ Alsace pinot noir ▪ Chinon ▪ Bourgueil ▪ Saumur-champigny.

Lapin au cidre

Le cidre ne marque pas exagérément, mais des pommes reinettes prennent volontiers leur place dans le lit de mirepoix sur lequel sont étalés râble et cuisses. Un bon cidre fermier, bien sec, aura la priorité, non l'exclusivité. Côté rouges, on en restera aux vins avenants, assez ronds, sans exagération de

fruité. Un blanc rond et d'une gentille opulence, plaisamment passe-partout, est envisageable.

 Rouge. Chinon ▪ Bourgueil.

 Blanc. Crozes-hermitage ▪ Saint-joseph ▪ Dans un autre registre, alsace pinot blanc de bonne tenue.

Lapin au thym

Le plat chante avec l'accent du Midi. Bien des vins méridionaux lui répondent en langue d'oc ou en provençal. Un rosé friand et assez puissant peut convenir.

 Rouge. Collioure ▪ Corbières ▪ Côtes-du-roussillon-villages ▪ Fitou ▪ Faugères ▪ Costières-de-nîmes ▪ Côtes-du-rhône assez tanniques ▪ Côtes-du-ventoux assez charpentés ▪ Coteaux-d'aix ▪ Coteaux varois.

 Rosé. Tavel ▪ Bandol ▪ Patrimonio ▪ Irouléguy.

Lapin à la crème fraîche

Une préparation simple, qui gagne à un bon apport de bouquet garni, d'oignon haché et d'ail écrasé. Le blanc l'emporte nettement, mais un petit rouge frais issu du pinot noir tient la route.

 Blanc. Arbois ▪ Côtes-du-jura ▪ Savennières ▪ Anjou ▪ Vouvray sec ▪ Montlouis sec ▪ Tokay pinot gris.

 Rouge. Beaujolais-villages ▪ Mâcon.

GRANDS PLATS DE FRANCE ET D'AILLEURS

Saveurs de France, saveurs du monde… À côté des grands plats nationaux – souvent élaborés avec des produits originaires d'autres continents, haricots, tomates, pommes de terre, épices et autres –, à côté des recettes typiquement régionales, la carte des mets dorénavant familiers comporte le couscous, les tajines, la paella, les variations asiatiques sur le curry… En attendant que les meilleurs vins étrangers s'achètent facilement, à des prix compétitifs – c'est pour demain –, nous allions dans ce chapitre les grands « plats complets » immigrés et parfois naturalisés, comme les grandes recettes traditionnelles de l'Hexagone avec des vins français, en faisant, ici et là, de fugitifs rappels des vignobles lointains, voire des antipodes.

JEAN-GUY LOUSTAU, AMBASSADEUR D'IROULÉGUY

Son nom, c'est vrai, sonne plutôt béarnais, mais il a passé sa jeunesse en Basse-Navarre et construit sa maison sur les hauteurs d'Ispoure, non loin des vignes d'AOC irouléguy. Jean-Guy Loustau, grand pro de la salle et sommelier expert, fut longtemps le collaborateur d'Alain Dutournier, chef brillant dont le répertoire superbement personnel chante d'Oc. Installé à son propre compte depuis quelques années, il a fait d'un restaurant-bistrot proche de la République une ambassade du Pays basque. Cela lui a valu une « Marianne » de l'association Saveurs de France (elle regroupe bien des grands chefs et de bons restaurateurs, dont plusieurs Basques, cela va de soi).

Loustau, qui a contribué à faire connaître les meilleurs produits de la vallée des Aldudes, copine avec Sauveur Maïté, le charcutier exceptionnel de Saint-Jean-le-Vieux, et achète ses fromages de brebis sur les pentes faisant face à l'Espagne. Proposant des plats simples et succulents, que fait chanter le piment d'Espelette, il a établi une courte carte des vins sur laquelle figurent presque tous les irouléguys (même des rosés, délicieux, qu'il affecte, en bon sommelier, de ne servir que par amicale condescendance) : cette petite appellation, dont les vins étaient assez grossiers il y a vingt ans, connaît un étonnant renouveau.

■ **AU BASCOU.** 38, RUE RÉAUMUR, PARIS 3ᵉ.

Plusieurs plats régionaux et des plats pouvant, occasionnellement, être considérés comme plats complets (cela dépend de la générosité des portions, de l'abondance de la garniture) sont évoqués dans les chapitres Poisson, Volaille, Bœuf, Porc :
– *Brandade de morue*, p. 38
– *Blanquette de veau*, p. 60
– *Bœuf mode*, p. 69
– *Bœuf bourguignon*, p. 70
– *Estouffade de bœuf provençale*, p. 71
– *Carbonade de bœuf flamande*, p. 71
– *Hochepot de queue de bœuf*, p. 71
– *Langue de bœuf sauce piquante*, p. 72
– *Petit salé aux lentilles*, p. 76
D'autres plats pouvant éventuellement être considérés comme « complets » figurent dans cet ouvrage. Consulter l'index.

Garbure

Potée béarnaise, des pays de l'Adour et des Landes, la garbure associe l'oie ou le canard confit à un bouillon de légumes, plutôt d'hiver, au chou, et souvent au jambon séché (on peut également jouer sur le porc salé, avec ce grand cuisinier aux accents régionalistes qu'est Christian Parra)… Cette soupe-plat, véritable repas complet, s'entend avec tous les

vins costauds amis du confit, rouges de bonne tenue sympathiquement tanniques, rosés ayant assez de coffre et de vigueur pour résister au gras. Pour la soif, et seulement pour la soif, on peut, à l'extrême rigueur, penser à un blanc sympa, assez robuste, ni trop acide ni chargé de sucre résiduel : il se laissera boire «sans s'en apercevoir», comme rendu fantômatique par les saveurs puissantes du plat.

 ROUGE. Servi assez frais ▪ Béarn ▪ Madiran ▪ Irouléguy ▪ Côtes-de-saint-mont ▪ Buzet ▪ Cahors ▪ Gaillac «de garde» ▪ Bergerac ▪ Pécharmant ▪ Graves ▪ Saint-émilion ▪ Premières-côtes-de-blaye ▪ Côtes-de-bourg.

 ROSÉ. Irouléguy ▪ Béarn ▪ Bordeaux clairet.

 BLANC. Guère à propos ▪ Irouléguy ▪ Béarn ▪ Tursan ▪ Entre-deux-mers.

 UNE BONNE BOUTEILLE. Valable aussi pour les confits d'oie, de canard et de porc autrement apprêtés ▪ Irouléguys : Domaine Ilaria ; Domaine Etxegaraya ; Domaine Arretxea (rouge et rosé) ; Domaine Brana ▪ Cahors : Château Gautoul ; Château Lagrezette ; Château Lamartine ▪ Madirans : Château Montus ; Château d'Aydie ; Domaine Berthoumieu ; Domaine de Pierron-Cave de Saint-Mont ▪ Bergeracs : Domaine Moulin des Dames ; Château de la Colline ▪ Côtes-de-bourg : Château Brûlesecaille ; Château Terrefort-Bellegrave.

Les vins du Béarn, relativement corsés, sont bons compagnons de la garbure, mais peuvent aussi être servis pendant tout un repas. Pascal Lapeyre (Salies-de-Béarn) est-il le meilleur producteur de cette AOC inégale ? Il donne actuellement l'exemple. Son rouge est agréablement souple, son rosé correctement structuré. Un viticulteur à suivre.

Cassoulet

De Castelnaudary, de Carcassonne ou de Toulouse ? À chacun son vrai cassoulet, le toulousain paraissant plus conventionnel : le rustique et nourrissant régal n'est pas codifié. Les haricots, particulièrement les tarbais, à peau tendre et à chair fine, les cocos ou d'autres variétés absorbent les saveurs de

deux ou trois viandes, des mancherons ou des ailerons d'oie ou de canard, du gésier, de la couenne de porc. Cela emplit et tapisse la bouche, le vin doit décaper – avec quelque élégance ! Corsé, il affirme un fort tempérament : les gentils petits vins au fruité amusant n'ont pas à se dandiner devant un cassoulet. Un rouge solide, de ceux dont on se régale aussi avec la garbure ou quelque confit-pommes sautées…

 ROUGE. Voir notice précédente ▪ Graves robustes ▪ Canon-fronsac ▪ Côtes-de-francs ▪ Côtes-de-castillon ▪ Gaillac (plutôt les vins issus du merlot) ▪ Côtes-du-frontonnais.

 UNE BONNE BOUTEILLE. Voir notice précédente ▪ Pécharmant : Domaine des Costes ▪ Buzet : Cave des Vignerons de Buzet (cuvées haut de gamme) ▪ Canon-fronsac : Château Grand Renouil ; Château Pey-Labrie ▪ Côtes-de-castillon : Château de Belcier ▪ Gaillac : Cave de Trécou (Cuvée Passion) ▪ Côtes-du-frontonnais : Château Bellevue La Forêt.

Aïoli

Acteur important de la gastronomie française, l'ail blanc, gris ou rosé est, avec l'huile d'olive, le condiment essentiel de la cuisine provençale. La mayonnaise qu'il fait chanter si fort – l'aïoli proprement dit, blond et embaumant – a donné son nom à un plat glorieusement méridional… sans recette bien déterminée. Servie dans le mortier où elle a été fouettée ou dans quelque caquelon, la sauce renforce puissamment la morue dessalée, les escargots, les bulots et les bigorneaux, les œufs durs, les pommes de terre, les carottes, les haricots verts, les topinambours… Les produits participant au festival du «grand aïoli» changent selon le marché et les recettes locales, voire familiales, mais l'ail et l'huile d'olive chantent, dictant leur loi au vin.

Nous inclinons fortement vers les blancs, notamment apparentés au célèbre hermitage, mais certains rosés fonctionnent bien (il leur faut avoir du nerf et ne pas se laisser écraser). Les rouges risquent de multiplier les escarmouches avec la morue, les bigorneaux, les haricots verts et l'œuf dur.

 BLANC. Crozes-hermitage ▪ Hermitage ▪ Saint-joseph ▪ Saint-péray ▪ Châteauneuf-du-pape ▪ Lirac ▪ Côtes-de-provence ▪ Palette ▪ Cassis ▪ Bandol ▪ Bellet ▪ Patrimonio.

 ROSÉ. Possible, sans plus ▪ Tavel ▪ Lirac ▪ Côtes-du-luberon ▪ Coteaux-d'aix ▪ Cassis ▪ Bandol ▪ Patrimonio ▪ Saint-chinian ▪ Bordeaux clairet.

ROUGE. Plutôt déconseillé. Servir frais si l'on prend le risque ▪ Lirac ▪ Vacqueyras ▪ Côtes-du-ventoux ▪ Fitou.

UNE BONNE BOUTEILLE. Elle peut aussi être bue
avec bouillabaisse et bourride ▪ Hermitages :
M. Chapoutier ; Jean-Louis Grippat ▪ Hermitage,
crozes-hermitage, saint-joseph et saint-péray : Cave
de Tain-l'Hermitage ▪ Saint-joseph, saint-péray :
Bernard Gripa ▪ Saint-péray : Jean Lionnet-Domaine
Rochepertuis ▪ Cassis : Clos Sainte-Magdeleine ;
La Ferme Blanche ; Château
de Fontcreuse ▪ Palette : Château
Simone ▪ Côtes-de-provence : Clos
Mireille-Domaine d'Ott ; Château
d'Esclans ▪ Bellet : Château
de Bellet ; Château de Crémat ▪
Patrimonio : Domaine Leccia ;
Domaine Antoine Arena ▪ Coteaux-
du-languedoc : Mas Bruguière.

Bouillabaisse

Une grande spécialité régionale,
somptueuse bien réalisée, que l'huile
d'olive et l'ail marquent fortement, en
compagnie du safran, du fenouil et
des tomates. Jadis fruste régal des
pêcheurs ayant tiré leur bateau sur
une grève, puis soupe-et-plat du
dimanche au cabanon, la bouillabaisse
de Marseille et des calanques reflète les talents, les
humeurs et les moyens des chefs et des cordons-bleus.
«Chacun peut apporter son style, notait Curnonsky.
Mais il faut des poissons de roche de la côte méditerranéenne…» Rascasse, araignée ou vive, rouget grondin, baudroie et chapon sont souhaités dans la marmite, ainsi que cigales de mer et petits crabes (la
langouste, qui ne gagne rien à être dégustée dans ces
conditions quand elle est belle, s'avère éminemment

AVEC LA CHOUCROUTE D'UN GRAND CHEF

Deux macarons Michelin, et l'estime de toute l'Alsace ! Ras-
surante et belle maison familiale, Le Cerf fait de Marlenheim, bourg du vignoble bas-rhinois, une inévitable étape gastronomique près de Strasbourg. «Roby» Husser, qui décrocha les
étoiles il y a un bon moment, est toujours là, en sexagénaire juvé-
nile, mais c'est son fils Michel qui tient officiellement les casseroles
maintenant. Peu importe d'ailleurs qui des deux est en cuisine : les
plats ont de l'accent (plutôt alsacien, mais léger et chantant), la carte
bouge souvent, sans que les traditions soient bousculées, rien n'est banal.

Michel Husser.

La sélection des alsaces est formidable. Elle comporte les vins de Marlenheim (Mosbach, Fend) et d'à côté (Mochel), mais aussi ceux des
meilleurs crus bas et haut-rhinois.
Michel Husser sert une choucroute à la fois délicate et forte en saveurs,
œuvre de bon Alsacien et de grand chef. Quand il ne choisit pas pour
elle un vin «communal», il propose volontiers un klevener d'Heili-
genstein signé Jean Heywang. Un blanc très sec, bouqueté.
■ LE CERF. MARLENHEIM (BAS-RHIN).

facultative). La rouille, de rigueur, est souvent élaborée
à partir d'un aïoli. Colorée par safran et piment fort,
elle illumine la soupe d'or et exige des vins ayant de la
personnalité. *Grosso modo*, ceux de l'aïoli.

BLANC. Voir *Aïoli.* Si l'on renonçait, peut-être à tort,
au régionalisme : alsace pinot blanc, chablis, mâcon.
ROSÉ. Envisageable, sans plus ▪ Coteaux-d'aix ▪
Côtes-de-provence ▪ Bandol ▪ Corbières.

Bourride

Aussi languedocienne que provençale, c'est une
«bouillabaisse blanche» réunissant lotte, colin, merlan
et loup notamment (la lotte accapare l'«authentique
bourride sétoise»). Délayé dans le court-bouillon,
l'aïoli est proposé dans une saucière. Il nappe généreusement l'assortiment de poissons blancs dressé à
part. Rester, quant au vin, dans la tonalité «bouillabaisse», sans chercher la grande bouteille.

Stockfish (Estoficada)

À base de morue, dessalée longuement avant utilisation, un plat niçois à la savoureuse lourdeur. Le poisson au goût fort cuit dans un poêlon avec des oignons,
de l'ail et de la tomate, le tout mouillé de vin blanc.
C'est costaud. Le vin, de préférence l'un des blancs de
l'aïoli et de la bouillabaisse, n'a pas à se hausser du col
devant ce redoutable régal : inutile de choisir une bouteille que l'on voudrait «déguster».

Choucroute garnie

Avant tout, le chou, récolté en Alsace, près de Strasbourg… ou dans l'Aube (Michel Laurent, l'un des
premiers «choucroutiers» de France, travaille près de
Brienne). La choucroute traditionnelle est cuite avec
un bon alsace, acide juste ce qu'il faut, à l'occasion
avec un riesling au goût légèrement minéral (l'emploi de champagne lors de la cuisson n'est pas signi-
ficatif, mais une petite tombée de bulles, juste avant
de servir, apporte un «léger plus», au moins psycho-
logique). Le plat copieux des jours festifs, accessoire-
ment plat de dépannage facilement mis en œuvre –
mieux vaut connaître le charcutier ! –, est traditionnellement servi avec des charcuteries, dont le
nombre varie : saucisses de Strasbourg, jambonneau,

AVEC LA CHOUCROUTE D'UN GRAND RESTAURATEUR

Le plus pittoresque des bons restaurants de France ? Tenue magistralement par François Lenhardt, la *Maison des Tanneurs* reflète ses géraniums dans un bras de l'Ill, à l'orée de la Petite France, quartier historique multipliant les pans de bois.

Ce patron toujours présent propose aux visiteurs du vieux Strasbourg une superbe choucroute… dont les Alsaciens eux-mêmes se régalent. Comment ferait-on le difficile, sachant que les Haeberlin, Paul Bocuse et plusieurs des meilleurs chefs de France se sont reservis ? C'est d'ailleurs cette choucroute qui a valu une « Marianne » très fêtée au Strasbourgeois, membre actif de l'association Saveurs de France (à laquelle participent les Jung, Husser, Haeberlin et autres maîtres, avec laquelle sympathisent la grande Yvonne, emblématique de Strasbourg, Antoine Westermann et maints artisans locaux des métiers de bouche).

Mais que commander avec cette choucroute ? Nous avons déjà évoqué le riesling de Léon Beyer. Dans un style différent, François Lenhardt vous conseillera celui de Trimbach. Ou une bière, telle la Jubilator de Schutzenberger.

■ **LA MAISON DES TANNEURS.** RUE DU BAIN-AUX-PLANTES, STRASBOURG (BAS-RHIN).

palette de porc fumée, lard fumé, éventuellement quenelles de foie… L'usage veut qu'un blanc d'Alsace soit systématiquement proposé. Il doit avoir un bon contact avec la choucroute, d'ailleurs cuite au vin blanc, mais aussi désaltérer : même au plus fort de l'hiver, ce grand plat servi fumant donne soif. Choisir un vin relativement léger, sans trop de fruité, qui prouve son caractère sans monopoliser l'attention (pas de vins charpentés genre grand bourgogne blanc, ni de secs tendres ; fuir le sucre résiduel, qui amollit souvent les alsaces souhaités secs). Rosés et rouge légers font un peu figure d'intrus, mais les Alsaciens les acceptent… s'ils sont du pays. Un alsace pinot noir, plus ou moins rouge, bu frais, garde ses distances avec la choucroute elle-même, mais s'acoquine bien avec la charcuterie.

BLANC. Riesling vif ■ Pinot blanc ■ Sylvaner, qui risque d'être fluet ■ Petit-chablis ■ Mâcon ■ Un sancerre ? Avec prudence.

ROSÉ. ROUGE. Alsace pinot noir.

UNE BONNE BOUTEILLE. Rieslings, tokays pinots gris, pinots blancs : Léon Beyer ; Trimbach ; Domaine Josmeyer ; Domaine René Muré-Clos Saint-Landelin ; Domaine Paul Blanck ; Domaine Marcel Deiss ; cave de Pfaffenheim ; Domaine Frédéric Mochel ; Domaine Jean-Claude Beck ; Domaine Ostertag ; Domaine Klipfel ; Domaine Marc Kreidenweiss ■ Alsace pinot noir : Mosbach (Vorlauf) ; Léon Beyer ; Domaine René Muré.

ET AUSSI… Une bière d'Alsace : Jubilator de Schutzenberger ; Ackerland de Météor.

Choucroute au poisson

La choucroute au poisson est à la mode depuis une vingtaine d'années. Elle n'était pas ignorée jadis, mais fut totalement oubliée jusqu'à sa réinvention par Guy-Pierre Baumann, Alsacien qui l'imposa à Paris, avec de nombreuses variantes, puis la réintroduisit dans son pays natal (maintenant patron de l'historique maison *Kammerzell*, il a été beaucoup et souvent mal copié). À peu près les mêmes blancs que pour la choucroute garnie (nous favoriserions plutôt un petit riesling bien fait, bien sec).

BLANC. Voir *Choucroute garnie.* Un sancerre conviendrait, si la présence de poisson fumé se faisait sentir.

Chou farci

Un plat complet de presque toutes les régions et de bien des familles. Parfois, une façon d'utiliser des restes de viande rôtie ou braisée… Les feuilles d'un gros chou vert, du jambon, du lard de poitrine, de la chair à saucisse, parfois du veau haché : la recette varie avec les cuisinières et les livres de cuisine. Des rouges légers, plutôt gamay, des rosés pas trop pâles, des blancs secs, équilibrés, ne s'imposant qu'avec un petit goût de cépage : le vin, pas spécialement valorisé, ne sera à la fête que s'il se laisse boire facilement.

ROUGE. Touraine gamay ■ Beaujolais ■ Beaujolais-villages ■ Côte-roannaise ■ Côtes-du-rhône-villages ■ Côtes-du-luberon.

ROSÉ. Sancerre ■ Côtes-d'auvergne ■ Tavel ■ Minervois ■ Corbières ■ Bordeaux clairet ■ Alsace pinot noir.

BAECKEOFFE «TROIS ÉTOILES» AU *BUEREHIESEL*

Une maison alsacienne presque de contes et légendes, dans un parc magnifique, une cuisine novatrice… et quelques clins d'œil aux cigognes (l'une d'elles figure sur l'enseigne du *Buerehiesel*). Antoine Westermann, vedette du Michelin, n'a jamais suivi les sentiers battus, mais a toujours gardé le contact avec une Alsace particulièrement bien représentée sur la carte des vins.

Il a même, nous ne l'avons pas noté d'hier, gardé le mot Baeckeoffe sur sa carte. En s'écartant quelque peu, mais respectueusement, de la tradi-

tion : il place dans la terrine vernissée une poulette de Bresse préparée selon la saison. Aux frimas, elle cuit longuement avec des pommes de terre et des poireaux, renforcée d'une râpée de truffes fraîches. Jean-Marc Zimmermann, le sommelier, propose alors un pinot noir « vraiment rouge » – de chez Zind Humbrecht, par exemple, pour choisir parmi les meilleurs. Mais il accepterait sans état d'âme de servir un chinon de Charles Joguet ou d'Olga Raffault, voire un jeune pomerol (pas de vin lourd !).

En été, quand Westermann fait chanter ail, artichauts, pignons et citron confit, il conseillerait un riesling d'une certaine ampleur ou un tokay pinot gris.

■ **RESTAURANT BUEREHIESEL.** PARC DE L'ORANGERIE, STRASBOURG (BAS-RHIN).

légumes préparés –, le pot-au-feu associe le gras, le maigre et le gélatineux, le bœuf et parfois la volaille, voire le veau et le porc, avec les carottes, les navets, les poireaux, l'oignon généralement clouté de girofle… Potage et plat, il s'apprête selon la région, la saison, le désir de telle ou telle viande, et peut changer de dénomination au gré des langages locaux : le hochepot du Nord et le mourtayrol auvergnat sont de la famille ! Qu'il soit «à la jambe de bois» (la préférence de Bocuse, avec l'os du jarret cuit) ou autre, ce repas à lui seul appelle le gros sel, le poivre du moulin, les cornichons, le raifort et la moutarde. Il lui faut des compagnons allègres, gouleyants ou robustes, se laissant boire sans cinéma : la gamme des AOC invitées à la table des amis est large et comprend les vins nouveaux. La liste suivante laisse deviner notre penchant pour le gamay, pas seulement le cépage du Beaujolais, mais qui se promène d'Anjou à Bandol : c'est dire combien le grand plat réalisé à la bonne fortune du pot est œcuménique… Seuls les blancs n'y trouvent pas leur compte.

 BLANC. Touraine sauvignon ■ Saint-pourçain ■ Bordeaux sec de qualité ■ Alsace pinot blanc.

Baeckeoffe

Bäckeoffe, Backeoffe (avec ou sans tréma sur le a), Bækoffa, Bækenoffa, Bækaoffe, peu importe la transcription, qui varie d'un village à l'autre, d'une famille à l'autre. Le nom désignait le four du boulanger, dans lequel cuisait autrefois cette potée de viandes (bœuf, porc, mouton ou agneau), de pommes de terre et d'oignons, typiquement alsacienne, puis resta attaché au plat lui-même, apporté aux convives dans la terrine en poterie joliment ornementée qui demeure hermétiquement close jusqu'au moment du service. Un vin rustique, franc et net, agréablement désaltérant. D'accent alsacien presque à coup sûr !

 ROUGE. Alsace pinot noir. On pourrait aussi songer à un graves peu tannique, à un jeune bandol… mais ce serait déplacé !

 ROSÉ. Alsace pinot noir.

BLANC. Edelzwicker, s'il est bon ■ Pinot blanc ■ Riesling.

Pot-au-feu

Populaire et bourgeois, symbole de la France profonde, apprécié de toutes les générations – il y a l'embarras du choix en sous-vide et les grandes surfaces vendent des

 ROUGE. Servir assez frais ■ Beaujolais ■ Beaujolais-villages ■ Crus du Beaujolais ■ Côte-roannaise ■ Chanturgue ■ Nuits-saint-georges ■ Beaune ■ Santenay ■ Mercurey ■ Mâcon ■ Côtes-du-rhône-villages ■ Sancerre ■ Touraine gamay ■ Anjou gamay ■ Saumur-champigny ■ Chinon ■ Bourgueil ■ Saint-nicolas-de-bourgueil ■ Bergerac ■ Alsace pinot noir ■ Bandol ■ Coteaux-du-languedoc ■ Corbières.

ROSÉ. Risque d'être un peu éclipsé s'il manque de caractère ■ Rosé des Riceys ■ Sancerre ■ Reuilly ■ Saint-pourçain ■ Corbières.

 BLANC. Il n'y a pas lieu d'en proposer, mais pas choquant s'il est sec ■ Petit-chablis ■ Mâcon ■ Saint-véran.

 UNE BONNE BOUTEILLE. Ces vins peuvent aussi être débouchés avec le hachis Parmentier et de nombreux plats du chapitre Bœuf ■ Beaujolais : Domaine du Vissoux ■ Beaujolais-villages

et morgon : Domaine Dominique Piron ; Domaine Jean-Charles Pivot ▪ Beaujolais nouveau, beaujolais-villages, chénas et moulin-à-vent : Maison Georges Duboeuf ▪ Saint-pourçain : Union des Vignerons de Saint-Pourçain ; Domaine de Bellevue-Jean-Louis Pétillat ▪ Côtes-d'auvergne-boudes : André Charmensat ▪ Gamay de Touraine : Domaine de la Charmoise ▪ Sancerre : Domaine Vincent Pinard ; Domaine Alphonse Mellot ▪ Saumur-champigny : Cave des vignerons de Saumur ▪ Bourgueil : Domaine Druet ▪ Coteaux-du-languedoc : Prieuré de Saint-Jean-de-Bébian ; Mas Jullien ▪ Corbières rosé : Château Haut-Gléon ▪ Rosé des Riceys : Domaine Pascal Morel ▪ Sancerre : Domaine de la Perrière-Guy Saget.

Hachis Parmentier

Sous la chapelure, et arrosé de beurre fondu, un mélange de boeuf haché et de purée de pommes de terre, grand «plat unique» délicieusement nourrissant. Un plat archifamilial, autrefois – une façon savoureuse d'accommoder les restes –, dont la permanence doit beaucoup aux barquettes empilées dans les grandes surfaces. Du moelleux, une bonne mise en valeur de la viande par la pomme de terre, surtout si l'on n'a pas abusé du beurre. Tous les vins du pot-au-feu, parmi lesquels nous privilégions les enfants du gamay (beaujolais) et du pinot noir (sancerre, alsace pinot noir), voire du gamay et du pinot noir tels qu'ils sont parfois assemblés, comme à Saint-Pourçain.

  BLANC. ROSÉ. ROUGE. Voir *Pot-au-feu.*

UNE BONNE BOUTEILLE. Voir *Pot-au-feu.*

Aligot, saucisses d'Auvergne (ou andouillette, ou tripous)

À la base, c'est simple, et onctueusement appétissant : les pommes de terre en robe des champs sont pressées, les lamelles de tomme se fondent dans la purée. Le mélange prend sa spectaculaire élasticité à la sortie de la cuisine : d'un geste ample, le préposé au service y plonge une spatule de bois, la tourne, la soulève vivement, faisant remonter un large ruban de purée vers le plafond ou les poutres. Cela prouve que l'aligot a la consistance voulue. Il restera souple.

En Auvergne et dans l'Aveyron, l'aligot-roi a souvent des saucisses pour alliées. Mais c'est aussi le bon compagnon des tripous – les tripes de mouton –, voire d'une belle andouillette (option proposée à *L'Ambassade d'Auvergne*, bon et rassurant restaurant parisien dont l'enseigne dit la vocation régionaliste). Quelle que soit l'association, porc ou mouton, l'ail fait acte de présence,

Bandol : l'un des plus beaux vignobles de France, sous le soleil de la Provence maritime, un panorama à découvrir des hauteurs où est, notamment, vendangé le mourvèdre tannique et puissant de Pibarnon. Les bandols rouges, rosés et blancs sont bons amis de bien des grands plats « typés méridionaux » et de nombreuses spécialités italiennes. Un beau rosé avec l'osso buco ? Avec plaisir ! Ou un rouge pas trop costaud, servi assez frais. Mais les vins de la grande appellation méridionale ne sont pas là pour faire de la figuration folklorique. Les meilleurs peuvent accompagner bien des plats de fort caractère, s'entendre avec le gibier, les truffes. Le rouge typé, bouqueté et de grande garde qu'élaborent le comte de Saint-Victor et son fils (ce dernier sur la photo), est exemplaire : on le retrouve à plus d'une reprise dans cet ouvrage. Mais il faut aussi que Château Pradeaux, Château Vannières, le Domaine de la Noblesse, le Domaine de Terre-brune et le meilleur de Tempier figurent sur le livre de cave...

UN COUP DE MAIN… ET UN VIN DU PAYS !

Cantal ou laguiole, le fromage donnant à l'aligot sa savoureuse élasticité n'est jamais affiné. La tomme ayant été incorporée à la purée, fortement travaillée, la pâte odorante obtenue doit filer longuement. Mieux vaut avoir le bras un rien musclé pour le prouver en public, en la soulevant haut, sans brutalité. Christophe Adnot le démontre en expert (photo ci-contre) : il a longtemps fait partie de l'équipe de *L'Ambassade d'Auvergne,* qui cultive les traditions du Massif central près du centre Pompidou.

sans insolence. Il ne pose pas de problème au vin, traditionnellement un rouge aimablement rustique, qu'on ne laissera pas se réchauffer (le régionalisme le fait choisir dans le Massif central, où les vignerons et viticulteurs travaillent de mieux en mieux). Les rosés passent bien, et désaltèrent ; les blancs trop sages s'évanouissent dans la bouche sans avoir gêné ni fait spécialement plaisir.

ROUGE. Servis bien frais ▪ Côtes-d'auvergne ▪ Châteaugay ▪ Côtes-du-forez ▪ Lirac ▪ Corbières ▪ Fitou ▪ Collioure ▪ Alsace pinot noir.

ROSÉ. Marsannay ▪ Saint-pourçain ▪ Côte-roannaise ▪ Côtes-du-frontonnais ▪ Rosé des Riceys.

• QUELQUES GRANDS PLATS • ÉTRANGERS

Osso buco

Emblématique de la Lombardie gourmande, ce plat peut être davantage revendiqué par les Milanais… que l'escalope dite milanaise, mais il a depuis longtemps la double nationalité franco-italienne. Facile à réaliser, il est proposé tout préparé dans les grandes surfaces. Le nom, «os à trou», dit que ce ragoût est fait avec des rouelles de jarret de veau non désossé, préparées au vin blanc sec avec des tomates épépinées et concassées, de l'oignon, des aromates et des épices (il existe une variante sans tomate). L'écorce d'orange ou de citron et le romarin apportent occasionnellement un parfum supplémentaire ; certains ajoutent un hachis de persil et d'ail. L'osso buco offert avec des pâtes, du riz ou un risotto safrané, s'entend avec des rouges au fruit agréable, pas excessif, faciles à boire, mais assez denses. Il peut fraterniser avec des vins structurés plus présents en bouche, à condition,

103

d'une part, que l'on n'ait pas forcé sur le citron, d'autre part qu'ils soient dénués d'astringence (en fait, le répertoire convenant au sauté de veau ou au poulet dits «marengo»).

 ROUGE. Côtes-du-rhône-villages ▪ Gigondas ▪ Vacqueyras ▪ Coteaux-du-tricastin ▪ Côtes-du-ventoux ▪ Les baux-de-provence ▪ Coteaux-d'aix ▪ Côtes-de-provence ▪ Coteaux-varois ▪ Bandol ▪ Bellet ▪ Vins de Corse ▪ Patrimonio ▪ Chinon ▪ Alsace pinot noir.

 ROSÉ. Tavel ▪ Lirac ▪ Les baux-de-provence ▪ Côtes-de-provence ▪ Bandol ▪ Costières-de-nîmes ▪ Patrimonio ▪ Irouléguy.

 UNE BONNE BOUTEILLE. Côtes-du-rhône-villages : Domaine de Cabasse ▪ Vacqueyras : Domaine des Amouriers ▪ Côtes-du-ventoux : Domaine de Fondrèche ▪ Les baux-de-provence : Château Romanin ; Domaine de Terres Blanches ▪ Coteaux-d'aix : Château Calissanne ▪ Patrimonio : Domaine Leccia ; Antoine Arena ▪ Alsace pinot noir : Pierre Frick ; Rolly-Gassmann ▪ Coteaux-varois : Château Routas ▪ Costières-de-nîmes : Château de Campuget.

VINS D'AILLEURS. Rouge : Chianti classico ▪ Bardolino ▪ Dolcetto d'Alba ▪ Valpolicella haut de gamme ▪ **Rosé :** Chiaretto del Garda (rosé du lac de Garde).

Lasagnes ou tagliatelles à la bolognaise

Les pâtes alimentaires font penser à l'Italie – Marco Polo les auraient découvertes en Chine –, mais il y a des siècles qu'elles sont populaires en Provence, en Alsace, et elles sont couramment consommées dans toute la France depuis l'Empire. En principe servies en entrée, quand elles ne viennent pas en accompagnement, elles se font à l'occasion plat unique familial, pour lequel on ne cherche pas bien loin la bouteille à déboucher. Les spaghettis à la bolognaise passent en France pour un simplissime plat italien, mais sont méprisés outre-Alpes. Si l'on désire faire un repas quasi complet avec un plat de pâtes (ce qui paraît bizarre dans la péninsule), mieux vaut s'intéresser aux lasagnes, aux cannellonis ou aux tagliatelles à la sauce bolognaise. Venues d'Émilie-Romagne, les pâtes ainsi préparées ont conquis la péninsule, franchi les Alpes. La vraie sauce bolognaise, *ragù* comportant parfois des cèpes, intègre, avec l'huile d'olive et le vin blanc sec, de la viande de porc et de bœuf hachée ou coupée en

minuscules dés, des oignons, un peu de carottes, du céleri, facultativement un rien d'ail… La tomate, absente selon les canons traditionnels, s'est depuis longtemps invitée. Les lasagnes *al ragù,* ou lasagnes *al forno,* faisant alterner pâtes, bolognaise, re-pâtes et béchamel, comptent parmi les plats répétitifs de l'Italie, mais font autant partie du répertoire culinaire courant en France, grâce aux restaurants simples, italiens ou non, et aux supermarchés, rayon traiteur ou surgelés. Plutôt un vin rouge, sachant répondre à la béchamel, à la tomate, au parmesan fraîchement râpé, mais ne monopolisant pas les papilles et désaltérant. On peut souhaiter un vin italien pour la couleur locale (il en est de merveilleux, les Français ne le savent pas assez), mais quantité de nos vins conviennent. Les rosés sont bienvenus. Les blancs, pas spécialement à leur aise, risquent de paraître évanescents ou de détonner, mais des vins secs, aimables, plus ou moins vifs, ne choquent pas.

 ROUGE. Côtes-du-rhône-villages ▪ Coteaux-du-tricastin ▪ Vacqueyras ▪ Lirac ▪ Côtes-de-provence.

 ROSÉ. Tavel ▪ Lirac ▪ Bordeaux clairet ▪ Sancerre ▪ Menetou-salon ▪ Marsannay.

 BLANC. À la rigueur ▪ Mâcon ▪ Saint-véran ▪ Côtes-de-provence.

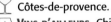 **VINS D'AILLEURS.** Chianti classico ▪ Barbaresco ▪ Barbera ▪ Dolcetto Bardolino (un peu léger) ▪ Barolo.

Paella

La profonde poêle aux robustes poignées, appelée *paella* a laissé son nom au plat, servi copieusement et fait pour que l'on se resserve, qui a conquis l'Espagne et a émigré dans le monde entier, devenant même spécialité de La Nouvelle-Orléans sous le nom de jambalaya. Diverses recettes rivalisent d'authenticité : il en existe presque autant que de pays, sinon de familles… Riz, safran et huile d'olive sont indispensables. Trop souvent garnie de chorizo (encombrant chez les mauvais faiseurs), la paella peut comporter poulet, lapin, langoustines, coquillages. Les petits pois sont généralement présents, talonnés par les haricots verts. Ce côté composite pousse vers des vins fédérateurs ne se laissant pas intimider par l'assaisonnement, le plus souvent marqué. On choisira un rouge quand chorizo et viande s'imposent, mais on préférera le blanc pour répondre aux calmars, grosses crevettes, langoustines et coquillages, en cherchant une légère acidité.

 ROUGE. Coteaux-du-languedoc ▪ Faugères ▪ Fitou ▪ Corbières ▪ Côtes-du-roussillon-villages ▪ Collioure ▪ Gigondas ▪ Côtes-du-ventoux ▪ Coteaux-d'aix ▪ Béarn et irouléguys souples.

 ROSÉ. Côtes-du-rhône-villages ▪ Bandol ▪ Corbières ▪ Collioure.

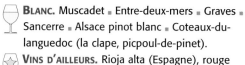

BLANC. Muscadet ▪ Entre-deux-mers ▪ Graves ▪ Sancerre ▪ Alsace pinot blanc ▪ Coteaux-du-languedoc (la clape, picpoul-de-pinet).

VINS D'AILLEURS. Rioja alta (Espagne), rouge ou rosé.

Chili con carne

Populaire en France, où il est souvent mal préparé, le chili con carne peut témoigner de délicatesse dans sa rusticité pimentée. Ce plat texan d'inspiration mexicaine, qui a depuis longtemps conquis les USA, se trouve dans les supermarchés sous diverses formes, et est proposé dans beaucoup de petits restaurants plus ou moins branchés ou économiques. Le chile con carne, pour l'appeler par son vrai nom (*chile* signifie piment), associe bœuf haché, oignons émincés, piment fort et cumin. Fondus par une longue cuisson, ils sont rejoints par des haricots rouges, généreusement dispensés. La qualité du plat dépend de celle de la viande, de la tenue des haricots, qui ne doivent jamais être réduits en bouillie. Le vin, pas favorisé par la rencontre, doit avoir du corps, mais on ne lui demande pas une grande personnalité : un bon chile, s'il n'emporte pas la bouche, ne suggère guère d'accords complexes. Plutôt un rouge jeune ayant quelque caractère, ou un rosé costaud.

ROUGE. Servir franchement frais ▪ Côtes-du-rhône ▪ Gigondas ▪ Coteaux-du-tricastin ▪ Côtes-du-ventoux ▪ Côtes-du-luberon ▪ Côtes-de-provence ▪ Collioure ▪ Béarn ▪ Madiran ▪ Cahors.

ROSÉ. Tavel ▪ Bandol ▪ Vins de pays catalan ▪ Irouléguy.

VINS D'AILLEURS. Rioja ▪ Vins marocains.

Couscous divers

Apprécié depuis plus d'un siècle, imposé par les pieds-noirs et les immigrés, maintenant plat très courant, le couscous a pour base la semoule de blé dur, dont la qualité est déterminante, et le bouillon qui la mouille plus ou moins abondamment. Les accompagnements varient à l'infini, du mouton et du poulet, les plus courants, au lapin, au bœuf ou au poisson. Très souvent proposées, généralement pour des raisons économiques, les merguez sont parfaitement facultatives.

Les meilleurs couscous – le plat servi d'abondance peut être superbe – sont savoureusement épicés de façon judicieusement dosée, agrémentés de légumes soit bien détachés, soit très cuits, ou encore intégrés aux boulettes de viande.

Le choix du vin – si vin il y a ! – dépend de ce qui est présenté sur la graine et des condiments, le convive étant libre de forcer ou non sur la harissa, condiment contenant notamment des piments, du poivre de Cayenne, de la coriandre et de l'ail (cette purée délayée dans le bouillon n'arrache pas forcément la bouche !). Pas de vin aristocrate, mais une bouteille intéressante… si l'on ne se trouve pas devant un couscous-merguez de gargote. Un rouge corsé, un peu épicé, éventuellement fruité et bu frais, s'entend bien avec les viandes de pot-au-feu souvent présentes et avec le mouton (on restera un cran au-dessous avec l'agneau). Les rosés bien structurés, pas pâlichons, sont d'utiles passe-partout. Les blancs entrent en jeu avec les couscous au poisson et ceux qui donnent la vedette aux légumes.

ROUGE. Servir franchement frais ▪ Côtes-du-rhône-villages ▪ Coteaux-du-tricastin ▪ Vacqueyras ▪ Côtes-du-ventoux ▪ Coteaux-d'aix ▪ Côtes-de-provence ▪

FATEMA HALL, UN VIN DU PAYS

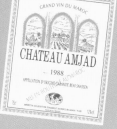

*M*ansouria, la Victorieuse : sous pareille enseigne, Fatema Hall ne pouvait que réussir… Auteur d'un livre sur les recettes et traditions du Maroc, cette ethnologue passée en cuisine ne cesse d'embellir le plus parisien des restaurants marocains. «Avec les tajines d'agneau, nous servons surtout le Château Amjad et le Riad Jamil. Au Maroc, l'on hésite plutôt entre l'eau et le thé, si l'on n'opte pas pour un jus de fruits… voire – je ne vante pas cela ! – pour l'Orangina ou le Coca, de plus en plus présents sur certaines tables familiales. »

■ **MANSOURIA.** 11, RUE FAIDHERBE, PARIS 11ᵉ.

Vin de Corse-Calvi ▪ Beaujolais-villages ▪ Touraine et anjou gamay.

🍷 **Rosé.** Côtes-du-rhône ▪ Tavel ▪ Lirac ▪ Costières-de-nîmes ▪ Vin de Corse ▪ Corbières.

🍷 **Blanc.** (Couscous au poisson) ▪ Condrieu jeune ▪ Viogner de l'Ardèche ▪ Saint-joseph ▪ Côtes-de-provence ▪ Coteaux-du-languedoc ▪ Côtes-du-roussillon ▪ Savennières ▪ Saumur-champigny.

🍷 **Vins d'ailleurs.** Rouges du Maroc : beni-snassen, guerrouane ▪ D'Algérie : médéa, coteaux-de-mascara ▪ De Tunisie : koudiat, coteaux-de-mornag, thibar ▪ Rosés du Maroc : guerrouane, koudiat.

Tajine

Maintenant presque français, un peu moins que le «couscous» cependant, le mot évoque particulièrement le Maroc, pays de belle gastronomie. Il désigne d'abord un contenant rond en terre cuite vernissée, hermétiquement clos d'un couvercle pointu. Par extension, il nomme le ragoût qui y a savoureusement mijoté ou qui y est pittoresquement présenté après une longue cuisson en daubière. Les tajines, à servir très chauds, sont à base de viande d'agneau, de mouton ou de bœuf, de poulet ou de pigeonneau, mais aussi de poisson. Ces ragoûts hauts en parfums divers, sentant à l'occasion la cannelle, accueillent de nombreux légumes, parfois des fruits, et beaucoup de condiments : petits pois, carottes, artichauts, pois chiches, fèves, pommes de terre, topinambours, courgettes, tomates, gombos, oignon, ail, piment, cumin, poivre, coriandre, citron confit, pignons… Quel vin ? Cela dépend du produit travaillé – l'agneau surtout, en France –, mais il doit dialoguer heureusement avec les épices. En général, un rouge plus ou moins corsé (franchement puissant avec le mouton, assez puissant avec l'agneau, moins avec le poulet). Les rosés permettent de ne pas prendre parti, quand on ne sait trop quel tajine va être servi. Les blancs, appelés par la volaille, par le poisson, vont du sec tendre, préférable, au moelleux pas encombrant.

🍷 **Rouge.** Côtes-du-rhône ▪ Châteauneuf-du-pape ▪ Gigondas ▪ Coteaux-d'aix ▪ Les baux-de-provence ▪ Côtes-de-provence ▪ Bandol ▪ Bellet ▪ Vin de Corse ▪ Patrimonio ▪ Sancerre ▪ Alsace pinot noir.

🍷 **Rosé.** Voir *Couscous divers.* En fait, les « passe-partout » : il en est parfois d'excellents.

🍷 **Blanc.** Avec volaille ou poisson ▪ Anjou sec ▪ Savennières ▪ Peut-être un coteaux-du-layon ou un bonnezeaux (servi très frais) ▪ Vouvray et montlouis secs ▪ Gewurztraminer strict.

🍷 **Vins d'ailleurs.** Rouges du Maroc : Riad Jamil, Château Amjad ▪ Gris du Maroc.

Curry (cari) divers

Le mot curry, ou cari, désigne un mélange d'épices d'origine indienne. C'est devenu, depuis longtemps, le nom courant d'une préparation dont la volaille, le veau, l'agneau et le porc sont, chez nous, la base (le riz étant toujours là en accompagnement). Les currys habituellement proposés en France, avec volaille et viande blanche, sont plutôt doux, mais il en existe de forts, voire de brûlants. Curcuma, coriandre, cumin et poivre sont toujours à l'affiche, girofle, cardamome, gingembre et muscade jouent un rôle variable, selon le mélange. Carvi, ginseng, cannelle et bien d'autres ingrédients apportent à l'occasion un renfort plus ou moins sensible. Cette diversité dans la violence ou la douceur (les variations sont infinies) permet de parcourir une gamme étonnante de vins, l'astringence étant seule proscrite.

Avec la volaille et le veau avant tout, très souvent avec le porc, bien moins avec l'agneau, le blanc l'emporte. Pour la fraîcheur, parce que certains accords se révèlent d'un grand raffinement. On pense spontanément à un vin «désaltérant», en raison de la «chaleur» de la sauce, mais il faut incliner vers les demi-secs et oublier les vins d'acidité agressive, dont le mordant passe mal : les plus beaux accords se font avec des vins souples et tendres, où le sucre est nettement présent, à condition que celui-ci s'adosse à une judicieuse acidité. Ils sont issus du chenin dans le Val de Loire, du gewurztraminer et du pinot gris en Alsace.

Les bons rosés sont à leur place. Les rouges un peu moins : ils doivent être ronds, presque suaves, en tout cas débarrassés de toute méchanceté tannique.

BLANC. Savennières ■ Anjou ■ Coteaux-du-layon et coteaux-de-l'aubance frôlant la richesse en sucre (réserver les millésimes liquoreux aux plats indiens ou thaïlandais davantage épicés que les currys classiques) ■ Tokay pinot gris ■ Gewurztraminer ■ Jurançon assez vif ■ Pacherenc-du-vic-bilh plutôt sec.

ROSÉ. Côtes-du-rhône ■ Tavel ■ Lirac ■ Palette ■ Côtes-de-provence ■ Bandol ■ Patrimonio.

ROUGE. Servir frais ■ Côtes-du-rhône-villages ■ Gigondas ■ Lirac ■ Vacqueyras ■ Les baux-de-provence ■ Bandol pas trop puissant ■ Patrimonio ■ Alsace pinot noir ■ Anjou-villages ■ Petit graves.

POURQUOI PAS ? Un muscat d'Alsace.

VAL DE LOIRE ET THAÏLANDE

Familier de la Thaïlande et de ses marchés, Manuel da Motta Veiga dirige à Paris le *Blue Elephant.* Grand connaisseur des vins, il a choisi des bouteilles parfois inattendues pour la riche cave de l'étonnant restaurant thaï : « Avec le yam pomelo, une salade de vrai pomelo contenant crevettes et poulet effiloché, noix de coco, cacahuètes et ail grillés, vive le vouvray demi-sec de Didier Champalou ! Bel accord aussi avec l'anjou demi-sec de Philippe Delesvaux, qui accompagnera bien la plupart des plats assez fortement épicés. »

■ **BLUE ELEPHANT.** 43, RUE DE LA ROQUETTE, PARIS 11ᵉ.

Cuisine thaïe

Méconnue de la plupart des Français jusqu'aux années 80, la cuisine thaïlandaise s'impose à côté des cuisines chinoise et vietnamienne (les restaurants asiatiques sont nombreux à la revendiquer ; beaucoup de restaurants se proclament sino-thaïlandais et mêlent les cartes). Avec certains plats excessivement pimentée, toujours chantante, parfois exquise, elle explose de parfums et d'épices, s'ensoleille de saveurs d'agrumes. Le curry « moyennement piquant » accompagne crevettes, canard, porc ou poulet en de tranquilles préparations incluant noix de coco, mangue, oignons, citron… Le ton monte avec certains potages et beignets, devient à l'occasion violent. Soupes, légumes, viandes, volailles, poissons, crustacés… Autant et plus qu'avec les produits, l'unification se fait au niveau des épices, des saveurs d'agrumes. Les blancs, soit généreux et aromatiques, soit secs tendres, soit moelleux, prennent l'avantage (notre préférence allant vers les moelleux légers avec un grand nombre de plats). Ils entretiennent de bons rapports avec les crustacés, les poissons, la volaille et le porc, sans cesse rencontrés, se font caressants au contact de la papaye, de la banane verte, de la noix de coco et des agrumes. Ils ont, de surcroît, l'avantage de rafraîchir, face aux puissants assaisonnements. (Cela se devinait depuis longtemps, mais un chantre des accords vins de France-cuisine thaïe l'a beaucoup fait savoir depuis une décennie : Manuel da Motta Veiga, directeur du *Blue Elephant* de Paris.) Les rosés constituent la solution de facilité. Pourquoi pas, s'ils ont de la tenue ? Les rouges, pas interdits, ne gagnent rien à être présents et désaltèrent peu.

BLANC. Savennières ■ Anjou ■ Bonnezeaux et coteaux-du-layon de millésime pas trop riche ■ Vouvrays secs, demi-secs ou moelleux ■ Montlouis *idem* ■ Gewurztraminer ■ Tokay pinot gris ■ Pacheren-du-vic-bilh.

ROSÉ. Bandol ■ Corbières ■ Bourgueil.

ROUGE. Côtes-du-rhône-villages ■ Vacqueyras ■ Coteaux-du-languedoc ■ Faugères ■ Côtes-du-roussillon.

UNE BONNE BOUTEILLE. Anjou, coteaux-du-Layon : Domaine Philippe Delesvaux ■ Bonnezeaux : René Renou ■ Vouvray sec, demi-sec, moelleux : Domaine du Clos Naudin ; Domaine Didier Champalou ; Domaine Huet ■ Montlouis : Domaine Olivier Delétang ; Domaine Claude Levasseur ■ Gewurztraminer : Josmeyer ; Léon Beyer ; Domaine Schlumberger.

Cuisine vietnamienne

Moins « piquante » que celle des pays voisins, quoique relevée, de toute façon très différente, la cuisine vietnamienne joue beaucoup avec le *nuoc mâm*, une saumure de poisson, et fête les herbes aromatiques. Elle accorde une place importante aux légumes et au sucré-salé, met volontiers en scène les jeux et contrastes de textures. Un repas vraiment convivial comprenant plusieurs plats, dont chacun se sert selon l'appétit et l'humeur, le choix des vins est large… pour qui n'en reste pas au thé. Les blancs d'acidité modérée ou chargés d'un rien de sucre résiduel s'accordent avec beaucoup de plats. Les rosés facilitent aimablement les choses. Les rouges, que l'on peut choisir dans de nombreuses appellations, sont préférables souples, plutôt jeunes.

BLANC. Chablis ■ Rully ■ Mâcon-villages ■ Saint-joseph ■ Crozes-hermitage ■ Graves ■ Pessac-léognan ■ Riesling ■ Vouvray sec et gewurztraminer envisageables.

ROSÉ. Sancerre ■ Bordeaux rosé ou clairet ■ Alsace pinot noir.

ROUGE. Bourgogne ■ Beaune ■ Côtes-du-rhône villages ■ Gigondas ■ Vacqueyras ■ Lirac ■ Costières-de-nîmes ■ Fronsac ■ Canon-fronsac ■ Côtes-de-castillon.

FROMAGES

Les fromages, gloire de la France et régal d'autres pays, sont réputés de connivence avec le vin. Un grand nombre de rouges conviennent ; divers blancs ont leur place, presque à égalité ; les rosés, loin de tenir la tête d'affiche, font cependant bon ménage avec un certain nombre de pâtes cuites. Contrairement à ce que beaucoup croient, les grands rouges costauds bousculent bêtement les fromages à forte personnalité. D'une manière générale, évitez de garder la meilleure bouteille pour le fromage et privilégiez les rouges légers. Pensez aux blancs, pas seulement aux liquoreux souvent voués au bleu : les blancs secs ont l'avantage de désaltérer sans trop ajouter à l'alcoolémie. Enfin, ne pas oublier que la plupart des régions à la fois fromagères et viticoles produisent des vins convenant bien à leurs fromages.

Alain Grémaud a créé et perpétuellement embelli l'une des plus charmantes auberges de campagne où il reçoit, souvent avec Élisabeth, les résidents secondaires du pays d'Othe, les plus civilisés des Troyens, des amis musiciens de jazz et de grands chefs ou restaurateurs. L'on a rencontré chez lui Marc Meneau, Michel Lorrain, Émile Jung, Jean-Jacques Guillot, une pléiade d'étoilés. Parce que la simple cuisine est bonne, très «terroir» (qu'on nous pardonne ce mot galvaudé), parce que l'atmosphère est conviviale, l'on accourt de loin dans ce bel endroit perdu qu'est Eaux-Puiseaux. Le chaource, régionalisme oblige, est toujours présent. Alain le préfère avec le cidre local de son ami Gérard Hotte – très bel accord – ; Élisabeth réclame du chablis. En avouant un faible pour celui de Daniel-Étienne Defaix, dont les vieilles vignes sont profondément enracinées. Un champagne du Barséquanais, bien choisi, donnerait du tonus à la rencontre (les bulles vont bien avec plusieurs fromages) : Grémaud s'est juré de compléter sa cave entre Bar-sur-Seine et Bar-sur-Aube.

• QUELQUES GÉNÉRALITÉS •

Fromages frais, non affinés

De vache souvent (fontainebleau, saint-florentin, boulette de Cambrai), de chèvre ou de brebis (broccio, brousse), ces fromages obtenus par simple coagulation, non affinés, sont « lactiques », doux, crémeux (seul le broccio est franchement relevé). Le vin n'est pas obligatoire !

▶ Rouge aimable, jeune et tendre, ou rosé ▪ Blanc très léger.

Fromages à pâte molle et à croûte fleurie

Presque toujours de vache, certains banons faisant exception. Recouvert de moisissures externes, le fromage évolue en saveur avec l'affinage. De la douceur légèrement acide du chaource au fruité puissant d'un

bon camembert, du « pas très fait » au « coulant », impossible d'édicter une règle générale.

▶ Rouges légers, le plus souvent. Rouges plus puissants, pas trop, quand le fromage est à maturité ▪ Blancs secs ou secs tendres pas trop vifs (beaux bourgognes blancs vieux de quelques années envisageables) ▪ Rencontres heureuse avec le champagne.

Fromages à pâte molle et à croûte lavée

Toujours de vache, mais que de saveurs ! De la tendre douceur crémeuse du mont-d'or à la force presque agressive du souple époisses, de la fermeté crayeuse du bergues à la puissance un rien piquante du maroilles, de la saveur élégamment «terroir» du pont-l'évêque à l'agressivité du livarot : là aussi, la variété est telle que l'on ne peut que conseiller dans le vague.

▶ Certains de ces fromages, tel l'époisses, acceptent des rouges d'une certaine ampleur — gigondas, si ce n'est châteauneuf-du-pape, par exemple ▪ Les blancs verts ou, au contraire, chargés en sucre sont à proscrire ▪ Rencontres parfois très heureuses avec la bière, le cidre, le marc.

Fromages à pâte persillée

De brebis ou de vache. Après le caillage, le fromage est ensemencé en moisissures, qui le « veinent ». De la douceur fondante du bleu de bresse au goût relevé-noiseté de la fourme d'Ambert, en passant par la délicate agressivité du roquefort, toutes les nuances du piquant.

▶ Sauternes, barsac, loupiac, monbazillac, jurançon avec le roquefort et ses proches ▪ Banyuls, rivesaltes, maury et rasteau souvent bienvenus (ils vont fréquemment sur le dessert, ce qui n'est pas négligeable).

Fromages à pâte pressée

Toujours de vache, peu nombreux, mais célèbres : beaufort, comté, emmenthal français, gruyère… Des saveurs plutôt douces, mais emplissant souvent la bouche, délicatement noisetées ou très fruitées.

▶ Nombreux vins blancs, du mâcon, voire du meursault, au vin jaune et au château-chalon ▪ Bourgognes rouges fruités et tendres.

Fromages à pâte pressée cuite

Souvent de vache, tels le reblochon, le cantal, le saint-nectaire, parfois de brebis, comme l'ossau-iraty… Bordeaux rouges souvent à l'aise, par exemple avec le saint-nectaire, le cantal, la mimolette (la mimolette vieille est réputée valorisante pour les vieux bordeaux).

▶ Vins légers issus du pinot noir et du gamay ▪ «Petits bourgognes» blancs avec plusieurs fromages, dont le reblochon et la tomme de Savoie ▪ Jurançon ou pacherenc-du-vic-bilh avec les fromages de brebis.

Fromages de chèvre

Des saveurs parfois fortes, souvent piquantes, éventuellement « très caprines ». Tendres, durs ou compacts, ces fromages ont souvent un air de famille. La plus grande différence n'est pas celle des variétés, mais de l'âge.

▶ Vin rouge léger et fruité avec le fromage frais, blanc avec le fromage sec.

• **QUELQUES EXEMPLES** •

Camembert

De grande série ou médiocre, ce qui est souvent le cas, l'illustre fromage ne pousse pas à s'inquiéter du vin. Souple et doucement fruité, expressif, il réclame un rouge jeune, assez rond, pas encombrant (si le camembert est trop fait, on mangera une bouchée de pain avant de boire… mais ce conseil est valable avec beaucoup d'autres fromages). Songer au cidre, quand le fromage n'est pas très fait, voire à une larme de calvados.

 ROUGE. Servir frais ▪ Beaujolais ▪ Beaujolais-villages ▪ Côtes-de-brouilly ▪ Brouilly ▪ Fleurie ▪ Touraine (gamay) ▪ Médoc souple ou côtes-du-rhône jeune.
 POURQUOI PAS ? Un champagne d'une certaine opulence ▪ Du cidre bouché.

Chaource

Fromage champenois à pâte molle et à croûte fleurie (même catégorie que le camembert, tout autre goût), le chaource pâtit de son industrialisation, mais une fabrication artisanale subsiste. De saveur lactique assez affirmée quand il est bien fait, il n'a pas de préjugés quant à la couleur.

ROUGE. Servir frais ▪ Bourgogne Épineuil ou Irancy, un peu adouci par l'âge ▪ Alsace pinot noir.
ROSÉ. Alsace pinot noir « vinifié clair » ▪ Coteaux-du-giennois ▪ Sancerre ▪ Reuilly ▪ Rosé des Riceys.
BLANC. Petit-chablis ▪ Chablis, simple.

 POURQUOI PAS ? Un simple champagne brut du barséquanais (pouvant être assez marqué pinot noir) ▪ Du cidre du pays d'Othe ▪ Du poiré.

Munster

Roi des Vosges alsaciennes et lorraines, le munster, ou munster-géromé, s'avère parfois médiocre quand il est industriel et perd beaucoup lorsqu'il est insuffisamment affiné. Célèbre pour son odeur envahissante, mais doux au goût, voire délicat, il témoigne d'un grand caractère lorsqu'il vient de chez un affineur attentif. Un blanc s'impose, d'une légère douceur, avec ce qu'il faut d'acidité. La rencontre avec un gewurztraminer, souvent idéale quand le vin est vif, s'avère régionaliste à souhait.

 BLANC. Gewurztraminer (pas de vendanges tardives !) ▪ Pinot blanc ▪ Clevener ▪ Petit-chablis ▪ Bourgogne aligoté ▪ Mâcon-villages ▪ Saint-véran ▪ On peut aussi penser au saint-joseph ou au saint-péray, à un vouvray sec ayant une pointe d'acidité.

Bries divers

Le brie de Coulommiers a une odeur et un fruité en principe affirmés, celui de Meaux (fermier) montre souvent plus de caractère, celui de Melun s'affirme fortement au nez et au palais. Tous s'entendent avec les rouges. Un rosé est envisageable.

 ROUGE. Servir frais ▪ Sancerre ▪ Alsace pinot noir ▪ Bourgogne rouge jeune ▪ Beaujolais-villages ▪ Pomerol, fronsac et vins voisins, à la rigueur.

 ROSÉ. Voir *Camembert*.

 POURQUOI PAS ? Un champagne rosé.

Langres, époisses, soumaintrain

Ces fromages de vache champenois du sud et bourguignons du nord sont de saveur puissante, forts en bouche, et peuvent avoir une odeur pour le moins accaparante. Ils risquent d'écraser les rouges tendres au fruité aimable et d'entrer en conflit avec les vins robustes… Androuet, le célèbre fromager parisien, optait pour des rouges charpentés, y compris d'assez grands bourgognes : ce n'est pas notre goût. Dans un autre genre d'accord, on peut pencher soit vers un gewurztraminer ami du munster, soit vers quelques blancs secs risquant d'être éclipsés soit, avec prudence, vers certains moelleux.

 ROUGE. Servir frais. Accord généralement conseillé, souvent approximatif ▪ Saint-émilion (on peut être réticent !) ▪ Rully ▪ Givry ▪ Côtes-du-rhône ▪ Gigondas ▪ Châteauneuf-du-pape ▪ Palette ▪ Coteaux-d'aix ▪ Bandol ▪ Patrimonio.

 BLANC. Gewurztraminer équilibré ▪ Bourgogne ▪ Mâcon ▪ Pouilly-fuissé.

POURQUOI PAS ? Un blanc moelleux (loupiac, par exemple).

Pont-l'évêque

Souple et crémeux, le célèbre fromage du pays d'Auge affirme une saveur « terroir » prononcée… quand il est bien fait, bien affiné. Plusieurs rouges et quelques blancs en lice (ils vont aussi avec le livarot) ; entente avec le cidre cordiale.

 ROUGE. Servir assez frais ▪ Beaujolais-villages ▪ Côte de brouilly, brouilly et divers crus du Beaujolais ▪ Touraine gamay ▪ Chinon ▪ Bourgueil ▪ Anjou villages ▪ Côtes-d'auvergne ▪ Côte-roannaise.

 POURQUOI PAS ? Certains sommeliers conseillent des bordeaux, des bourgognes et des côtes-du-rhône rouges d'une certaine ampleur, voire puissants.

Gruyère

Le plus répandu des fromages à pâte pressée, le gruyère devrait être de structure souple et enchanter par son fruité. Si c'est le cas, un rouge également souple, assez velouté. Mais le gruyère peut aussi s'entendre avec les blancs qu'affectionnent le comté, le beaufort et l'abondance.

 ROUGE. Servir frais ▪ Beaune ▪ Savigny-lès-beaune ▪ Ladoix ▪ Mercurey ▪ Rully ▪ Givry ▪ Alsace pinot noir ▪ Beaujolais-villages ▪ Bordeaux supérieur ▪ Médoc ▪ Saumur-champigny ▪ Chinon.

 BLANC. Meursault ▪ Vin de Savoie ▪ Arbois vin jaune ▪ Graves.

 ET AUSSI… Un champagne vieilli.

Saint-nectaire

L'illustre fromage auvergnat, affiné sur un lit de paille de seigle, dégage parfois une certaine odeur de

BOIRE AVEC « LE GRAND-MAÎTRE »

François Barat, cuisinier de formation, et grand professionnel de l'hôtellerie, a ressuscité un vieil hôtel thermal de Saint-Nectaire, modernisé avec goût sous l'enseigne Relais Mercure (les salles à manger sont étonnantes). Élu grand-maître de la Confrérie du saint-nectaire, ce titulaire d'une « Marianne » Saveurs de France sait choisir la bonne bouteille en fin connaisseur des vins du cœur de l'Hexagone, autrement dit d'Auvergne et du Massif central. On ne la lui conte pas : il fut, dans le Val de Loire, familier de l'œnologue Jacques Puisais, l'homme du « Goût juste » qui conseille tant de grands viticulteurs à travers la France.

Comme son amie Danièle Guillaume, fromagère perfectionniste d'un bourg proche, il a un faible pour le côtes-d'auvergne-boudes pinot noir de Claude et Annie Sauvat, « qui maîtrisent bien ce cépage, mais savent aussi travailler le gamay. » Mais il ne cache pas, tout autre option, sa faiblesse pour le saint-pourçain blanc Les Cailles, charmant compagnon du saint-nectaire fermier. Et constate simplement, pour éviter d'en rajouter, que l'Auvergne viticole, en constants progrès, offre l'embarras du choix.

■ **RELAIS MERCURE LES BAINS ROMAINS.** SAINT-NECTAIRE (PUY-DE-DÔME).

Danièle Guillaume affine les saint-nectaire dans des galeries souterraines, vers Montaigut-le-Blanc.

FROMAGES ET VINS D'AUVERGNE

Françoise Petrucci a repris la plus régionaliste des affaires familiales de Paris : l'enseigne de *L'Ambassade d'Auvergne* dit la vocation et les parti-pris de ce restaurant d'ancienne renommée, toujours d'excellente tenue, souvent assiégé (la grande table d'hôtes fait bien des heureux). Parmi les clientes : Kazuko Masui (sur la photo), journaliste japonaise… et internationale, familière des meilleurs restaurants de France. Cette étrangère depuis longtemps domiciliée sur l'île Saint-Louis a écrit un livre-guide sur tous les fromages de l'Hexagone et de Corse (traduit en français, ainsi qu'en d'autres langues, et préfacé par Joël Robuchon !)
Le laguiole – prononcer : layole – garde la vedette à l'*Ambassade*. La spectaculaire fourme de six mois y voisine, sur un plateau plus qu'appétissant, avec le saint-nectaire et la fourme d'Ambert (un bleu). Pour qui tâte de deux ou trois fromages, Françoise Petrucci suggère un rosé de corent.
« Ce côtes-d'auvergne est vinifié avec soin, pas loin de Boudes, par Jean-Pierre et Marc Pradier, qui produisent aussi un rouge et un blanc de qualité. Ce vin de jolie couleur pâle, assez floral, accompagne parfaitement les fromages du Centre et rafraîchit en fin de repas. »

■ **L'AMBASSADE D'AUVERGNE.** 22, RUE DU GRENIER-SAINT-LAZARE, PARIS 3ᵉ.

moisissure, mais a un goût de terroir assez doux. Un rouge, pas trop corsé.

 ROUGE. Servir frais ▪ Anjou-villages ▪ Saumur-champigny ▪ Chinon ▪ Bourgogne ▪ Côtes-d'auvergne-boudes (pinot noir) ▪ Haut-médoc ▪ Médoc ▪ Pauillac.

Reblochon

Ce grand fromage de Savoie est onctueux, de saveur accentuée, mais fine. Il est souvent proposé avec un rouge, en harmonie fréquemment incertaine ; mais certains blancs vont très bien (nous les préférons assez ronds).

 ROUGE. Servir frais ▪ Santenay ▪ Ladoix ▪ Saint-romain.

BLANC. Vin de Savoie ▪ Mâcon-villages ▪ Meursault.

POURQUOI PAS ? Un puligny-montrachet.

Cantal, salers, laguiole, tommes diverses

Le cantal ou fourme du Cantal et le salers ou fourme de Salers sont auvergnats et cousins de cette fourme rouergate qu'est le laguiole. Jeunes, les fromages sont doux et blancs, mais ils prennent avec l'âge saveur et couleur. De goût délicat et suave, les tommes de Savoie et du Dauphiné s'entendent à peu près avec les mêmes vins, plutôt des rouges.

 ROUGE. Servir frais ▪ Côtes-d'auvergne ▪ Côte-roannaise ▪ Saint-pourçain ▪ Beaujolais ▪ Vins

de Lavilledieu ▪ Côtes-du-frontonnais ▪ Alsace pinot noir ▪ Vin de Savoie ▪ Mondeuse.

BLANC. Entraygues ▪ Apremont et roussette de Savoie.

Avec les « chèvres »

Chabichou, crottin de Chavignol, pélardon, picodon, rocamadour, selles-sur-cher, sainte-maure, valençay… Il est difficile d'entrer dans le détail, mais quelques vérités premières valent sur tout le territoire caprin. Les rouges, loin d'être proscrits, comme on le croit souvent, s'entendent merveilleusement avec les chèvres frais et demi-frais. Les blancs fruités, secs ou secs tendres, sont toujours de bonne compagnie et préférables avec les chèvres secs. Il faut tenir compte d'éventuels assaisonnements, mais c'est marginal.

BLANC. Chablis ▪ Meursault ▪ Mâcon blanc ▪ Pouilly-fuissé ▪ Saint-véran ▪ Jasnières ▪ Vouvray et montlouis secs ▪ Savennières ▪ Sancerre ▪ Touraine ▪ Entraygues.

ROUGE. Jeune. Servir frais ▪ Chinon ▪ Saumur-champigny.

ROSÉ. Côtes-de-provence ▪ Bandol ▪ Vin de Corse ▪ Irouléguy.

Avec les « brebis »

De la provençale brousse et du broccio corse au pyrénéen ossau-iraty, les fromages de brebis sont aussi divers d'aspect que de saveur. Ils s'entendent, selon circonstances, avec des vins blancs secs, secs tendres ou moelleux, ainsi qu'avec certains rouges.

BLANC. Jurançon sec ou liquoreux ▪ Pacherenc-du-vic-bilh ▪ Irouléguy ▪ Vin de Corse ▪ La plupart des vins recommandés avec les chèvres passent bien.

ROUGE. Beaujolais ▪ Saint-pourçain ▪ Touraine gamay ▪ Béarn et irouléguy particulièrement souples.

Le « cas » roquefort

La star des « bleus », fromages à pâte persillée, se situe à part des autres brebis et suscite quelques grands accords. L'un des plus célèbres, peut-être un peu surfait, l'associe à un sauternes, de préférence vieilli.

BLANC. Sauternes ▪ Barsac ▪ Loupiac ▪ Jurançon liquoreux ▪ Bonnezeaux ▪ Coteaux-du-layon.

ROUGE. Servir frais ▪ Accords incertains. Certains rouges de la vallée du Rhône, vieillis.

 EY AUSSI… Un banyuls ▪ Peut-être un muscat de Rivesaltes ▪ Si l'on sort de France, un porto.

DESSERTS

De «desservir»: le dernier plat du repas, apporté quand la table a été totalement débarrassée. Si l'on s'en tient à la lettre, le fromage a droit au qualificatif de dessert quand il n'est suivi d'aucune douceur – c'est fréquemment le cas au déjeuner –, mais le mot désigne communément la gamme des entremets (expression prise dans son sens actuel), les diverses pâtisseries, les crèmes, les glaces et les sorbets, les parfaits, les soufflés et les vacherins, les compotes, les spécialités régionales, les crêpes, les fruits givrés, la simple corbeille de fruits. Le dessert « de gourmandise » (une gourmandise qui est aussi celle des yeux) laisse le gastronome méfiant : il partage la joie enfantine de beaucoup de convives, mais craint que l'on se sucre les papilles jusqu'à l'écœurement. La majorité des mortels n'ont pas cette réticence, sauf nécessité de régime, et considèrent le final du repas comme un moment important. La place accordée au dessert n'a, c'est évident, rien de rédhibitoire s'il est plutôt «court et relevé» et choisi en fonction de l'ordonnancement général du repas : il doit apporter son point d'orgue compte tenu des mets précédents et de leur abondance. Les choses se compliquent au moment de tendre son verre... si l'on tient encore à boire.

Côté boisson, les interrogations se multiplient, sans réponse assurée... De nombreux desserts, notamment les fruits rafraîchis, les glaces et les sorbets suggèrent de faire l'impasse. D'autres dirigent vers des vins très différents. Que boire quand on a abusé du chariot joliment garni – une rareté depuis une douzaine d'années –, lorsque les convives emplissent

Charlotte de Lenôtre.

différemment leurs assiettes ? Les restaurateurs et les sommeliers ont souvent d'autres chats ou d'autres crèmes à fouetter. À part le champagne, tout à fait inadéquat le plus souvent, parfois servi absurdement, il proposent volontiers des vins au verre, qui dépannent... sans garantie d'adéquation. Aux uns le jurançon, à d'autres le loupiac, le bonnezeaux, un muscat ou un vin muté. Bref, ce qui arrange la maison et ne pose pas trop problème : les poncifs du dessert sont les pendants des poncifs de l'apéritif ! Seuls, quelques sommeliers de grands restaurants étonnent en apportant une réponse pointue : ils sont savants et disposent d'une belle cave ; leurs clients, parfois très éduqués, écoutent et peuvent payer.

Sommairement :

– **Le champagne,** évocateur de convivialité festive, encore rituellement proposé en fin de repas, est un mauvais compagnon des desserts, fruits rouges nature et en gratin exceptés.

S'il s'entend remarquablement avec plusieurs fromages, le « brut » n'éprouve aucune affinité pour la plupart des entremets et enlise ses bulles dans le chocolat.

Quand le cercle de famille veut sacrifier à l'usage avec quelque gâteau d'anniversaire ou une bûche de Noël, on ne peut que conseiller un **champagne demi-sec,** produit devenu rare (on ne le trouve, de qualité, que dans quelques grandes maisons, par exemple chez Veuve Clicquot, chez Moët et Chandon).

Le champagne est parfois remplacé avantageusement, au moins sur le plan économique, par des vins effervescents d'origines diverses : **vouvray, montlouis, saumur, crémant d'Alsace, crémant du Jura, clairette de Die ou blanquette de Limoux,** notamment. Ces mousseux inégaux, de mieux en mieux élaborés, parfois en relation avec de grandes maisons champenoises, se révèlent, à l'occasion, d'excellent rapport qualité/prix. Sauf goût de cépage marqué (chenin, riesling, muscat), les meilleurs sont, d'ailleurs, souvent confondus avec les champagnes moyens, et parfois préférés, par la plupart des amateurs pas spécialement initiés.

– **Sauternes, barsac, loupiac, sainte-croix-du-mont, cérons, monbazillac, jurançon moelleux, quarts-de-chaume, coteaux-du-layon et de l'aubance, bonnezeaux, vouvray, montlouis** et **alsaces sélection de grains nobles** ajoutent plus ou moins fortement leur sucre au sucre. Ce n'est pas forcément idéal pour la dégustation du mets comme du vin !

Les accords des vins d'or pâle ou vieil or se révèlent cependant délicieux avec beaucoup de tartes, avec les desserts aux fruits. On peut, par ailleurs, favoriser les années de moindre concentration, chercher quelque vivacité dans un vin blanc doux.

S'agissant de certaines appellations, sauternes et barsac en tête, ainsi que d'élaborations particulières (sélection de grains nobles), il est à noter que les vins-gourmandise sont par eux-mêmes des desserts !

–**Les vins doux naturels,** les «VDN» (il s'agit d'une appellation) sont de différents types et ont diversement leur place au dessert.

Les **muscats** d'arôme caractéristique, vif et délicat, font de merveilleux apéritifs et se boivent un peu n'importe quand, pour le plaisir et en toute décontraction. On retrouve agréablement ces amis de la brioche et du kouglof, à préférer jeunes, avec des tartes, un fraisier, des préparations à base de pomme, de poire, de fruits exotiques. Qu'ils soient de Beaumes-de-Venise, de Frontignan, de Lunel, de Mireval, de Rivesaltes ou du cap Corse...

Les vins de type **banyuls, rivesaltes, maury,** dont les arômes ne manquent pas de complexité, se révèlent souvent capiteux, suaves. Plus ou moins vieillis avant d'être mis en vente, tuilés ou ambrés, ils conviennent aux desserts au chocolat, mais peuvent rencontrer une crème renversée, une île flottante.

–**Le gewurztraminer,** vendanges tardives ou sélection de grains nobles, apporte son goût de raisin si typique aux fruits jaunes et aux prunes, à beaucoup de préparations à base de fruits exotiques, aux desserts épicés. Il répond bien à la cannelle, pactise avec la vanille fortement dosée.

–**Les vins rouges,** rarement évoqués pour le dessert, peuvent jouer les prolongations en fin de repas. **Alsace pinot noir, saint-pourçain, sancerre** rouges, moindrement **médoc** (il doit être peu tannique) et quelques autres font des amabilités et donnent parfois une aimable chiquenaude aux fraises, aux framboises, aux mûres. Les cerises et le clafoutis aux cerises les acceptent et font particulièrement la fête au **bourgueil** et au **chinon.**

Le Chuao de Pierre Hermé. En forme de cœur pour la Saint-Valentin.

–**Les eaux-de-vie** sont souvent bienvenues. Avec certaines glaces, éventuellement, si l'on ne se contente pas d'un verre d'eau ou d'un thé glacé, et, surtout, avec les sorbets. **Kirsch** avec un sorbet cerise. **Prune** avec le sorbet mirabelle. **Calvados** avec le sorbet pomme. **Poire** avec le sorbet poire. **Liqueur de cassis** avec le sorbet cassis.

Le rhum (comme le **whisky**) a des affinités avec le chocolat. **L'armagnac,** par ailleurs meilleur ami des pruneaux, et, moindrement, un **marc** pas brutal flattent la vanille. Le **calvados** est souhaité avec la plupart des desserts aux pommes, le **kirsch** avec un clafoutis aux cerises.

• QUELQUES EXEMPLES •

Desserts au chocolat

La puissance et l'amertume, ainsi que les ajouts et parfums (fruits rouges, orange, praliné, café, etc.) peuvent influer sur le choix du vin. Champagne et grands liquoreux hors jeu, muscats «très raisin» déplacés. Eau et thé idéals pour une dégustation fine.

▶ Banyuls de types rancio ou rimage ▪ Rivesaltes ▪ Maury ▪ Pineau des Charentes ▪ Eau-de-vie de framboise ▪ Kirsch ▪ Marc de champagne ▪ Certaines liqueurs.

Saint-honoré

▶ Vouvray et montlouis moelleux ▪ Coteaux-de-l'aubance ▪ Coteaux-du-layon ▪ Bonnezeaux ▪ Quarts-de-chaume ▪ (Pas de millésime excessivement riche en sucre.)

Paris-Brest

Fourré de crème pralinée et parsemé d'amandes effilées, heureuse avec les liquoreux.

▶ Sauternes ▪ Barsac ▪ Loupiac ▪ Sainte-croix-du-mont ▪ Jurançon moelleux.

Moka au café

▶ Maury ▪ Rivesaltes ▪ Banyuls ▪ Rasteau.

Fraisier

▶ Maury ▪ Kirsch ▪ Eau-de-vie et liqueur de framboise.

Pithiviers

Le « gâteau des rois » de l'Épiphanie est fourré d'une crème aux amandes allant avec bien des vins du Bordelais et du Sud-Ouest riches en sucre.

▶ Sauternes ▪ Monbazillac ▪ Sainte-croix-du-mont ▪ Loupiac ▪ Cérons ▪ Côtes-de-bergerac moelleux ▪ Côtes-de-duras moelleux ▪ Saussignac ▪ Pacherenc-du-vic-bilh moelleux ▪ Diverses vendanges tardives envisageables ▪ Banyuls ▪ Rivesaltes ▪ Maury.

Millefeuille à la vanille

▶ Coteaux-du-layon ▪ Coteaux-de-l'aubance ▪ Muscat de beaumes-de-venise ▪ Muscat du cap Corse.

Tarte aux pommes — tarte Tatin

▶ Pineau des charentes ▪ Quarts-de-chaume ▪ Bonnezeau ▪ Coteaux-du-layon ▪ Coteaux-de-l'aubance ▪ Vouvray ▪ Montlouis ▪ Divers muscats envisageables ▪ Vin jaune (particulièrement avec la tatin) ▪ Cidre bouché ▪ Poiré ▪ Calvados.

Tarte aux mirabelles, aux quetsches

▶ Gewurztraminer ▪ Muscat de beaumes-de-venise ▪ Muscats divers, notamment muscat du cap Corse ▪ Eau-de-vie de prune.

Tarte aux myrtilles, aux mûres

▶ Alsace pinot noir ▪ Saint-pourçain ▪ Sancerre ▪ Coteaux-champenois rouge ▪ Bouzy ▪ Eaux-de-vie et liqueurs de myrtille, de mûre (liqueurs assez fortes, servies en petite quantité).

Alsace, Val de Villé : le nom de Massenez est ici synonyme de belles eaux-de-vie. Manou Massenez tient à présent la barre de la maison, avec son père.

⭐ **Une bonne bouteille.** Sélection toutes AOC de domaines dont les vins vont avec de nombreux desserts ▪ Clairette de Die : Cave coopérative de Die ▪ Crémant d'Alsace et muscat d'Alsace : Domaine Jean-Baptiste Adam ▪ Gewurztraminer : Maison Léon Beyer ; Domaine Zind-Humbrecht ▪ Muscat de Rivesaltes et rivesaltes : Domaine Cazes frères ; Domaine Casenove ; Château de Jau ▪ Banyuls : Domaine

Chez les Brana à Ispoure, près de Saint-Jean-Pied-de-Port. Adrienne, qui a vécu le renouveau de l'Irouléguy avec Étienne Brana, travaille en famille. Jean, son fils, s'occupe du vignoble. Martine, sa fille, avec elle sur la photo, est une formidable distillatrice (poire, marc, prune).

du Mas Blanc ; cave L'Étoile ; Cellier des Templiers ; Clos de Paulilles ▪ Maury : Domaine La Pléiade ▪ Muscat du cap Corse : Domaine Antoine Arena ▪ Muscat de beaumes-de-venise : Domaine de Coyeux ▪ Pacherenc-du-vic-bilh : Plaimont producteurs ; Château Barrejat ; Château Berthoumieu ▪ Monbazillac : Château La Borderie ▪ Loupiac : Domaine du Noble.

⭐ **Et aussi…** Eaux-de-vie (gamme très importante) et délicieuses crèmes de fruits peu alcoolisées de la distillerie Massenez, dans le Val de Villé, en Alsace ▪ La famille Massenez produit aussi un excellent vin… au Chili, Château Los Boldos souplement tannique, fruité, allant avec beaucoup de plats français, ainsi qu'avec certains fromages ▪ Eaux-de-vie (prune, poire, marc d'Irouléguy) de la maison Brana, au Pays basque ▪ Les Brana, notamment pionniers en ce qui concerne le vin blanc dans la région de Saint-Jean-Pied-de-Port, comptent parmi les meilleurs viticulteurs de l'AOC irouléguy.

Sous l'enseigne du *Cheval Blanc,* Pierre Tellechea s'est fait un nom à Bayonne, dans les pays basque et d'Adour. Avec les tartes aux fruits et les sorbets, il ne dit pas non à une très bonne eau-de-vie. Qu'il va chercher en presque voisin à Ispoure, chez Brana : aujourd'hui une poire, demain une prune…

Verre en main…

Avec Alain Ducasse

Quelques questions-réponses

– Alain, vous conseillez dans votre livre, *Méditerranées,* un muscadet ou un gros-plant avec des artichauts vinaigrette, un sauvignon de Loire avec une salade de haricots verts…

…D'une façon générale, quels sont, pour vous, les vins s'accommodant le plus facilement d'une vinaigrette pas trop agressive ?

« Des blancs pointus, évidemment, voire certains rosés du Sud, que l'on choisira pas trop matures.

J'irai vers le sylvaner, le bourgogne aligoté, l'entre-deux-mers. Ou, pour plus de rondeur et de souplesse, vers un blanc de Provence, voire du Languedoc. »

– L'« acidulé » du citron vous paraît-il poser des problèmes très différents, dans ses rapports avec le vin, de ceux que suscite le vinaigre ? Du moins quand le goût n'est pas fortement adouci par crème ou beurre ?

« Le citron peut effectivement être rejoint (aromatiquement parlant) par certaines appellations. Donc, moins de problèmes.

« On peut essayer un bourgogne (chitry), un coteaux-du-giennois. »

– Quels sont, selon vous, les légumes, soit utilisés en garniture, soit intégrés lors de l'élaboration, qui vous paraissent les plus difficiles à marier avec la plupart des vins ?

« L'artichaut, le navet, l'ail, l'endive. »

– Quels sont, en revanche, les légumes les plus accommodants, facilitant les rapports des plats les utilisant avec le vin ?

« Les pommes de terre, les tomates, les oignons, les asperges, certaines verdures, comme la roquette. »

– À votre niveau, est-on parfois motivé ou perturbé par l'envie ou la difficulté d'accorder le plat avec tel ou tel vin ? Une interrogation quant au vin pouvant être servi à table vous a-t-elle parfois influencé lorsque vous imaginiez ou repensiez un plat ?

« Le charme, dans notre métier, c'est de disposer d'une richesse et d'une diversité incroyables de produits et de vins qui s'accordent merveilleusement.

La réalisation d'un plat provoque le choix du vin – essentiel –, mais non l'inverse. »

– Vers quel(s) vin(s) français vous pousse d'emblée l'idée d'une huile d'olive puissante, du basilic, des saveurs de Provence (*grosso modo,* le goût d'un robuste et simple pistou) ?

« Évidemment, un vin blanc simple et de grand caractère. De Provence (cépages clairette, rolle), du Languedoc (cépages grenache blanc, macabeo). On peut aussi penser, cependant, à certains vins rouges de mourvèdre, de grenache, de syrah… »

– « Sans hésiter, un vin doux naturel rouge, style rasteau », préconisez-vous pour accompagner votre « clafoutis moelleux ». Pourriez-vous conseiller aussi un ou deux rouges normaux ?

« Une jeune grande syrah (crozes-hermitage) et tous les vins des côtes-du-rhône-villages. »

– Êtes-vous choqué par la rencontre d'un rouge « sans sucre » avec une préparation acidulée-sucrée ?

« Non. Mais seulement si le rouge présente une véritable maturité, dans un millésime « chaud ».

« Ces AOC, par exemple : collioure, faugères, fitou… Certains cahors, madirans. Certains vins des Graves, du Libournais, de Chinon. »

MOTS DU VIN

Acerbe
Vin trop acide et/ou trop tannique.

Acide-Acidité
L'une des quatre saveurs détectables par l'homme (les autres étant l'amer, le sucré et le salé). L'acidité, sauf excessive, n'est aucunement un défaut : elle fait partie du vin, participe à sa rondeur, à sa fraîcheur.

Agressif-Agressivité
L'acidité, comme l'excès de tanin et le boisé mal dosé, peut « blesser » les papilles. Certains vins ne sont agressifs que dans leur jeunesse.

Alcooleux
Vin très ou trop chargé en alcool.

Amer
Caractère d'un vin rouge particulièrement marqué par le tanin (celui-ci se fond dans le vin avec le temps). On parle souvent d'astringence.

Ample
Vin rond et équilibré, qui emplit agréablement toute la bouche.

AOC
Appellation d'origine contrôlée
Codifiée à la veille de la dernière guerre mondiale, l'appellation d'origine contrôlée concerne plus de la moitié des vins français et des dizaines de milliers de viticulteurs. Les quelque 450 AOC correspondent à des terroirs strictement délimités, à des encépagements précis, à des rendements, à des conduites de la vigne, à des méthodes de vinification.

Âpre
Vin que l'excès de tanin rend désagréablement astringent.

Arôme
Parfum du vin, ressenti directement par le nez ou par la voie rétro-nasale. Les arômes évoluent avec l'âge du vin : on les dit primaires, secondaires et tertiaires.

Austère
Vin corsé et tannique, éventuellement de qualité, à qui l'âge donnera sa plénitude.

Boisé
Caractère aromatique, parfois excessif, souvent fin, que les fûts de bois communiquent au vin. L'intensité du boisé (il peut évoquer la vanille, le caramel, voire le brûlé) dépend de la volonté du viticulteur, de la qualité, du volume et de l'âge des fûts. Il se fond plus ou moins vite quand le vin vieillit.

Bouchonné
Goût de liège désagréable donné par un bouchon défectueux.

Bouquet
Ensemble des caractères olfactifs du vin. On parle aussi de « nez ».

Capiteux, chaleureux
Se dit d'un vin puissant, riche en alcool, qui « chauffe » quelque peu la tête.

Cépage
Plant de vigne. Dans le langage vigneron courant : variété de vigne. Parmi les cépages noirs : le pinot noir, le cabernet sauvignon, le merlot, le malbec ou côt, le gamay, la syrah, le mourvèdre, le grenache, le tannat, la mondeuse. Parmi les cépages blancs : le chardonnay, le chenin, le sauvignon, le sémillon, le colombard, l'ugni blanc, le viognier, la marsanne, la roussanne, le pinot blanc, le riesling, le gewurztraminer, le tokay pinot gris, le muscadet, les muscats.

Charnu
Vin corsé et rond donnant l'impression d'emplir la bouche.

Charpenté
Vin de constitution solide, robuste, qui vieillira bien en cave.

Climat
Mot ayant à peu près le sens de cru en Bourgogne (mais il englobe moins d'éléments que le cru du vocabulaire bordelais).

Complet
Vin équilibré, élégant, auquel on ne peut rien reprocher.

Corsé
Qualifie une certaine puissance, une vigueur qui s'impose. Le mot n'a rien de péjoratif, bien au contraire, mais il arrive qu'un vin soit dit « trop corsé », dans une circonstance particulière, par rapport à tel ou tel plat.

Coulant
Vin très souple, facile à boire.

Cru
Terroir délimité, du moins au sens premier du terme. La notion de cru tient aussi compte de l'encépagement, du savoir-faire des hommes, des règles qu'ils s'imposent.

Dur
Vin trop acide et/ou tannique qui brutalise les papilles et persiste en bouche de façon plus ou moins désagréable. La dureté peut s'atténuer quand le vin vieillit.

Épanoui
Vin au mieux de sa forme, généralement après avoir passé un certain temps en cave.

Frais
Ne pas confondre avec le « frais » de l'expression « Servir frais » et du rafraîchissement en seau… Appliqué au goût du vin, le qualificatif désigne une de ses caractéristiques, acidité sensible et agréable.

Franc
Vin net, sans goûts étonnants ni excès, reflétant le cépage et le terroir.

Fruité
Qualité d'un vin jeune livrant des saveurs et des arômes proches du raisin.

Généreux
Vin puissant, riche en alcool.

Gouleyant
Vin léger, frais et agréablement fruité qui se laisse boire facilement.

INAO
L'Institut National des Appellations d'Origine Contrôlée joue un rôle dans le secteur agricole et agro alimentaire. Au sein de cet organisme, un comité national interprofessionnel officialise les appellations et fixe les normes devant être respectées.

Nerveux
Vin agréablement acide, généralement assez corsé.

Primeur
Vin à boire dans les six mois environ suivant la vendange.
La plupart de ces « vins nouveaux » vieillissent très mal, mais les meilleurs peuvent tenir quelque temps et avoir pratiquement les qualité du vin « normal ».

Robe
L'aspect du vin, sa couleur.

Rondeur
Qualité d'un vin agréablement charnu, d'une souplesse veloutée.

Tanin, tannin
Substance essentielle provenant de la peau et des pépins du raisin (mais aussi du chêne des fûts).
C'est notamment au tanin qu'est due la différence de goût entre les vins rouges et les vins blancs.
Selon les cépages, la viticulture et la vinification, les vins rouges sont plus ou moins tanniques.

Tanique, tannique
Vin marqué par le tanin, notamment dans sa jeunesse.
Certains cépages apportent plus de tanin (qui se fond dans le vin quand celui-ci prend de l'âge).

Tendre
Vin dont l'acidité se ressent peu, quoique parfois d'une certaine importance, et qui paraît souple à la bouche.

Terroir
Dans l'univers viticole, le mot est presque synonyme de cru.
Il désigne le terrain et ses spécificités (géologie, exposition, alimentation en eau), compte étant tenu des interventions de l'homme.

Typé
Vin reflétant de façon marquée un terroir et un encépagement.

Vert
Vin blanc dont l'acidité est plus ou moins excessive.

DOMAINES ET VITICULTEURS

Bons producteurs cités dans l'ouvrage. Les viticulteurs et les négociants évoqués produisent des vins valant, à l'aube de l'an 2000, de 40 à 200 F la bouteille dans un millésime récent (prix public TTC). Les grands châteaux bordelais, les illustres domaines de Bourgogne et les champagnes, aux tarifs infiniment supérieurs ne sont pas répertoriés. Les grands châteaux bordelais, les illustres domaines de Bourgogne aux tarifs infiniment supérieurs ne sont pas répertoriés.

- **Domaine Abotia** - 64220 Ispoure.
- **Domaine Jean-Baptiste Adam** - 68770 Ammerschwihr.
- **Château d'Aiguilhe** - 33350 Saint-Philippe-d'Aiguilhe.
- **Domaine Gilbert Alquier et fils** - 34600 Faugères.
- **Domaine Charles Allexant et fils** - 21190 Meursault.
- **Domaine Yannick Amirault** - La Coudraye 37140 Bourgueil.
- **Domaine des Amouriers** - 84260 Sarrians.
- **Château d'Angludet** - 33460 Cantenac.
- **Château d'Aquéria** - 30126 Tavel.
- **Château d'Ardennes** - 33720 Illats.
- **Domaine Antoine Arena** - 20253 Patrimonio.
- **Domaine Arnoux père et fils** - 21200 Chorey-lès-Beaune.
- **Domaine Arretxea** - 64220 Irouléguy.
- **Maison Audebert et fils** - 37140 Bourgueil.
- **Domaine Lucien Aviet** - 39600 Montigny-les-Arsures.
- **Château d'Aydie** - 64330 Aydie.
- **Domaine d'Azenay** - 71260 Azé.
- **Domaine de Bablut** - 49320 Brissac-Quincé.
- **Domaine de Bachen** - 40800 Duhort-Bachen.
- **Domaine Joseph Balland-Chapuis** - 18039 Bué.
- **Château Barbeyrolles** - D. 61, chemin de la Berle 83580 Gassin.
- **Daniel et Martine Barraud** - Le Bourg 71960 Vergisson.
- **Château Barrejat** - 32400 Maumusson-Laguian.
- **Clos Baudoin** - Vallée de Nouy 37210 Vouvray.
- **Domaine Bernard Baudry** - 37500 Cravant-les-Coteaux.
- **Domaine des Baumard** - 49190 Rochefort-sur-Loire.
- **Château de Beaucastel** - 84350 Courthezon.
- **Domaine de Beauregard.** Voir : Grégoire.
- **Domaine de Beaurenard** - 84230 Châteauneuf-du-Pape.
- **Jean-Claude Beck** - 67650 Dambach-la-Ville.
- **Château de Belcier** - 33350 Les Salles-de-Castillon.
- **Domaine Bellegarde** - Quartier Coos 64360 Monein.
- **Château de Bellet** - Saint-Roman-de-Bellet 06200 Nice.
- **Château Bellevue-la-Forêt** - 31620 Fronton.
- **Roger Belland** - 21590 Santenay.
- **Domaine Michel Bernard** - 84100 Orange.
- **Domaine Bersan** - 89800 Saint-Bris-le-Vineux.
- **Domaine Berthaut** - 21220 Fixin.
- **Cave Berticot - Les Vignerons de Landerrouat-Duras** - 47120 Sainte-Foy.

- **Château Bertinerie** - 33620 Cubzenais.
- **Domaine Bertoumieu** - Dutour 32400 Viella.
- **Maison Léon Beyer** - 68240 Eguisheim.
- **Domaine Gérard Bigonneau** - La Chagnat 18120 Brinay.
- **Paul Blanck** - 68240 Kientzheim.
- **Domaine André Bonhomme** - 71260 Viré.
- **Château Bonnet** - 33420 Grézillac.
- **Domaine Guy Bossard** - La Bretonnière 44430 Le Landreau.
- **Château Boucarut - Christophe Valat** - 30150 Roquemaure.
- **Bouchard père et fils** - 21202 Beaune.
- **Logis de la Bouchardière** - 37500 Cravant-les-Coteaux.
- **Château Bouchassy** - 30150 Roquemaure.
- **Domaine Pascal Bouley** - 21190 Volnay.
- **Château Bouscassé - Alain Brumont** - 32400 Maumusson-Laguian.
- **Domaine de Bouteilley - Jean Guillot** - Rue Gustave-Eiffel - 33560 Sainte-Eulalie.
- **Domaine Brana** - 64220 Saint-Jean-Pied-de-Port.
- **Château Brûlesecaille - J. Rodet** - 33710 Tauriac.
- **Paul Buisse** - 41400 Montrichard.
- **Domaine Alain Burguet** - 21220 Gevrey-Chambertin.
- **Domaine de Cabasse** - 84110 Séguret.
- **Château Calissanne** - 13680 Lançon.
- **Château de Camensac** - 33112 Saint-Laurent-du-Médoc.
- **Château de Campuget** - 30129 Manduel.
- **Domaine Lucien Camus-Bruchon** - 21420 Savigny-lès-Beaune.
- **Château Canon** - 33330 Saint-Émilion.
- **Château Carbonnieux** - 33850 Léognan.
- **Château Cascadais** - 11220 Saint-Laurent-de-la-Cabrerisse.
- **Château Cap Léon Veyrin** - 33480 Listrac-Médoc.
- **Domaine de Casenove** - 66300 Trouillas.
- **Domaine Cauhapé** - 64360 Monein.
- **Château Cazal-Viel** - 34460 Cessenon-sur-Orb.
- **Domaine Cazes frères** - 66602 Rivesaltes.
- **Château du Cèdre** - 46700 Vire-sur-Lot.
- **Cellier des Templiers** - 66650 Banyuls-sur-Mer.
- **La Chablisienne** - 89800 Chablis.
- **Château Chambert-Marbuzet** - 33180 Saint-Estèphe.
- **Château de Chamilly** - 71510 Chamilly.
- **Domaine Didier Champalou** - Le Portail 37210 Vouvray.

- **Domaine Chanson Père et Fils** - 21206 Beaune.
- **Château de Chantegrive** - 33720 Podensac.
- **Maison M. Chapoutier** - 26600 Tain-l'Hermitage.
- **La Chapelle-Lenclos** - 32400 Maumusson.
- **André Charmensat** - 63340 Boudes.
- **Domaine de La Charmoise** - 41230 Soings-en-Sologne.
- **Chauvenet-Chopin** - 21700 Nuits-Saint-Georges.
- **Château Chasse-Spleen** - Grand-Poujeaux Sud 33480 Moulis-en-Médoc.
- **Domaine de Chevalier** - 33850 Léognan.
- **Domaine Émile Cheysson** - 69115 Chiroubles.
- **Domaine Michel Chignard** - 69820 Fleurie.
- **Domaine Denis et Françoise Clair** - 21590 Santenay.
- **Cave de Cleebourg** - 67160 Cleebourg.
- **Château Clinet** - 33750 Saint-Germain-du-Puch.
- **Clos de Gamot** - 46220 Prayssac.
- **Clos de Paulilles - Château de Jau** - 66600 Cases-de-Pène.
- **Domaine du Clos-du-Roi** - 89580 Coulanges-la-Vineuse.
- **Domaine du Clos Naudin** - 37210 Vouvray.
- **Domaine du Clos-Saint-Marc** - 69440 Taluyers.
- **Domaine du Closel** - 49170 Savennières.
- **Château du Coing-de-Saint-Fiacre** - 44690 Saint-Fiacre-sur-Maine.
- **Domaine Marc Colin et fils** - Gamay 21190 Saint-Aubin.
- **Domaine Anita et Jean-Pierre Colinot** - 89290 Irancy.
- **Domaine Jean-Luc Colombo** - Pied-la-Vigne 07310 Cornas.
- **Domaine des Costes** - Les Costes 24100 Bergerac.
- **Château Coufran** - 33180 Saint-Seurin-de-Cadourne.
- **Domaine de la Courtade** - 83400 Porquerolles.
- **Domaine de Coyeux** - 84190 Beaumes-de-Venise.
- **Château de Crémat** - 06200 Nice.
- **Domaine Lucien Crochet** - 18300 Bué.
- **Château La Croix du Casse** - Château Jonqueyres 33750 Saint-Germain-du-Puch.
- **Clos Culombu** - San-Petru 20260 Lumio.
- **Château Dalem** - 33141 Saillans.
- **Mas de Daumas Gassac** - 34150 Aniane.
- **Domaine René et Jean Dauvissat** - 89800 Chablis.

- **Jean-Michel Deat** - 63200 Saint-Bonnet-près-Riom.
- **Daniel-Étienne Defaix** - Aux Celliers du Château - Chablis (Yonne).
- **Marcel Deiss** - 68750 Bergheim.
- **Domaine Olivier Delétang** - 37270 Saint-Martin-le-Beau
- **Domaine Philippe Delesvaux** - 49190 Saint-Aubin-de-Luigne.
- **Jean-Marc Després** - La Madone 69820 Fleurie.
- **Louis-Claude Desvignes** - La Voûte-Le Bourg 69910 Villié-Morgon.
- **Domaine des Deux Roches** - 71960 Davayé.
- **Cave de Die - Union des producteurs de Die** - 26150 Die.
- **Champagne Drappier** - 10200 Urville.
- **Domaine Jean-Paul Droin** - 89800 Chablis.
- **Domaine Pierre-Jacques Druet** - Le Pied-Fourrier 37140 Benais.
- **Georges Dubœuf** - La Gare 71570 Romanèche-Thorins.
- **Domaine Jean Durup** - Maligny 89800 Chablis.
- **Domaine de l'Écu** - 44430 Le Landreau.
- **Domaine Jean-Pierre Ellevin** - 89800 Chiché.
- **Château d'Épiré** - 49190 Savennières.
- **Château d'Esclans** - 83920 Lamotte.
- **Château des Estanilles** - Lentéric 34480 Cabrerolles.
- **Château Étang-des-Colombes** - 11200 Lézignan-Corbières.
- **L'Étoile** - 66650 Banyuls-sur-Mer.
- **Domaine Etxegaraya** - 64430 Saint-Étienne-de-Baïgorry.
- **Château Fabas** - 11800 Laure-Minervois.
- **Château Faugères** - 33330 Saint-Étienne-de-Lisse.
- **Domaine La Ferme Blanche** - 13714 Cassis.
- **Château de Fieuzal** - 33850 Léognan.
- **Domaine Filliatreau** - Chaintres 49400 Dampierre-sur-Loire.
- **Château Floridène - Château Reynon** 33410 Beguey.
- **Domaine Fontblanche** - RN 559 13714 Cassis.
- **Château Fontenil** - 33500 Fronsac.
- **Domaine de Fondrèche** - 84380 Mazan.
- **Château de Fontcreuse** - 13260 Cassis.
- **Château Fourcas-Dupré** - 33480 Listrac-Médoc.
- **Château de France** - 33850 Léognan.
- **Domaine de Frégate** - 83270 Saint-Cyr-sur-Mer.
- **Pierre Frick** - 68250 Pfaffenheim.
- **Fruitière vinicole d'Arbois** - 39600 Arbois.
- **Fruitière vinicole de Pupillin** - 39600 Pupillin.
- **Château de Fuissé** - 71960 Fuissé.
- **Château de La Galissonnière** - 44330 Le Pallet.
- **Domaine Gauby** - 66600 Calce.
- **Château Gautoul** - 46700 Puy-l'Évêque.
- **Domaine Gavoty** - Le Grand Campdumy 83340 Cabasse.
- **Domaine Geantet Pansiot** - 21220 Gevrey-Chambertin.
- **Domaine Gitton père et fils** - 18300 Ménétrol-sous-Sancerre.

- **Domaine Alain Graillot** - 26600 Pont-de-l'Isère.
- **Château Grand Ormeau** - 33500 Lalande-de-Pomerol.
- **Château Grand Pontet** - 33330 Saint-Émilion.
- **Château Grand-Renouil (et Château du Pavillon)** - 33126 Fronsac.
- **Domaine de La Grange** - 44430 Le Landreau.
- **Domaine de Grangeneuve** - 26230 Roussas.
- **Henri Grégoire - Domaine de Beauregard** - 44330 Mouzillon.
- **Château Grézan** - 34480 Laurens.
- **Domaine Bernard Gripa** - 07300 Mauves.
- **Domaine Jean-Louis Grippat** - La Sauva 07300 Tournon.
- **Domaine Jean-Pierre Grossot** - 89800 Chablis.
- **Domaine Guffens-Heynen** - En-France 71960 Vergisson.
- **E. Guigal** - Château d'Ampuis 69420 Ampuis.
- **Château Haut-Gardère** - S.A. Château de Fieuzal 33850 Léognan.
- **Château Haut-Gléon** - 11360 Villesèque-les-Corbières.
- **Château L'Hospitalet** - 11100 Narbonne.
- **Domaine Huet** - 37210 Vouvray.
- **Château du Hureau** - Dampierre-sur-Loire 49400 Saumur.
- **Domaine Ilarria** - 64220 Irouléguy.
- **Jean-René Imbeau** - 63340 Boudes.
- **Paul Jaboulet aîné** - Les Jalets, R. N7 26600 La Roche-de-Glun.
- **Château des Jacques** - 71570 Romanèche-Thorins.
- **Domaine Henri et Paul Jacqueson** - 71150 Rully.
- **Maison Louis Jadot** - 21200 Beaune.
- **Domaine de la Janasse** - 84350 Courtezon.
- **Château de Jau** - 66600 Case-de-Pène.
- **Domaine Joblot** - 71640 Givry.
- **Charles Joguet** - 37220 Sazilly.
- **Josmeyer** - 68920 Wintzenheim.
- **Domaine Michel Juillot** - 71640 Mercurey.
- **Domaine Émile Juillot** - 71640 Mercurey.
- **Mas Jullien** - 34725 Jonquières.
- **Domaine Klipfel** - 67140 Barr.
- **Marc Kreidenweiss** - 67140 Andlau.
- **Château La Borderie** - 24240 Monbazillac.
- **Château La Canorgue** - 84480 Bonnieux.
- **Château La Cardonne** - 33340 Blaignan.
- **Clos La Coutale** - 46700 Vire-sur-Lot.
- **Château La Gardine** - 84230 Châteauneuf-du-Pape.
- **De Ladoucette** - Château du Nozet 58150 Pouilly-sur-Loire.
- **Claude Lafond** - Le Bois-Saint-Denis 36260 Reuilly.
- **Domaine Lafond** - 30126 Tavel.
- **L'Hospitalet.** Voir : Hospitalet.
- **Château Lagrezette** - 46140 Gaillac.
- **Domaine de La Laidière** - 83330 Sainte-Anne-d'Evenos.
- **Château La Louvière** - 33890 Léognan.
- **Château Lamartine** - 46700 Soturac.
- **Domaine de la cave Lamartine** - 71570 Saint-Amour-Bellevue.
- **Clos Landry** - 20260 Calvi.

- **Langlois Château** - 49400 Saint-Hilaire-Saint-Florent.
- **Domaine Pascal Lapeyre** - 64270 Salies-de-Béarn.
- **Gaec Lapouge** - 63119 Châteaugay.
- **Hubert Lapierre** - Les Gandelins 71570 La Chapelle-de-Guinchey.
- **Château Larmande** - 33330 Saint-Émilion.
- **Château La Rame** - 33410 Sainte-Croix-du-Mont.
- **Domaine Laroche** - rue Louis-Bro 89800 Chablis.
- **Château Larrivet-Haut-Brion** - 33850 Léognan.
- **Domaine La Soumade** - 84110 Rasteau.
- **Château de Lastours** - 11490 Portel-des-Corbières.
- **Château La Tour-de-By** - 33340 Bégadan.
- **Château La Tour-de-l'Évêque** - 83390 Pierrefeu-du-Var.
- **Domaine La Tour-Vieille** - 66190 Collioure.
- **Château Laulerie** - Le Gouyat 24610 Saint-Méard-de-Gurçon.
- **Château La Voulte-Gasparets** - 11200 Boutenac.
- **Domaine Leccia** - 20232 Poggio-d'Oletta.
- **Domaine Leflaive** - 21190 Puligny-Montrachet.
- **Olivier Leflaive** - 21190 Puligny-Montrachet.
- **Château Le Roc** - 31620 Fronton.
- **Domaine Les Goubert** - 84190 Gigondas.
- **Château Les Palais** - 11220 Saint-Laurent-de-la-Cabrerisse.
- **Domaine Claude Levasseur** - 37270 Montlouis-sur-Loire.
- **Château L'Hoste-Blanc** - 33670 Sadirac.
- **Jean Lionnet - Domaine Rochepertuis** - 07130 Cornas.
- **Château Lynch Bages - Jean-Michel Cazes** - 33250 Pauillac.
- **Domaine Jean Maclé** - 39210 Château-Chalon.
- **Domaine Louis Magnin** - 73800 Arbin.
- **Château Maison-Blanche** - 33570 Montagne.
- **Les Maîtres Vignerons de la presqu'île de Saint-Tropez** - La Foux 83580 Gassin.
- **Les Maîtres Vignerons de Tautavel** - 66720 Tautavel.
- **Clos des Marconnet - Chanson père et fils** - 21200 Beaune.
- **Clos Lapeyre (Jean-Bernard Larrieu)** - 64110 La Chapelle-de-Rousse – Jurançon.
- **Clos Marfisi** - 20253 Patrimonio.
- **Château de Marsannay** - 21160 Marsannay-la-Côte.
- **Domaine du Mas Blanc - J.-Michel Parcé** - av. G.-de-Gaulle 66650 Banyuls-sur-Mer.
- **Mas Bruguière** - La Plaine 34270 Valflaunes.
- **Distillerie Massenez** - 67220 Bassemberg.
- **Domaine Mathias** - 89700 Épineuil.
- **Château Maucaillou** - 33480 Moulis-en-Médoc.
- **Château Mayne-Lalande** - 33480 Listrac-Médoc.
- **Domaine du Meix-Foulot** - 71640 Mercurey.
- **Domaine Alphonse Mellot** - 18300 Sancerre.
- **Domaine Olivier Merlin** - 71960 La Roche-Vineuse.
- **Château de Meursault** - 21190 Meursault.
- **Château Meyney** - Saint-Estèphe 33250 Pauillac.

- **Frédéric Mochel** - 67310 Traenheim.
- **Domaines et vignobles du monde** - 91420 Morangis.
- **Moillard** - 21700 Nuits-Saint-Georges.
- **Domaine de Montgilet** - 49610 Juigné-sur-Loire.
- **Domaine Hubert de Montille** - 21190 Volnay.
- **Château Montus-Alain Brumont** - 32400 Maumusson-Laguian.
- **Château de Montmirail** - 84190 Vacqueyras.
- **Domaine de la Mordorée** - 30126 Tavel.
- **Pascal Morel** - 10340 Les Riceys.
- **Mosbach** - 67250 Marlenheim.
- **Moulin d'Issan** - Château d'Issan 33460 Cantenac.
- **Moulin des Costes** - 83740 La Cadière-d'Azur.
- **Château Mourgues-du-Grès** - 30300 Beaucaire.
- **Gérard Mouton** - 71640 Givry.
- **Domaine René Muré - Clos Saint-Landelin** - 68250 Rouffach.
- **Château Nairac** - 33720 Barsac.
- **Domaine du Clos Naudin - Philippe Foreau** - 37210 Vouvray.
- **Domaine Henri Naudin-Ferrand** - 21700 Magny-lès-Villers.
- **Clos Nicrosi** - 20247 Rogliano.
- **Château Noaillac** - Jau-Dignac-Loirac 33590 Saint-Vivien-du-Médoc.
- **Domaine du Noble** - 33410 Loupiac.
- **Château de Nouvelles** - 11350 Tuchan.
- **Domaine André et Jean-René Nudant** - 21550 Ladoix-Serrigny.
- **Château Olivier** - 33850 Léognan.
- **Domaine de l'Oratoire Saint-Martin** - Rte de Saint-Roman 84290 Cairanne.
- **André Ostertag** - 67680 Epfig.
- **Clos Mireille - Domaines d'Ott** - 83250 La Londe-les-Maures.
- **Château d'Oupia** - 34210 Oupia.
- **Domaine Parcé** - 66670 Bages.
- **Clos de Paulilles.** Voir : Clos.
- **Château Pech-Latt** - 11220 Lagrasse.
- **Luc Pélaquié** - 30290 Saint-Victor-La Coste.
- **Domaine Henry Pellé** - 18220 Morogues.
- **Domaine André Perret** - Verlieu 42410 Chavanay.
- **Jean-Louis Pétillat - Domaine de Bellevue** - 03500 Meillard.
- **Château Pey-Labrie** - 33126 Fronsac.
- **Cave de Pfaffenheim** - 68250 Pfaffenheim.
- **Château de Pibarnon** - 83740 La Cadière-d'Azur.
- **Domaine de Pierron - Cave de Saint-Mont** - 32400 Saint-Mont.
- **Domaine Vincent Pinard** - 18300 Bué.
- **Dominique Piron** - 69910 Villé-Morgon.
- **Jean-Charles Pivot** - « Montmay », Quincié-en-Beaujolais 69430 Beaujeu.
- **Producteurs Plaimont** - 32400 Saint-Mont.
- **Domaine la Pléiade** - Chemin du Sacré-Cœur 66000 Perpignan.
- **Domaine Étienne Pochon** - Château de Curson 26600 Chanas-Curson.
- **Château Pomys** - 33180 Saint-Estèphe.
- **Château Pradeaux** - 83270 Saint-Cyr-sur-Mer.

- **Jean-Pierre et Marc Pradier** - 63730 Les Martres-de-Veyre.
- **Château de la Preuille** - 85600 Saint-Hilaire-de-Loulay.
- **Domaine Jacques Prieur** - 21190 Meursault.
- **Château Prieuré Borde-Rouge** - 11220 Lagrasse
- **Domaine du Prieuré-Saint-Christophe** - 73250 Freterie.
- **Prieuré de Saint-Jean-de-Bébian** - 34120 Pézenas.
- **Château Puech-Haut** - 2250, route de Teyran 34160 Saint-Drézery.
- **Domaine Jacques Puffenay** - Saint-Laurent 39600 Montigny-les-Arsures.
- **Raymond Quénard** - 73800 Chignin.
- **Cave de Rabastens** - 81800 Rabastens.
- **Domaine Olga Raffault** - 37420 Savigny-en-Véron.
- **Château de La Ragotière** - La Grande-Ragotière 44330 Vallet-la-Regrippière.
- **Domaine Raspail-Ay** - Le Colombier 84190 Gigondas.
- **Domaine Raveneau** - 89800 Chablis.
- **Château Real-Martin** - 83143 Le Val.
- **Philippe Renaud - Cellier le Calvaire** - Saint-Andelain 58150 Pouilly-sur-Loire.
- **Domaine René Renou** - 49380 Thouarcé.
- **Château Reynon** - 33410 Beguey.
- **Pascal Ricotier** - 37220 Crissay-sur-Manse.
- **Château Roc de Cambes** - 33710 Bourg-sur-Gironde.
- **Domaine des Roches-Neuves - Thierry Germain** - 49400 Varrains.
- **Antonin Rodet** - 71640 Mercurey.
- **Domaine Rolet** - Montigny-les-Arsures 39600 Arbois.
- **Château de Rolland** - 33720 Barsac.
- **Château Romanin** - 13210 Saint-Remy-de-Provence.
- **Château des Roques** - 84190 Vacqueyras.
- **Clos Rougeard** - 49400 Chacé.
- **Domaine Roulot** - 21190 Meursault.
- **Domaine Armand Rousseau** - 21220 Gevrey Chambertin.
- **Château Routas** - 83149 Châteauvert.
- **Domaine Roux père et fils** - 21190 Saint-Aubin.
- **Domaine Guy Saget** - La Castille 58150 Pouilly-sur-Loire.
- **Château Saint-Go** - 32400 Saint-Mont.
- **Domaine Sainte-Anne** - Les Célettes 30200 Saint-Gervais.
- **Clos Sainte-Magdeleine** - 13260 Cassis.
- **Château Sainte-Roseline** - 83460 Les Arcs.
- **Domaine Saint-Luc** - 26790 La Baume-de-Transit.
- **Château de Saint-Martin** - 83460 Taradeau.
- **Bernard Santé** - route de Juliénas 71570 La Chapelle-de-Guinchay.
- **Domaine Sauvat** - 63340 Boudes.
- **Domaine Schlumberger** - 68500 Guebwiller.
- **Château de Selle (Domaines Ott)** - 83460 Taradeau.
- **Robert Sérol et fils** - Les Estinaudes 42370 Renaison.

- **Château du Seuil** - 13540 Puyricard-en-Provence.
- **Château Simone** - 13590 Meyreuil.
- **Château Sociando-Mallet** - 33180 Saint-Seurin-de-Cadourne.
- **Cave de Tain-l'Hermitage** - 2600 Tain L'Hermitage.
- **Champagne Taittinger** - 51100 Reims.
- **Domaine Benoît Tassin** - 10110 Celles-sur-Ource.
- **Domaine du Tauch - Producteurs du Mont-Tauch** - 11350 Tuchan.
- **Cave de Técou** - 81600 Gaillac.
- **Domaine Tempier** - 83330 Le Castellet.
- **Domaine de Terrebrune** - 83190 Ollioules.
- **Château Terrefort-Bellegrave** - 33170 Teuillac.
- **Domaine de Terres Blanches** - 13210 Saint-Rémy-de-Provence.
- **Les Terroirs du Rhône (J.-L. Colombo)** - 26600 La Roche-de-Glun.
- **Domaine de Teston - Jean-Marc Lafitte** - 32400 Maumusson-Laguian.
- **Château Thieuley** - 33670 Créon.
- **Château Thivin** - 69460 Odenas.
- **Domaine Tollot-Beaut** - 21200 Chorey-lès-Beaune.
- **Domaine de Torraccia** - 20137 Porto-Vecchio.
- **Château Tour-des-Gendres** - Les Gendres 24240 Ribagnac-l'Église.
- **Château Tour Haut-Caussan** - 33340 Blaignan-Médoc.
- **Château Tour de Marbuzet** - 33180 Saint-Estèphe.
- **Clos Triguedina** - 46700 Puy-l'Évêque.
- **Trimbach** - 68150 Ribeauvillé.
- **Clos Uroulat** - 64360 Monein.
- **Château Vannières** - 83740 La Cadière-d'Azur.
- **Domaine Frédérique et Bernard Vaquer** - 66300 Tresserre.
- **Château Verdignan** - 33180 Saint-Seurin-de-Cadourne.
- **Château Verez** - 83550 Vidauban.
- **Domaine Georges Vernay** - 69420 Condrieu.
- **Champagne Veuve A. Devaux** - 10110 Bar-sur-Seine.
- **J.-M. Viguier** - Les Buis 12140 Entraygues.
- **Cave des Vignerons de Buxy** - 71390 Buxy.
- **Cave des Vignerons de Buzet** - 47160 Buzet-sur-Baise.
- **Cave des Vignerons du Doury** - 69620 Letra.
- **Union des Vignerons de Saint-Pourçain** - 03500 Saint-Pourçain-sur-Sioule.
- **Cave des Vignerons de Saumur** - 49260 Saint-Cyr-en-Bourg.
- **Les Vignerons réunis à Tain-l'Hermitage.** Voir : Cave de Tain-L'Hermitage.
- **Domaine Aubert et Pamela de Villaine** - 71150 Bouzeron.
- **Château de Villeneuve** - 49400 Souzay-champigny.
- **Château de La Violette** - 73800 Les Marches.
- **Domaine de Vissoux** - 69620 Saint-Vérand.
- **Domaine Joseph Voillot** - 21190 Volnay.
- **Domaine Zind-Humbrecht** - 68230 Turckheim.

INDEX DES VINS

Cet index renvoie aux recettes figurant dans le livre : il ne s'agit en aucun cas d'un répertoire exhaustif des accords possibles entre les vins, les produits et les mets. Il va de soi que des vins de caractère proche ont le même emploi, qu'un beaujolais-villages peut être remplacé par un bon beaujolais, un médoc par un haut-médoc, un côtes-de-blaye par un premières-côtes-de-blaye, un mâcon-villages par un mâcon de qualité.

D'innombrable permutations sont possibles, dans l'esprit de cet ouvrage. Le lecteur, qui saura extrapoler, gardera en mémoire que cette (déjà longue !) liste n'est qu'un instrument de consultation du livre, non un «mode d'emploi» raisonné de la majorité des vins de France. Il est évident que le chignin va avec d'autres plats que l'escalope de veau à la crème, que le béarn rosé – charpenté on l'espère – n'est pas seulement le compagnon un peu timide de la garbure…

124

128

132

134

INDEX DES METS

CRÉDITS PHOTOGRAPHIQUES